Nora Roberts

LIEUTENANT EVE DALLAS

Au nom du crime

Traduit de l'américain
par Nicole Hubert

Titre original :
BETRAYAL IN DEATH
Berkley Books, a division of Penguin Putnam Inc., N.Y.

Les squelettes saignent à l'approche du tueur.
Robert Burton

Il y a parfois de l'honneur chez les voleurs.
Sir Walter Scott

Prologue

La mort allait frapper.

Dehors, quelque quarante-six étages plus bas, la vie – bruyante, éclatante, nerveuse – bouillonnait.

New York offrait son plus beau visage en ces soirées de mai. Les fleurs s'épanouissaient le long des avenues, débordaient des étals des marchands. Leur parfum réussissait presque à masquer la puanteur des gaz d'échappement des véhicules qui encombraient chaussées et voies de circulation aérienne.

Les piétons, selon leur état d'esprit, se hâtaient, déambulaient au pas de promenade, empruntaient les tapis roulants. La plupart étaient en manches de chemise ou en tee-shirts ornés des motifs lumineux qui étaient à la pointe de la mode en ce printemps 2059.

Les glissa-grils proposaient aux passants des boissons aux couleurs violentes, la vapeur des hot-dogs au soja s'élevait en panaches cocasses dans l'air embaumé.

Profitant du crépuscule, les jeunes dansaient et transpiraient à grosses gouttes sur les terrains de sport public. Dans les cabines vidéo de Times Square, le business était au point mort : les clients préféraient faire ça dans les rues. Les sex-shops et les lieux de drague, néanmoins, gardaient leurs habitués.

Au printemps, comme en toute saison, le porno se portait bien.

Les aérobus transportaient des hordes de passagers dans les centres commerciaux. Achetez, faites-vous plaisir ! Et demain ? Achetez encore.

Des couples dînaient à la terrasse des restaurants, buvaient un verre, parlaient de leurs projets, du temps magnifique, ou du train-train quotidien.

La vie palpitait, et une créature humaine allait en être arrachée.

Il ignorait son nom. Peu importait celui que sa mère lui avait donné lorsqu'elle était venue au monde, dans un cri. Il se fichait éperdument du nom qu'elle emporterait avec elle quand il la renverrait, hurlante, dans les limbes.

Elle était là, voilà tout ce qui comptait. Elle était là au bon endroit et au bon moment.

Elle était entrée dans la suite 4602 pour faire son inspection de chaque soir. Il avait attendu patiemment, heureusement pas trop longtemps.

Elle portait la tenue noire et le mignon petit tablier blanc qu'arboraient les femmes de chambre du Palace. Elle était bien coiffée, comme devaient l'être tous les employés du meilleur hôtel de la ville. Ses cheveux d'un brun luisant étaient retenus sur sa nuque par une simple barrette noire.

Elle était jeune, jolie, et il en fut satisfait. Même s'il se serait contenté d'une nonagénaire, d'une fée Carabosse. Mais celle-ci était plutôt attirante, avec ses yeux noirs et ses joues roses. Ça rendrait la tâche plus jouissive.

Elle avait d'abord sonné, bien sûr. Deux fois, avec une brève pause entre chaque coup de sonnette, selon la règle. Ce qui lui avait donné le temps de se faufiler dans la spacieuse penderie de la chambre.

En ouvrant la porte à l'aide de son passe, elle avait dit « Service de chambre ! » de cette voix chantante que prenaient invariablement ses collègues avant de pénétrer dans des pièces en général vides.

Elle se dirigea d'emblée vers la salle de bains, pour remplacer les serviettes de l'occupant des lieux – un certain James Priory.

Elle nettoya la baignoire en fredonnant un petit air entraînant. Sifflote, ma belle, pensa-t-il dans sa cachette. Il attendit qu'elle revienne. Elle laissa tomber les serviettes sur le sol. Il attendit qu'elle s'approche du lit et replie la courtepointe bleu roi.

Elle rabattit aussi le drap du côté gauche pour former un triangle. Elle était méticuleuse, elle aimait son travail.

Lui aussi.

Il fit très vite. Elle ne vit qu'une ombre, du coin de l'œil, avant qu'il se jette sur elle. Elle cria, un long cri strident, mais les chambres du Palace étaient insonorisées.

Il voulait qu'elle hurle. Ça l'aiderait pour la tâche qu'il avait à accomplir.

Elle se débattait, cherchait à saisir le bipeur dans la poche de son tablier. Il lui tordit cruellement l'avant-bras, jusqu'à ce que ses hurlements ne soient plus qu'un gémissement de douleur.

— Non, non… dit-il en saisissant le bipeur qu'il lança à travers la pièce. Tu ne vas pas aimer ça, mais moi si, et c'est l'essentiel.

Il lui passa un bras autour du cou, la souleva du sol – elle ne pesait pas plus de cinquante kilos. Il avait de quoi lui injecter un puissant sédatif, au besoin, mais avec une petite chose comme elle ce ne serait pas nécessaire.

Quand il la relâcha et qu'elle tomba à genoux, toute molle, il se frotta les mains avec un grand sourire.

— Musique, commanda-t-il, et l'aria de *Carmen* retentit, pareil à une vague déferlant dans la chambre.

Somptueux, songea-t-il, inspirant profondément pour mieux savourer l'instant, pour s'imprégner de chaque note.

— Et maintenant, au travail.

Il sifflotait en la rouant de coups. Il fredonnait quand il la viola.

Lorsqu'il l'eut étranglée, il chantait à pleine voix.

1

La mort comporte de nombreuses strates, surtout la mort violente. Passer cette horrible matière au crible, en comprendre le sens et les causes, puis faire triompher la justice : telle était sa mission.

Qu'un meurtre soit commis de sang-froid ou dans le feu de la passion, elle avait juré de le décortiquer jusqu'à ses racines. Et de défendre les victimes.

Mais ce soir, le lieutenant Eve Dallas de la police de New York n'arborait pas son badge. Il était, avec son arme de service et son communicateur, rangé dans une petite pochette en soie très élégante qu'elle jugeait affreusement frivole.

Elle n'avait plus rien d'un flic, dans le fourreau chatoyant, orange, qui moulait son corps élancé et s'agrémentait d'un décolleté vertigineux dans le dos. Une fine rivière de diamants ornait son cou. Des diamants étincelaient à ses oreilles que, dans un moment de faiblesse, récemment, elle s'était laissé convaincre de faire percer.

D'autres minuscules diamants, pareils à des gouttelettes d'eau, brillaient dans ses courts cheveux bruns. Bref, elle se sentait ridicule.

Malgré sa tenue de femme du monde, ses yeux restaient ceux d'un flic. Couleur d'ambre, perçants, ils scrutaient la magnifique salle de bal, les gens qui s'y pressaient… et le système de sécurité.

Les caméras encastrées dans les moulures du plafond ronronnaient. Les scanners repéreraient n'importe quel invité ou membre du personnel en possession d'objets illicites. Et parmi les serveurs zigzaguant dans la foule avec des plateaux chargés de verres, se trouvait une demi-douzaine de vigiles aguerris.

On n'entrait ici qu'après avoir présenté son invitation, pourvue d'un sceau holographique qui était dûment numérisé.

Pourquoi toutes ces précautions ? Cinq cent soixante-dix-huit millions de dollars en joyaux, œuvres d'art et autres trésors étaient exposés précisément dans cette salle de bal. Chacune de ces merveilles était protégée par des capteurs qui enregistraient mouvements, pression, chaleur et lumière. Si quiconque avait la fâcheuse idée de déplacer ne fût-ce qu'une boucle d'oreille, toutes les issues seraient bloquées, les sirènes d'alarme se déclencheraient, et une équipe d'intervention – la crème de la police new-yorkaise – débarquerait illico.

Pour Eve, qui avait une propension au cynisme, tout ce tralala risquait d'inspirer à certains de regrettables tentations. C'était excessif. Mais il lui fallait reconnaître que l'organisation était parfaite.

— Alors, lieutenant ? demanda une voix masculine, douce et teintée d'un léger accent irlandais.

Elle tourna la tête vers Connors – et elle n'était pas la seule à le regarder. Son visage aurait pu être sculpté par des dieux particulièrement talentueux, ses yeux bleus auraient damné plus d'une sainte. Un sourire flottait sur sa bouche de poète, qu'elle eut envie de mordre, ses longs doigts serraient le bras nu de son épouse dans un geste possessif.

Ils étaient mariés depuis près d'un an, et l'intimité que traduisait ce geste-là avait encore le pouvoir de bouleverser Eve.

— Quel chichi ! marmonna-t-elle.

— Oui, n'est-ce pas ? répliqua-t-il, cette fois avec son sourire ravageur.

Ses cheveux noirs lui frôlaient les épaules, il avait l'air d'un guerrier irlandais, du moins tel qu'elle se l'imaginait. Ajoutez à ça un corps d'athlète, grand et musclé, d'une suprême élégance, et toutes les femmes de l'assistance en salivaient de convoitise. Heureusement qu'Eve n'était pas jalouse, sinon elle leur aurait flanqué une raclée.

— Le système de sécurité te satisfait ? interrogea-t-il.

— Je persiste à penser qu'organiser une exposition dans un hôtel, même si l'hôtel t'appartient, c'est risqué. Ce bric-à-brac vaut des millions de dollars.

— Bric-à-brac... ce n'est pas tout à fait le terme adéquat pour la collection d'art et de joyaux de Magda Lane.

— Ouais, et la vente va lui rapporter une fortune.

— Je l'espère bien, dans la mesure où le groupe Connors Industries aura aussi une jolie part du gâteau. Le seul nom de Magda Lane suffira à faire grimper les enchères. Je pense pouvoir affirmer que l'ensemble partira pour le double de sa valeur réelle.

Stupéfiant, se dit Eve. Absolument ahurissant.

— Les gens claqueront un demi-milliard pour acheter ces machins ?

— C'est sentimental.

— Bonté divine ! grogna-t-elle en secouant la tête. Mais j'oublie que je parle au roi du sentimentalisme, dans ce domaine.

— Merci, ma chérie.

Il préféra ne pas mentionner qu'il avait des visées sur certains de ces *machins*, pour son épouse et pour lui.

Il fit signe à un serveur qui se précipita et leur offrit du champagne dans des flûtes en cristal. Connors en prit deux, et en tendit une à Eve.

— Maintenant, si tu as fini d'inspecter mon dispositif de sécurité, tu pourrais peut-être t'amuser un peu.

— Qui a dit que je ne m'amusais pas ?

Mais elle était là en tant qu'épouse de Connors, ce qui impliquait de se mêler aux invités et de papoter avec eux – la pire des tortures pour Eve. Comme il lisait en elle aussi aisément que dans ses propres pensées, il lui baisa la main.

— Tu es si gentille pour moi.

— Et tu as intérêt à ne pas l'oublier.

Elle but une gorgée afin de se donner du courage.

— Bon... À qui dois-je parler ?

— Je suggère de commencer par la reine de la soirée. Je vais te présenter Magda. Elle te plaira.

— Une actrice, marmonna-t-elle entre ses dents.

— C'est très vilain d'avoir des préjugés, rétorqua-t-il en l'entraînant à travers la salle. Magda Lane est infiniment plus qu'une actrice. Elle est une légende vivante. Cinquante ans de cinéma... Elle a survécu à toutes les modes, tous les styles, tous les bouleversements de l'industrie du film. Pour accomplir un pareil exploit, il faut plus que du talent. Il faut du courage et un sacré tempérament.

Ses yeux brillaient, et elle ne put s'empêcher de sourire.

— Tu es un vrai fan, n'est-ce pas ?

— Oui... Quand j'étais gosse à Dublin, un soir, j'ai eu besoin d'un refuge. J'avais sur moi quelques portefeuilles, de menus objets, et la police à mes trousses.

— Je vois...

— Bref, je me suis faufilé dans un cinéma. J'avais huit ans environ, je m'attendais à rester là et à regarder un film d'époque mortellement ennuyeux. Et puis, assis dans le noir, j'ai découvert pour la première fois Magda Lane.

Il désigna la vitrine où une droïde parée d'une extraordinaire robe de bal blanche virevoltait, s'inclinait dans de gracieuses révérences, tout en agitant un éventail scintillant.

— Comment diable arrivait-elle à bouger avec cette chose sur le dos ? s'étonna Eve. Ça doit peser une tonne.

Il éclata de rire. Eve et son sens pratique...

— Quinze kilos, je me suis renseigné, rectifia-t-il. Voilà le costume qu'elle portait le jour où j'ai posé les yeux sur elle pour la première fois. Pendant une heure, j'ai oublié où j'étais, qui j'étais. J'ai oublié que j'étais affamé et que j'allais recevoir une raclée quand je rentrerais à la maison, s'il n'y avait pas assez d'argent dans les portefeuilles. Grâce à elle, je me suis évadé. Cet été-là, j'ai revu ce film quatre fois, en payant ma place. Enfin... je l'ai payée une fois. Ensuite, dès que je ressentais le besoin d'échapper à ma vie, j'allais au cinéma.

Elle imaginait sans peine ce petit garçon transporté par les images qui défilaient sur un écran et lui permettaient de découvrir un monde où ne régnaient pas la misère et la violence qu'il subissait au quotidien.

Pour sa part, à huit ans, Eve était trop meurtrie, brisée, pour se rappeler son passé. Elle n'en avait aucun souvenir.

Désormais, Connors n'allait plus au cinéma – il possédait des salles privées, des milliers de films. Eve en avait vu davantage en un an qu'en trente années d'existence. Aussi reconnut-elle immédiatement l'actrice.

Magda Lane était en rouge. Un vermillon éclatant qui modelait son corps voluptueux. À soixante-trois ans, elle entrait dans l'âge mûr et, d'après ce qu'Eve devinait, elle résistait. La vieillesse, ce n'était pas pour elle.

Ses cheveux avaient la couleur des blés et tombaient sur ses épaules dénudées en boucles serrées. Ses lèvres pulpeuses étaient du même rouge que sa robe. Sa peau laiteuse n'avait pas une ride, un grain de beauté était façonné à la pointe d'un sourcil parfaitement dessiné, d'un brun chaud qui formait un contraste saisissant avec le vert ardent de ses prunelles. Ses yeux se posèrent sur Eve, la jaugèrent, puis se fixèrent sur Connors et s'illuminèrent comme deux soleils.

Elle adressa un petit sourire indifférent aux admirateurs qui l'entouraient et s'approcha, les bras tendus.

— Mon Dieu, vous êtes superbe !

Connors lui baisa les deux mains.

— Je vous retourne le compliment. Vous êtes magnifique, Magda. Comme toujours.

— Oui, mais c'est mon job. Vous, vous êtes beau de naissance. Quel veinard et quelle injustice ! Votre femme, je présume ?

— Oui, je vous présente Eve.

— Le lieutenant Eve Dallas, dit Magda d'une voix un peu rauque, qui évoquait une brume peuplée de mystères. J'avais hâte de vous rencontrer. Je regrette tellement de n'avoir pu assister à votre mariage l'an dernier.

— Il a tenu le coup quand même.

Magda haussa les sourcils, une étincelle s'alluma dans son regard.

— Oui, effectivement. Laissez-nous, Connors. Je veux faire connaissance avec votre ravissante et fascinante épouse. Or vous m'empêchez de me concentrer.

Magda le chassa d'un geste de la main. Le diamant à son annulaire fulgura telle la queue d'une comète. Elle glissa doucement son bras sous celui d'Eve.

— Trouvons un endroit où l'on ne nous tombera pas dessus pour nous interrompre. Il n'y a rien de plus pénible que ces bavardages oiseux, n'est-ce pas ? Naturellement, vous devez penser que je vais vous infliger ça, moi aussi, mais je vous assure que je compte avoir avec vous une vraie conversation. D'abord, permettez-moi de vous confier ce qui me ronge : pourquoi votre si séduisant mari a-t-il l'âge d'être mon fils ?

Elles s'installèrent à une table dans un coin reculé de la salle.

— Ça n'aurait pas dû vous freiner, ni l'un ni l'autre, rétorqua Eve.

Magda éclata de rire, rafla deux flûtes de champagne sur le plateau d'un serveur qui passait.

— C'est ma faute. Je me suis donné pour principe de ne jamais prendre un amant qui ait vingt ans de plus ou de moins que moi.

Elle s'interrompit, scrutant le visage de son interlocutrice.

— Mais ce n'est pas de Connors que je veux vous parler. Vous êtes exactement la femme que j'imaginais pour lui, celle dont il s'éprendrait quand le moment viendrait.

— Vous êtes bien la première personne à dire ça, répliqua Eve.

Elle marqua une pause, s'efforçant de brider sa curiosité, mais ce fut plus fort qu'elle.

— D'ailleurs, pourquoi me le dites-vous ?

— Vous êtes très attirante, mais il ne se serait pas laissé aveugler par votre physique. Ça vous amuse ? Tant mieux. Avec les hommes, il faut avoir le sens de l'humour, surtout avec un personnage comme Connors.

Pourtant cette jeune femme était belle, songea Magda. Naturelle, saine, sensuelle. Et cette adorable fossette au menton...

Eve pencha la tête sur le côté.

— J'ai réussi l'examen ?

Magda rit de nouveau.

— Vous êtes intelligente, volontaire, bien droite dans vos bottes. Vous êtes une femme d'action et, quand vous observez une manifestation comme celle-ci, il y a dans vos yeux quelque chose qui dit : « Quelle bêtise ! Il n'y a donc rien de mieux à faire ? »

— Vous êtes psy ou actrice ?

— Les deux, sans doute. Je crois, poursuivit Magda, que sa fortune ne vous impressionne pas le moins du monde. Ce qui a dû beaucoup l'intriguer. Je ne vous imagine pas non plus en adoration devant lui. Dans ce cas, il n'aurait joué qu'un moment avec vous.

— Je ne suis pas un de ses fichus joujoux, effectivement.

— Effectivement, acquiesça Magda en levant son verre pour trinquer avec Eve. Il est follement amoureux de vous, et c'est un spectacle charmant. Maintenant, parlez-moi de votre métier de policier. Jamais je n'ai interprété ce genre de rôle. J'ai incarné des femmes qui transgressent la loi pour protéger des êtres chers, mais pas une qui défende la loi. Ça vous passionne ?

— C'est mon boulot. Il y a des hauts et des bas, comme dans toute profession.

— Je trouve la vôtre très particulière. Vous arrêtez des assassins. Pour nous, simples civils, un meurtre c'est... fascinant.

— Parce que vous n'êtes pas la victime.

Magda rejeta en arrière sa magnifique chevelure blonde et éclata d'un grand rire.

— Vous me plaisez décidément beaucoup ! Vous ne souhaitez pas parler de votre travail, je vous comprends. Les non-initiés jugent le mien extraordinaire, captivant. Alors que c'est… un boulot, avec des aléas.

— J'ai vu beaucoup de vos films. Connors les a tous. J'aime bien celui où vous êtes une intrigante qui tombe amoureuse de celui qu'elle cherche à capturer dans ses filets.

— *Retour de flamme*… Chase Conner était la vedette masculine et, comme l'héroïne de l'histoire, j'en suis tombée amoureuse. Ça m'a amusée, le temps que ça a tenu. Le costume que je portais dans la scène du cocktail sera mis aux enchères.

Magda balaya du regard la salle où étaient exposées des splendeurs qui lui avaient appartenu, qui avaient naguère eu pour elle une importance capitale. Elle esquissa un sourire.

— Ça devrait rapporter pas mal d'argent et aider la Fondation Magda Lane. Il y a là presque toute ma carrière et ma vie.

Elle désigna un espace aménagé en boudoir, avec une chemise de nuit moirée et, sur une coiffeuse, un coffret à bijoux ouvert où scintillaient des colliers et des pierres précieuses.

— Les armes de la féminité, n'est-ce pas ?

— Ouais… pour qui utilise ces trucs-là.

— À une époque, rétorqua Magda en souriant, je m'y cramponnais désespérément. Mais, pour durer, une actrice intelligente doit se réinventer en permanence.

— Et maintenant, qui êtes-vous ?

— Oui, décidément, vous me plaisez, murmura Magda. Les gens me demandent pourquoi je renonce à tout ça. Savez-vous ce que je réponds ? Que j'ai l'intention de continuer à travailler et que j'aurai tout le temps d'amasser d'autres trésors.

Elle regarda Eve droit dans les yeux.

— C'est vrai, mais ce n'est pas la seule raison. La Fondation est pour moi un rêve auquel je tiens par-dessus tout. Je veux transmettre mon art, le bonheur que m'a apporté mon métier, pendant que je suis encore de ce monde et assez jeune pour en profiter pleinement. Les subventions, les bourses aideront la nouvelle génération. La perspective de donner un coup de pouce à un jeune acteur ou réalisateur m'emplit de joie. J'agis par pure vanité.

— Je ne suis pas de cet avis. Pour moi, c'est de la sagesse.

— Alors là, vous me plaisez encore plus. Ah ! j'aperçois Vince qui me fusille des yeux ! C'est mon fils, précisa-t-elle. Il s'occupe des médias et collabore avec l'équipe de sécurité. Un garçon terriblement exigeant, ajouta Magda en agitant la main. Dieu sait d'où lui vient ce trait de caractère. Eh bien, je n'ai plus qu'à m'exécuter !

Magda se leva.

— Je serai à New York durant plusieurs semaines. J'espère que nous nous reverrons.

— J'en serai ravie.

À cet instant, Connors les rejoignit. Magda lui adressa un sourire éblouissant.

— Vous arrivez au bon moment, mon cher. Le devoir m'appelle, il me faut abandonner votre délicieuse épouse. J'attends que vous m'invitiez à dîner, très vite, pour me régaler de votre compagnie et des plats inouïs que mitonne votre majordome. Quel est son nom, déjà ?

— Summerset, répondit Eve en grimaçant.

— Oui, bien sûr, Summerset. À bientôt, conclut Magda qui embrassa Connors sur les deux joues et s'éloigna, tel un cygne flamboyant.

— Tu avais raison, dit Eve. Je l'aime bien.

— J'en étais certain, rétorqua-t-il en l'entraînant vers la sortie. Je suis navré d'interrompre ta soirée, mais nous avons un problème.

— Avec la sécurité ? Quelqu'un a tenté de s'enfuir avec une brassée de fanfreluches ?

— Non, il ne s'agit pas d'un vol mais d'un meurtre.

Dans les yeux d'Eve, il vit aussitôt reparaître le flic.

— Qui est la victime ?

— Une femme de chambre, je crois.

Sans lui lâcher le bras, il la conduisit vers les ascenseurs.

— Elle est dans la tour sud, quarante-sixième étage. Je ne connais pas les détails. Le responsable de la sécurité vient juste de m'avertir.

— Ils ont alerté la police ?

— Je t'ai alertée, n'est-ce pas ?

Ils entrèrent dans une cabine.

— Ceux de la sécurité savaient que j'étais là et que tu étais avec moi. Ils ont décidé de nous informer – toi et moi – avant toute chose.

— D'accord, ne sois pas désagréable. On ne sait même pas si c'est bien un homicide. Dès que quelqu'un décède brutalement, on crie à l'assassinat. La plupart du temps, il s'agit d'une mort naturelle ou d'un accident.

En sortant de l'ascenseur, Eve fronça les sourcils. Il y avait trop de monde dans le couloir, notamment une hystérique en uniforme, des hommes en costume et des clients de l'établissement réveillés par tout ce raffut.

Elle saisit son badge dans sa ridicule pochette en soie, le brandit pour fendre la cohue.

— Police, écartez-vous. Les membres du personnel restent là, les autres retournent dans leurs chambres. Que quelqu'un calme cette femme. Qui est le responsable de la sécurité ?

— C'est moi, répondit un homme grand et mince, au teint café au lait, dont le crâne rasé brillait comme un miroir. John Brigham.

— Suivez-moi, Brigham.

N'ayant pas de passe, elle montra la porte qu'il ouvrit. Elle franchit le seuil, se campa dans le salon, somptueusement meublé, équipé d'un bar. Les lumières étaient allumées, les larges fenêtres masquées par des écrans.

— Où est-elle ? demanda Eve à Brigham.

— Dans la chambre, à gauche.

— Quand vous êtes arrivé sur les lieux, la porte était-elle ouverte ?

— Fermée. Mais je ne peux pas affirmer qu'elle l'était avant. C'est Mme Hilo qui l'a trouvée.

— La femme dans le couloir ?

— Oui.

— Bon, allons-y.

Elle se dirigea vers la chambre, poussa le battant. Un flot de musique l'assaillit. La lumière éclairait crûment le corps étendu sur le lit, pareil à celui d'une poupée jetée là par un enfant trop gâté.

Un bras était cassé, le visage tuméfié par les coups, la jupe de l'uniforme retroussée jusqu'à la taille. Le mince fil d'argent, le fin et atroce collier qui l'avait étranglée, entaillait sa gorge.

— Je crois qu'on peut exclure la mort naturelle, murmura Connors.

— Oui... Brigham, qui a mis les pieds dans cette suite, à part vous et la femme de chambre, depuis qu'on a découvert le corps ?

— Personne.

— Avez-vous touché la victime ou quoi que ce soit, hormis les portes ?

— Je connais la chanson, lieutenant. J'ai fait partie de la police de Chicago pendant douze ans. Mme Hilo m'a prévenu, elle hurlait dans le communicateur. Deux minutes après, j'étais sur les lieux. Mme Hilo avait réintégré les quartiers du personnel, au quarantième étage. Je suis entré dans la suite, je me suis arrêté sur le seuil de la chambre pour constater *de visu* que la victime était bien décédée. Sachant que Connors était dans l'hôtel avec vous, je l'ai contacté immédiatement, ensuite j'ai sécurisé les lieux, j'ai demandé à Mme Hilo de remonter et je vous ai attendue.

— J'apprécie votre efficacité, Brigham. Vous connaissiez la victime ?

— Non. Mme Hilo l'appelle Darlene. La petite Darlene. C'est tout ce que j'ai pu tirer d'elle.

Eve étudiait la scène du crime.

— Rendez-moi service, emmenez Mme Hilo dans un endroit tranquille où elle ne pourra parler qu'à vous, avant que je l'interroge.

Brigham extirpa de sa poche un mini-aérosol de Seal-It.

— J'ai ordonné à un de mes hommes de vous apporter ça. Et un enregistreur, ajouta-t-il en lui tendant l'appareil. Je me doutais que vous n'auriez pas un kit de terrain sur vous.

— Excellente déduction. Ça ne vous ennuie pas de rester avec Mme Hilo un moment ?

— Je me charge d'elle. Lorsque vous souhaiterez me parler, je serai à votre disposition. Je vous laisse deux hommes en faction en attendant l'arrivée de votre équipe.

— Merci... Pourquoi avez-vous quitté la police ?

Pour la première fois, Brigham sourit.

— Mon employeur actuel m'a fait une proposition qui ne se refuse pas.

— Ça ne m'étonne pas de toi, dit Eve à Connors, lorsque Brigham se fut éloigné. Il a la tête froide, il est perspicace.

Elle commença à vaporiser du Seal-It sur ses escarpins, puis décida qu'elle serait bien plus à l'aise sans ces maudites chaussures. Elle les ôta et aspergea ses pieds, ses mains. Après quoi elle tendit l'aérosol et l'enregistreur à Connors.

— J'ai besoin de toi.

— Elle s'appelait Darlene French, déclara Connors, déchiffrant les données qui s'inscrivaient sur l'écran de son ordinateur de poche. Elle travaillait ici depuis un peu plus d'un an. Elle avait vingt-deux ans.

— Je vais m'occuper d'elle. Enregistre, tu veux ?

— D'accord, murmura-t-il.

— Identité de la victime : Darlene French, sexe féminin, vingt-deux ans, employée comme femme de chambre au Connors Palace. Assassinée dans la suite 4602 de l'établissement. Enquête menée par le lieutenant Eve Dallas assistée provisoirement par Connors.

Elle s'approcha du corps.

— Peu de traces de lutte, mais des hématomes et des lacérations dus à des coups violents, surtout au visage. Le sang répandu indique que les coups ont été assenés alors que la victime était sur le lit.

Elle balaya de nouveau la pièce des yeux, repéra le bipeur sur le sol tout près de la salle de bains.

— Le bras droit est fracturé, poursuivit-elle. On observe des meurtrissures sur les cuisses et le pubis. On peut donc en conclure que le viol a été perpétré avant la mort.

Avec douceur, elle souleva une main inerte de Darlene, l'examina attentivement. Dommage qu'elle n'ait pas ses microloupes !

— Il y a un petit fragment de peau, marmonna-t-elle. Tu as réussi à lui planter un ongle dans la couenne, hein, Darlene ? C'est bien. Nous avons de la peau, peut-être un cheveu et des fibres sous les ongles de la victime.

Méticuleusement, elle poursuivit son examen. Le corsage de l'uniforme n'était pas déboutonné.

— Il n'avait pas envie de s'amuser. Il ne lui a pas arraché ses vêtements, il ne l'a même pas déshabillée. Il s'est contenté de la frapper, de la casser, de la violer. Elle a été étranglée à l'aide d'une sorte de garrot, très fin, apparemment en argent. Les extrémités sont croisées sur le devant de la gorge, autrement dit le meurtrier l'a étranglée les yeux dans les yeux, alors qu'il était couché sur elle. Tu as filmé le visage sous tous les angles ? demanda-t-elle à Connors.

— Oui.

Elle redressa ensuite la tête de la victime, se pencha pour examiner la nuque.

— Filme ! ordonna-t-elle. Ça risque de se déplacer quand on la bougera. Le garrot, sur l'arrière, n'est pas rompu, il y a très peu de sang. Il a attendu pour s'en servir de l'avoir battue et violentée. Il l'a chevauchée, un genou de chaque côté du corps. À ce moment-là, elle ne se débat quasiment plus. Il n'a qu'à lui passer le garrot autour du cou et à serrer. Ça n'a pas dû durer très longtemps.

Mais Darlene s'était arc-boutée pour repousser le poids qui l'écrasait, sa gorge était en feu, ses cris de douleur et de terreur y restaient prisonniers, le manque d'oxygène emplissait son crâne d'un tumulte assourdissant. Des étoiles sanglantes explosaient sous ses paupières... puis les battements frénétiques de son cœur s'étaient arrêtés définitivement.

Eve recula. Sans son kit de terrain, elle ne pouvait plus faire grand-chose.

— Je veux savoir qui occupait cette suite et comment est organisé le travail des femmes de chambre. Il faudra que je m'entretienne avec Mme Hilo.

Elle ouvrit la penderie, y jeta un coup d'œil.

— Ça m'aiderait d'interroger tous les membres du personnel qui la connaissaient, ajouta-t-elle en ouvrant les tiroirs de la commode. Il n'y a pas de vêtements. Seulement ces serviettes qu'elle a peut-être laissées tomber en sortant de la salle de bains. Est-ce que cette suite était vraiment réservée ?

— Je me renseignerai. Je suppose que tu souhaites avoir les coordonnées de ses proches.

— Ouais... soupira Eve. Son mari, si elle en avait un. Les petits copains, les amants, les ex. Neuf fois sur dix, dans un crime sexuel, ils sont impliqués. Pourtant, j'ai l'impression qu'il n'y a rien de personnel dans ce meurtre, rien d'intime, de passionnel. Il n'était pas sous l'emprise de la folie, il a agi avec une relative indifférence.

— Il n'y a pas d'intimité dans un viol.

— Il peut y en avoir, corrigea-t-elle et elle était mieux placée que quiconque pour le savoir. Quand l'agresseur et sa victime se connaissent, qu'il existe un semblant d'histoire entre eux – même si ce n'est qu'un fantasme de l'agresseur –, ça crée une forme d'intimité. Lui, il était aussi froid qu'un iceberg. Je cogne et je m'en vais. Je parie qu'il a beaucoup plus joui en la frappant qu'en la violant. C'est comme ça que certains types conçoivent les préliminaires.

Connors éteignit brusquement l'enregistreur.

— Eve, confie cette affaire à un autre flic.

Elle sursauta.

— Pour quelle raison ?

— Tu vas te faire du mal, dit-il en lui effleurant la joue.

Il se garda bien de mentionner le père d'Eve. Les brutalités, les viols, le calvaire qu'elle avait vécu jusqu'à sa huitième année.

— Toutes les victimes me font du mal, mais je suis blindée.

Elle pivota pour regarder Darlene French.

— Je ne confierai pas Darlene à quelqu'un d'autre, Connors. Je ne peux pas. Elle est déjà une part de moi.

2

La suite avait été réservée par un dénommé James Priory de Milwaukee, trois semaines plus tôt, pour deux nuits. Il avait signé le registre à 15 h 20.

La location de la suite et tous les suppléments seraient réglés par carte bancaire, laquelle avait été vérifiée. Tandis que l'équipe de l'Identité judiciaire passait la scène du crime au crible, Eve éplucha la vidéo que Brigham lui avait remise.

On y voyait un métis d'environ quarante-cinq ans, vêtu du sobre costume noir de l'homme d'affaires prospère qui peut s'offrir un séjour dans un palace. Il avait l'air de quelqu'un qui bénéficie de notes de frais.

Mais, sous l'apparence impeccable, Eve voyait la brute, le monstre.

Il était au moins deux fois plus lourd que sa victime, solidement bâti, le torse large. Les mains carrées, les doigts longs, aux extrémités aplaties. Ses yeux avaient la couleur des flaques d'eau sur les trottoirs en hiver. Un gris froid et sale.

Son visage aussi était carré, avec un gros nez et une bouche aux lèvres minces. Ses cheveux brun sombre, qui grisonnaient aux tempes, éveillèrent l'attention d'Eve. Une coiffure décidément trop soignée. Une perruque ?

Il n'essayait même pas de dissimuler sa figure, il souriait au réceptionniste puis suivait le groom qui se dirigeait vers les ascenseurs.

Il avait une seule valise.

Une autre vidéo de surveillance montrait le groom qui ouvrait la porte de la suite et s'effaçait pour laisser passer Priory. Celui-ci n'était apparemment pas ressorti avant le meurtre.

Il avait utilisé l'AutoChef de la kitchenette au lieu d'appeler le room-service pour son repas – un bon steak, une pomme de terre au four, du pain, du fromage, du café.

Il avait à peine touché au bar du salon, il n'avait pris qu'un soda, pas d'alcool. Il voulait garder les idées claires.

Sur une troisième vidéo, on voyait Darlene French qui poussait son chariot jusqu'à la porte 4602.

Une jolie fille en uniforme et chaussures confortables, aux grands yeux bruns et rêveurs. Menue. De sa main fine, elle tripotait la chaîne dorée qu'elle avait au cou, le petit pendentif en forme de cœur.

Elle sonnait, se massait distraitement les reins, sonnait de nouveau. Elle glissait la chaîne et le cœur sous son corsage avant d'extirper son passe magnétique de la poche de son tablier pour l'introduire dans la fente et appliquer son pouce droit sur la plaque d'identification. Elle ouvrait la porte, annonçait « Service de chambre ! » et prenait des serviettes propres sur son chariot.

À 20 h 26, elle refermait la porte derrière elle.

À 20 h 58, Priory émergeait de la suite, sa valise à la main, et s'éloignait tel un homme sans le moindre souci en direction de l'escalier.

Il ne lui avait fallu que vingt-deux minutes pour cogner, violer et assassiner Darlene French.

— Ouais, bougonna Eve, il a vraiment les idées claires, la tête froide.

— Lieutenant ?

Eve intima d'un geste à son assistante de rester à distance encore un instant.

Peabody attendit, muette. Elle travaillait avec Eve à la brigade criminelle depuis un an, et elle connaissait les manières du lieutenant.

Son regard, presque aussi noir que ses cheveux raides coupés au carré à hauteur du menton, se posa sur l'écran où était figée l'image d'un tueur, qu'Eve étudiait.

Il semble mauvais comme la gale, pensa-t-elle, mais elle garda le silence.

— Qu'est-ce que vous avez comme renseignements ? demanda enfin Eve.

— James Priory, cadre commercial des Assurances Alliance à Milwaukee. Décédé le 5 janvier de cette année dans un accident de la route. On a d'autres Priory à Milwaukee, mais c'est le seul James.

— Continuez à vérifier. Ce type est fiché quelque part. Je le sais. Contactez Feeney chez lui. Transmettez-lui cette image et dites-lui de la communiquer au Centre international de lutte contre la criminalité. C'est un boulot pour la DDE, et le CILC est le chouchou de Feeney. Il nous fera sortir ce lapin de son chapeau plus vite que n'importe qui. Bon, ajouta Eve en consultant sa montre, je veux parler à Mme Hilo. Maintenant, elle a dû reprendre ses esprits. Où est Connors ?

Peabody redressa les épaules, fixant un point sur le mur.

— Je l'ignore.

— Merde.

Eve sortit à grands pas, alpagua le vigile qui montait la garde devant la porte.

— Mme Hilo.

— Elle est au 4020, lieutenant.

— Personne n'entre dans cette chambre sans badge. Personne.

Elle s'engouffra dans l'ascenseur, appuya rageusement sur le bouton. Le fait que Connors ait quitté la scène de crime signifiait à coup sûr qu'il mijotait quelque chose.

Mme Hilo était livide, les paupières rougies, mais sagement assise dans le salon d'une suite plus modeste de l'hôtel. Elle buvait du thé et posa sa tasse sur la table basse, devant elle, quand Eve apparut.

— Madame Hilo, je suis le lieutenant Dallas de la police new-yorkaise.

— Oui, je sais. M. Connors m'a priée de vous attendre ici avec M. Brigham.

Eve lança un regard à Brigham qui contemplait un tableau, au fond de la pièce. Il semblait fasciné.

— Connors ?

— Oui, il est resté avec moi un moment. C'est lui qui m'a fait apporter du thé. Il est tellement gentil.

— Eh oui ! Il est vraiment trognon. Madame Hilo, avez-vous parlé à d'autres personnes pendant que vous m'attendiez, en dehors de M. Brigham et de Connors ?

— Oh, non ! On m'a ordonné de ne pas le faire.

Elle fixait sur Eve ses yeux noisette, bouffis et pleins de confiance.

— Madame Connors...

— Dallas, rectifia Eve d'un ton plutôt brusque.

— Oh, oui ! Bien sûr. Excusez-moi, lieutenant Dallas. Et je tiens à m'excuser aussi d'avoir fait cette scène quand... enfin, tout à l'heure. Je ne pouvais plus m'arrêter. Quand j'ai trouvé cette pauvre Darlene... j'étais incapable de m'arrêter.

— Vous n'avez pas à vous excuser.

— Si, si, insista Mme Hilo en agitant les mains.

Elle était petite mais charpentée. Le genre de femme qui continue à marcher d'un bon pas alors que les coureurs de fond s'effondrent en gémissant.

— Je suis ressortie et je l'ai laissée là. Je suis responsable, vous comprenez. De 18 heures à 1 heure du matin, je suis responsable, et je me suis enfuie. Je ne l'ai même pas touchée, ni couverte.

— Madame Hilo...

— Hilo tout court.

Elle esquissa un sourire qui accentua encore la tristesse de son visage aux traits tirés.

— Natalie Hilo, en fait, mais tout le monde m'appelle simplement Hilo.

— D'accord. Vous avez agi comme il le fallait. Si vous l'aviez touchée, si vous l'aviez couverte, vous auriez contaminé la scène de crime. Trouver son assassin, le châtier, aurait été encore plus compliqué pour moi.

— C'est ce que M. Connors m'a affirmé.

Elle pleurait de nouveau. Extirpant un mouchoir de sa poche, elle s'essuya vivement les yeux.

— Il m'a assurée que vous retrouveriez ce monstre, que vous le chercheriez jusqu'à ce que vous l'ayez trouvé.

— C'est vrai. Et vous allez m'aider. Pour Darlene. Brigham, ça ne vous ennuie pas de nous laisser seules ?

— Du tout. Vous pouvez me joindre sur la ligne 90.

Dès qu'il eut quitté la pièce, Eve annonça :

— Je dois enregistrer notre entretien. Vous n'y voyez pas d'inconvénient ?

— Non, répondit Hilo qui renifla et se redressa sur son siège. Je suis prête.

Eve posa l'appareil sur la table, débita les préambules d'usage, puis :

— D'abord, racontez-moi ce qui s'est passé. Pourquoi vous êtes-vous rendue dans la suite 4602 ?

— Darlene avait pris du retard. Quand les tâches du soir sont terminées, chaque femme de chambre active le code 5 sur son bipeur. Ça nous permet de contrôler le travail des employés. C'est aussi une mesure de sécurité pour protéger nos clients et notre personnel.

Elle poussa un soupir, saisit sa tasse de thé.

— En principe, il faut entre dix et vingt minutes pour tout boucler, en fonction de l'efficacité de la femme de chambre. On ne chronomètre pas, évidemment. Souvent, les suites sont dans un tel état qu'il faut plus de temps pour tout ranger. Vous seriez surprise, lieutenant, sidérée, même, de voir comment les gens se comportent dans un hôtel. On se demande ce qu'ils font chez eux.

Hilo secoua la tête.

— Enfin ! En ce moment, l'hôtel est presque complet, alors on ne se tourne pas les pouces. Je n'avais pas remarqué que Darlene n'avait pas bipé. Quarante minutes pour la 4602, grosso modo. C'est long, mais la suite est grande et Darlene pas très rapide. Elle travaillait bien, mais elle avait tendance à ne pas se presser.

Hilo agita de nouveau les mains.

—Je n'aurais pas dû dire qu'elle était lente. Je n'aurais pas dû. Elle était consciencieuse. C'était une fille si gentille. Une petite adorable. Nous l'aimions tous. Il lui fallait un peu plus de temps qu'aux autres pour faire une chambre, voilà tout. Les suites luxueuses lui plaisaient, les belles choses lui plaisaient.

—Je comprends. Elle était fière de son travail et elle y mettait tout son cœur.

—Oui... balbutia Hilo. C'est exactement ça.

—Qu'avez-vous fait en vous apercevant qu'elle ne s'était pas manifestée ?

—Je... je l'ai bipée. D'après la procédure, la femme de chambre doit répondre. Quelquefois elle est retardée par un client, qui demande plus de serviettes ou je ne sais quoi. Nous sommes au service des clients, c'est la règle de la maison, même s'ils ont simplement envie de bavarder un peu parce qu'ils sont loin de chez eux et qu'ils se sentent seuls. Ça bouscule notre planning mais, ici, nous sommes dans un établissement de premier ordre.

Elle reposa sa tasse.

—J'ai accordé à Darlene cinq minutes supplémentaires avant de la contacter de nouveau. Toujours pas de réponse. Ça m'a agacée. J'étais fâchée contre elle, et maintenant...

—Hilo, vous avez eu une réaction normale, dit Eve – elle avait si souvent vu cette culpabilité. Darlene ne vous en voudrait pas. Vous n'auriez pas pu lui venir en aide à ce moment-là, maintenant vous en avez la possibilité. Essayez de vous remémorer les moindres détails.

—Oui, d'accord...

Hilo inspira profondément.

—Nous étions assez débordés, donc. Je suis moi-même allée la chercher dans la suite. J'espérais que son bipeur était en panne. Ça se produit rarement, mais... Son chariot était dans le couloir, ce qui m'a encore plus agacée. J'ai sonné, j'ai utilisé mon passe.

Le salon était impeccable. Je me suis dirigée vers la chambre, j'ai ouvert la porte.

— Elle était fermée ?

— Oui, j'en suis certaine parce que je me souviens d'avoir demandé s'il y avait quelqu'un avant d'entrer. Et je l'ai vue, la pauvre petite, sur le lit. Avec la figure toute gonflée et du sang sur le col de son uniforme et sur le drap qu'elle avait bien replié en triangle. Elle avait fini son travail, elle...

— Elle avait préparé le lit pour la nuit, l'interrompit Eve. C'était la première tâche qu'elle avait à accomplir ?

— Ça dépend. Chacune a sa propre routine, plus ou moins. Je crois que Darlene préférait d'abord nettoyer la baignoire, remplacer les serviettes. Ensuite elle s'occupait du lit. Certains clients exigent qu'on change les draps s'ils ont fait la sieste ou... autre chose. Tout était noté sur son fichier. C'est obligatoire, dans un souci d'efficacité et pour éviter les vols.

— D'après ce que vous avez observé, elle venait de préparer le lit. Il y avait de la musique. C'est elle qui avait mis cette musique ?

— Peut-être, mais pas aussi fort. Si le client est absent, la femme de chambre programme l'unité de divertissement selon les ordres qu'il a donnés, ou de la musique classique s'il n'a pas exprimé d'exigence particulière. Mais toujours en sourdine.

— Elle comptait peut-être baisser le volume sonore avant de partir.

— Darlene aimait la musique moderne, objecta Hilo en s'arrachant un faible sourire. Comme la plupart des jeunes. Jamais elle n'aurait écouté ça – de l'opéra, n'est-ce pas ? – par plaisir.

— Bon...

Il a donc tué au son d'un opéra, pensa Eve. Pour son plaisir à lui.

— Je me suis pétrifiée, oui, pétrifiée. Ensuite, je me rappelle que je me suis enfuie en courant, j'ai claqué la porte derrière moi. Je hurlais. J'ai aussi claqué la porte de la suite. Mes jambes ne me portaient plus, j'étais clouée au sol. Je hurlais toujours quand j'ai alerté la sécurité.

Elle marqua une pause, se cacha la figure dans les mains.

— Les gens sortaient de leurs chambres, c'était la bousculade. M. Brigham est arrivé, il est entré. Tout s'embrouillait dans ma tête, il m'a conduite ici et m'a dit de m'allonger, mais je ne pouvais pas. Alors je suis restée assise, à pleurer, jusqu'à ce que M. Connors m'apporte du thé. Qui aurait pu vouloir faire du mal à cette petite si gentille ? Pourquoi ?

On ne répondrait jamais totalement à cette question. Eve attendit que Hilo se ressaisisse.

— Darlene s'occupait toujours de cette suite ?

— Non, pas toujours, mais très souvent. En principe, chaque femme de chambre a deux étages qui lui sont assignés. Depuis la fin de son stage de formation, Darlene nettoyait le quarante-cinquième et le quarante-sixième.

— Savez-vous si elle avait une relation amoureuse ? Un petit ami ?

— Oui, je crois... Il y a tellement de jeunes gens parmi le personnel que les histoires d'amour ne manquent pas. Je ne sais plus comment... Barry ! s'exclama soudain Hilo qui poussa un soupir de soulagement. Oui, je suis à peu près sûre qu'elle fréquentait le jeune Barry. Je m'en souviens parce que, quand il réussissait à être dans l'équipe de nuit, elle dansait sur un nuage. Comme ça, ils passaient plus de temps ensemble.

— Vous connaissez son nom de famille ?

— Non, je suis désolée. Elle s'illuminait littéralement quand elle parlait de lui.

— Ils ne s'étaient pas querellés, récemment ?

— Non, je l'aurais su, croyez-moi. À la moindre dispute avec le copain ou la copine, tout le monde est au courant. Je suis certaine que... Oh...

Hilo blêmit soudain.

— Vous ne pensez quand même pas que... Lieutenant, d'après ce qu'en disait Darlene, c'est un garçon vraiment adorable.
— Hilo, je pose simplement des questions, je n'accuse personne. Je voudrais m'entretenir avec lui, au cas où il aurait quelque chose à m'apprendre.
À cet instant, Connors pénétra dans la pièce.
— Excusez-moi. Je vous dérange ?
— Non, nous avons terminé. Il me faudra peut-être vous interroger encore, dit Eve à Hilo en se levant. Mais dans l'immédiat, je vous laisse tranquille. Je peux m'arranger pour qu'on vous...
— Je m'en suis chargé, dit Connors qui prit la main de Hilo. Un chauffeur va vous reconduire chez vous. Votre mari vous attend. Rentrez à la maison, c'est un ordre, Hilo. Avalez un somnifère et mettez-vous au lit. Ne pensez plus au travail jusqu'à ce que vous soyez rétablie.
— Je vous remercie infiniment. Mais je crois que travailler m'aiderait.
— À vous de décider, rétorqua Connors qui la guida vers la porte.
— Lieutenant, déclara Hilo en regardant Eve, c'était une gamine inoffensive. Un agneau. Celui qui l'a tuée doit être puni. Ça ne la ramènera pas, mais il doit payer. C'est tout ce qu'on peut faire.
C'était tout, effectivement, et ça ne suffisait jamais.
— Où avais-tu disparu ? demanda-t-elle à Connors dès qu'ils furent seuls.
— J'avais une foule de choses à régler, des dispositions à prendre. De toute manière, tu n'acceptes pas de civils sur une scène de crime. Je n'étais d'aucune utilité.
— Alors que tu étais indispensable ailleurs ?
— Tu veux un compte rendu de mes allées et venues, lieutenant ?
Il se dirigea vers le bar où il prit une demi-bouteille de vin blanc.
— Je me demandais juste où tu étais.

— Et ce que je mijotais. Cet hôtel m'appartient, lieutenant.

Elle passa une main impatiente dans ses cheveux, tandis qu'il sirotait tranquillement son vin.

— OK, résumons-nous. Un membre de ton personnel a été tué dans un lieu dont tu es propriétaire. Tu as du mal à l'avaler. Dans la mesure où tu possèdes la moitié de la ville…

— Seulement la moitié ? coupa-t-il avec une ombre de sourire. Il faudra que j'en parle à mon comptable.

— Je pourrais te répéter que tu ne devrais pas considérer ça comme une affaire personnelle, parce que ce n'est pas vrai, mais j'utiliserais ma salive pour rien. Je suis navrée pour toi.

— Moi aussi je suis navré. Cela dit, je te répète que j'avais des choses à régler. Surveiller la manifestation qui se déroule au rez-de-chaussée, notamment.

Il lui tendit un verre de vin, qu'elle refusa d'un geste.

— Le Palace et la vente aux enchères vont être la cible des médias. Les journalistes ont la bave aux lèvres quand un meurtre est perpétré dans un hôtel réputé et, si on ajoute à ça toutes les stars qui sont en bas, on a une sacrée histoire à raconter. Il fallait calmer le jeu le plus vite possible. Je voulais aussi qu'on s'occupe de Hilo.

— Tu as été très attentionné avec elle, ça lui facilitera les choses, rétorqua posément Eve.

— Elle travaille pour moi depuis dix ans.

Pour lui, ça justifiait tout.

— La nouvelle circulait déjà parmi le personnel, nous devions éviter la panique. Il y a un jeune homme dans l'équipe des grooms, Barry Collins, il…

— Le petit ami.

— Oui. Il est bouleversé, je l'ai fait reconduire chez lui. Et avant que tu me gifles, ajouta-t-il en la voyant sursauter, il était là au moment du meurtre avec deux de ses collègues. Ils transbahutaient les bagages des participants à un colloque médical.

— Comment connais-tu l'heure du meurtre ?

— Brigham m'a transmis les informations données par les vidéos de surveillance. Tu pensais qu'il s'en abstiendrait ?

— Non, je ne me leurrais pas. N'empêche que je dois parler au petit copain.

— Ce soir, tu n'en aurais rien tiré. Il a vingt-deux ans, Eve. Il l'aimait. Il est anéanti. Il voulait sa maman, poursuivit-il d'une voix sourde, vibrante de pitié. Alors je l'ai envoyé chez sa mère.

Elle capitula.

— J'aurais sans doute fait comme toi. Je l'interrogerai plus tard.

— Je suppose que tu t'es renseignée sur James Priory.

— Oui, et je suppose que tu as déjà les résultats. Donc, je me bornerai à te dire que je passe tout ça au CILC. Il est forcément fiché quelque part. Ce n'est pas son premier coup.

— Je peux t'obtenir ces données plus rapidement.

Il le pouvait, en effet, grâce à l'équipement illicite qu'il avait à la maison dans une pièce barricadée.

— Pour l'instant on procède à ma façon, dit-elle. Il est sorti d'ici comme un homme qui sait où il va. Je découvrirai où il s'est rendu. La vraie question, c'est : pourquoi ? Il avait un plan bien ficelé. La fausse identité, la chambre réservée à l'avance pour deux nuits. Au cas où ça ne marcherait pas le premier soir. Il s'est installé dans sa suite et il l'a attendue. Est-ce que Darlene était sa cible ? Si oui, c'est un autre point d'interrogation. Ou bien peut-être que n'importe quelle femme de chambre aurait fait l'affaire.

Les sourcils froncés, elle continuait à réfléchir à voix haute.

— Il se fichait qu'on le voie. Ça, c'est bizarre. À moins que je ne sois complètement à côté de la plaque et qu'on ne trouve aucun renseignement sur lui, ne pas prendre certaines précautions était insensé.

— Il voulait te narguer ? Toi et moi aussi, éventuellement ?

— Oui, il arrive que ce soit aussi simple que ça. Je

dois aller dans le New Jersey annoncer la mauvaise nouvelle à la famille, et ensuite au bureau. Tu m'emmènes ?

— Lieutenant, tu me surprends.

— Je veux simplement te tenir à l'œil.

— Tant mieux.

Il s'approcha, prit le visage d'Eve entre ses mains et lui baisa le front.

— Cette affaire sera difficile pour nous deux. Je te demande d'avance pardon pour les paroles blessantes que je pourrais prononcer avant que tout soit réglé.

— D'accord.

Le mariage, quelle histoire ! pensa-t-elle. À son tour, elle l'embrassa passionnément sur la bouche.

— Un baiser parce que mes paroles seront sans doute encore plus blessantes.

— Dis-moi quelque chose de méchant tout de suite, de très méchant, murmura-t-il en l'entourant de ses bras. Puisque nous sommes dans un hôtel, tu pourrais te racheter sans attendre.

— Pervers, rétorqua-t-elle, et elle l'écarta d'une bourrade en riant.

— Aïe ! Ça, à un moment ou un autre, tu t'en repentiras.

La tâche la plus pénible d'un policier de la criminelle, c'est la visite de la famille. En quelques mots, vous amputez des vies qui, même si elles se réparent, ne seront plus jamais les mêmes.

Eve s'efforçait de ne pas y songer en revenant du New Jersey, où elle avait laissé la mère et la sœur cadette de Darlene anéanties. Au lieu de ça, elle s'élançait sur le chemin qui leur apporterait, sinon la consolation, du moins le châtiment rendu par la justice.

— S'il y avait eu des crimes similaires dans mon district ou un autre, j'en aurais entendu parler, dit-elle en consultant l'ordinateur de bord de Connors. Coups, viol, strangulation...

— J'adore New York.

— Moi aussi, on est tous timbrés. Au cours des six derniers mois, ici et là, on a l'un des éléments du schéma, mais jamais les trois ensemble. Pas de fil d'argent utilisé comme garrot. Aucun meurtre dans un hôtel. Note qu'il aurait pu agir dans d'autres villes, d'autres pays, voire sur une autre planète. J'élargirai la recherche dès que...

Le bourdonnement de son communicateur l'interrompit.

— Dallas.

— Tu ne peux vraiment pas t'accorder une nuit de congé ?

Elle considéra, sur l'écran, la mine maussade de Feeney.

— Ce soir, justement, j'essayais.

— Eh bien, fais encore un petit effort ! Prends-la, cette nuit de repos, et peut-être que nous aussi, on aura l'occasion de se détendre. J'étais bien tranquille avec une bonne bouteille, des chips au fromage, je regardais le match des Yankees quand Peabody m'a prévenu.

— Désolée.

— Ouais, figure-toi que ces bourriques ont perdu contre les Tijuana Tacos. Ça me flanque des boutons.

Il poussa un soupir à fendre l'âme, fourragea dans ses cheveux roux, striés de gris et raides comme des baguettes de tambour.

— Enfin... J'ai examiné l'image que m'a transmise Peabody, et ton type m'a rappelé quelque chose. Mais je n'arrivais pas à mettre le doigt dessus. J'ai passé les vidéos au CILC. Aucune empreinte, les collègues de l'Identité judiciaire n'en ont pas trouvé. On a quand même des échantillons d'ADN, il a laissé du sang, des fragments de peau et du sperme. Il nous faudra quelques heures pour avoir les résultats.

— Et au CILC, ils n'ont rien ?

— J'y viens. On a bricolé ensemble avec le système morphométrique, on s'est bien amusés, et j'ai obtenu une chouette image. Ça plus l'arme du crime... le déclic. Yost l'Anguille. Sylvester Yost, mais il a une flopée de pseudonymes.

— Priory figure sur la liste ?

— Pas jusqu'à présent. Il faut que je l'ajoute aux autres. Tout ça pour dire qu'il y a environ quinze ans, j'ai travaillé sur une affaire – une série de meurtres par strangulation avec un fil d'argent. Cinq victimes disséminées d'un bout à l'autre de la planète. Une à New York, une femme. Une prostituée de seconde zone qui avait des liens avec le marché noir. Comme les quatre autres. Elles n'appartenaient pas à la même organisation, mais chacune jouait un rôle clé dans une saleté quelconque. On n'a jamais pincé Yost. Cette série de meurtres s'est arrêtée et l'on a fourré le dossier dans un tiroir.

— Un tueur à gages ?

— On l'a pensé, mais qui avait engagé ce salaud ? Il s'en est pris à chacun des grands cartels. Avant ça et depuis, il a probablement étranglé une vingtaine de personnes. Et il a purgé une peine de prison dans les années trente pour agression.

— J'étais sûre qu'il savait ce qu'est une cellule. On ne l'a écroué qu'une fois ?

— Oui, il avait vingt ans quand la police de Miami l'a harponné. Apparemment, il est devenu de plus en plus doué au fil des ans.

— Je vais au Central. Envoie-moi tout ce que tu as sur lui.

— C'est déjà fait. Je continue et je te tiens au courant demain matin. J'aimerais bien avoir une deuxième chance avec ce gars.

— Tu l'as.

— À demain, alors. Dis, Dallas ?

— Oui ?

— C'est quoi, ces bidules que tu as sur la tête ?

— Quels bidules ?

Elle toucha ses cheveux, sentit les petits diamants pareils à des gouttelettes d'eau.

— Il y avait cette soirée et je...
Mortifiée, elle s'éclaircit la gorge.
— Occupe-toi de tes oignons, grogna-t-elle et elle interrompit la communication.

L'homme qui à sa naissance s'appelait Sylvester Yost, alias James Priory, et avait étranglé une jeune femme de chambre, sirotait à présent sous le nom de Giorgio Masini son deuxième scotch, tout en regardant l'enregistrement du match des Yankees.

S'il avait été du genre à tuer sous l'emprise de la colère ou d'une quelconque émotion, il aurait étripé le lanceur des Yankees. Comme il était un assassin professionnel, il ne bronchait pas et se contentait de jurer tout bas, d'une voix étonnamment féminine.

Certains se moquaient de cette voix haut perchée. Quand il était en mission, il ne leur prêtait pas attention. Sinon, il les démolissait.

Mais ce n'était qu'une question de principe. Il n'avait rien d'un passionné, il n'était même pas à cheval sur les règles. Cette indifférence, précisément, faisait de lui une parfaite machine à tuer.

Sa rétribution pour le travail de ce soir avait déjà été déposée sur un compte bancaire. Il ignorait pourquoi il fallait liquider cette gamine – elle était vraiment très jeune. Il s'était borné à accepter le contrat, à l'exécuter et à empocher l'argent.

Cette nouvelle mission ne faisait que commencer et promettait de lui rapporter des gains considérables. Comme il envisageait de se retirer, il y songeait même sérieusement, ça lui procurerait un joli petit matelas de billets.

Au cours des années, ses gages lui avaient permis de développer et d'assouvir des goûts de luxe. Ayant les moyens de s'offrir ce qu'il y avait de mieux, il avait étudié, expérimenté, savouré le meilleur.

Gastronomie, vins et alcools, art, musique, mode... Il avait voyagé, découvert le monde entier ainsi que les autres planètes. À cinquante-six ans, il parlait couramment trois langues, ce qui s'avérait très utile dans son métier. Quand l'envie le prenait, il était capable de mitonner un repas succulent. Et il jouait du piano comme un ange.

Il n'était pas né avec une cuillère d'argent dans la bouche, mais maintenant son fil d'argent compensait la médiocrité de ses débuts.

À vingt ans, il n'était que la petite brute qu'Eve avait devinée sous le vernis. Il avait tué parce qu'il en avait la capacité et que ça payait bien.

À présent, il était un virtuose du meurtre, un artiste qui n'avait jamais déçu ses commanditaires et qui laissait sa signature personnelle sur chaque cible.

La souffrance, les coups. L'humiliation, le viol. Le fil d'argent. Une pièce en trois actes, où seuls le décor et le personnage secondaire changeaient.

Il était toujours la vedette du spectacle.

Il collectionnait les photographies, souvenirs de ses voyages, il en avait plusieurs albums qu'il feuilletait parfois en souriant.

Le dîner à Paris, cet été, après qu'il eut liquidé la directrice d'une usine de matériel électronique, la vue de Prague sous la pluie, photo prise depuis sa chambre d'hôtel, avant qu'il étranglât l'envoyée diplomatique américaine.

De très bons souvenirs.

Il était persuadé que New York, où son mandat actuel le retiendrait un moment, lui offrirait d'autres moments mémorables.

3

Dans son bureau du Central, après quelques heures de sommeil et trois tasses de café, Eve consultait toutes les données transmises la veille par Feeney et s'efforçait de cerner la personnalité de Sylvester Yost.

Un professionnel du crime. Un tueur dans l'âme, engendré par un petit trafiquant d'armes apparemment mort à l'époque de la Guerre urbaine. Sa mère, une malade mentale, avait une fâcheuse tendance à voler des voitures et à poignarder les propriétaires qui avaient le malheur de se plaindre. Elle était décédée d'une overdose, dans un asile, alors que son fils avait treize ans.

L'Anguille avait manifestement décidé de perpétuer la tradition familiale en y apportant sa note personnelle.

Eve avait à présent le dossier concernant ses années d'adolescence. Le système judiciaire l'avait récupéré, et deux semaines après il tranchait l'oreille de son éducateur – il aimait jouer avec les couteaux. Il avait également frappé et violé une fille du foyer.

Mais il avait trouvé sa véritable vocation avec la strangulation. Il s'était d'abord entraîné sur de petits chiens et des chats avant de passer aux humains.

À quinze ans, il s'était échappé du foyer pour jeunes délinquants. Il avait aujourd'hui cinquante-six ans. Durant ces quarante et une années, il n'avait été écroué qu'une seule fois. On le suspectait d'avoir commis une quarantaine de meurtres.

Les renseignements qu'on possédait sur lui étaient maigres, malgré les dossiers accumulés par le FBI, Interpol, le CILC et le Bureau interplanétaire d'investigation – ou BII.

On avait là, a priori, un tueur à gages qui n'avait pas de famille, pas d'amis ou d'associés connus, pas d'adresse. Son arme de prédilection était un garrot constitué d'un fil d'argent. Mais certaines des victimes qu'on lui attribuait avaient aussi été étranglées à mains nues, avec des écharpes en soie et une cordelette dorée.

Au début, pensa Eve. Avant qu'il eût opté pour une signature.

On comptait parmi les victimes des hommes et des femmes, de toutes les tranches d'âge, de races et de catégories sociales diverses. Pour la plupart torturés et violentés.

— Tu fais bien ton boulot, pas vrai ? Et je parie que tu n'es pas bon marché.

Elle scruta l'image de Yost, lors de son arrivée au Connors Palace.

— Qui t'engagerait pour tuer une jeune femme de chambre qui vivait avec sa mère et sa sœur à Hoboken ?

Elle se leva, arpenta le cagibi encombré qui lui servait de bureau. Il était peu probable que ce type ait commis une erreur.

On ne se trompe pas de cible quand on a quarante ans d'expérience. Selon toute vraisemblance, Yost avait fait ce pour quoi il était payé.

Par conséquent, qui était Darlene French et avec qui avait-elle un lien ?

Avec Connors, certes, cependant si ce crime le touchait sur un plan personnel et avait un certain retentissement – infime – sur le plan professionnel, ce n'était objectivement qu'une vaguelette sur l'océan.

Revenons à la victime, se dit Eve. Darlene avait-elle entendu ou vu quelque chose, sans même en avoir conscience ? Il y avait beaucoup d'animation dans l'hôtel, des affaires très importantes s'y traitaient.

Pourtant, si la jeune femme avait été témoin de quelque chose qu'on aurait préféré garder secret, pourquoi la tuer de cette façon spectaculaire ? On aurait pu se débarrasser d'elle discrètement, et le problème aurait été réglé.

Un accident, par exemple, un vol à main armée qui tourne mal. Les flics auraient jeté un coup d'œil, présenté leurs condoléances à la famille. Terminé.

Bien que cette théorie ne lui parût pas convaincante, Eve décida de retourner à l'hôtel et de vérifier qui avait occupé la suite durant les dernières semaines.

Elle s'immobilisa devant la petite fenêtre, contemplant l'agitation matinale. Dans la rue et le ciel, la circulation était dense. Un aérobus se traînait d'un arrêt à l'autre, bondé de passagers qui n'avaient pas la chance de travailler à domicile. Une caméra filmait afin d'analyser les embouteillages et de les annoncer sur les ondes à ceux qui y étaient coincés.

Il fallait bien que les médias aient quelque chose à raconter. Eve avait envoyé à la pêche les journalistes qui appelaient pour quémander un commentaire sur le meurtre. Tant que le commandant ne lui demanderait pas de faire une déclaration officielle, elle laisserait les reporters bourdonner autour de Connors comme des mouches.

Elle entendit le bruit reconnaissable entre mille de chaussures réglementaires sur le linoléum usé, mais ne se retourna pas.

— Lieutenant ?

— Il y a une bonne femme dans l'aérotram qui a les bras chargés de fleurs. Qu'est-ce qu'elle fabrique avec un bouquet pareil ?

— La fête des Mères approche, lieutenant. Peut-être qu'elle est simplement prévoyante.

— Mmm... Peabody, je veux qu'on se penche sur le petit ami, Barry Collins. Si on a affaire à un tueur à gages, quelqu'un paie l'addition. Je doute qu'un groom ait les moyens nécessaires pour assurer les honoraires de Yost, mais il pourrait être le lien avec le commanditaire.

— Yost ?

— Oh, pardon ! Je ne vous ai pas transmis les informations que m'a fournies Feeney.

— Le capitaine prend part à l'enquête ? McNab sera sur le coup, lui aussi ?

Eve tourna la tête vers son assistante. Peabody s'évertuait à paraître indifférente, cependant elle n'était pas douée pour le bluff.

— Il n'y a pas si longtemps, si j'avais prononcé le nom de McNab, vous auriez débité tout un chapelet de jurons.

— Non, lieutenant. J'aurais ouvert la bouche pour protester, vous m'auriez fermé mon clapet, et j'aurais rouspété en silence. Les temps changent, ajouta Peabody avec un sourire malicieux. McNab et moi, nous nous entendons mieux, surtout depuis que nous avons des relations plus…

— Stop, je ne veux rien savoir.

— J'allais juste dire qu'il est un peu bizarre.

— Cherchez McNab dans le dictionnaire et lisez la définition : bizarre.

— Différent, rectifia Peabody qui se promit toutefois de ressortir la boutade du lieutenant à la première occasion. Il est… gentil. Vraiment, je vous assure. Il est doux et attentionné. Il m'offre des fleurs. Je crois qu'il les vole dans le parc, mais quand même. Et l'autre jour, il m'a emmenée au cinéma. Un film sentimental que je voulais absolument voir. Lui, il a détesté et ne s'est pas gêné pour le critiquer, n'empêche qu'il m'a accompagnée.

— Seigneur !

— Bref, je crois que…

Peabody s'interrompit et éclata de rire. Son intrépide lieutenant se bouchait les oreilles.

— Je ne vous entends plus. Je refuse de vous écouter. Cherchez-moi des informations sur Barry Collins. Immédiatement. C'est un ordre.

Les lèvres de Peabody remuaient.

— Quoi ?

— Je disais : oui, lieutenant, répondit Peabody quand Eve baissa les mains. Mais je crois qu'il me mijote quelque chose, conclut-elle avant de sortir au pas de gymnastique.

— Je vais leur botter les fesses, à ces deux-là, grommela Eve en se rasseyant à sa table.

Elle contacta le labo et, pour se défouler, tomba à bras raccourcis sur le technicien qui analysait les échantillons d'ADN.

Lorsque Feeney la rejoignit, elle avait la preuve, grâce à l'ADN, que le violeur et le meurtrier de Darlene French était bien Sylvester Yost.

Le capitaine se percha sur le bord de la table et, comme à son habitude, extirpa de la poche avachie de son costume un sachet d'amandes.

— Je n'avais aucun doute là-dessus, déclara-t-il. J'ai mené une recherche sur les crimes similaires. Rien depuis sept ou huit mois. Notre bonhomme était en vacances.

— Ou quelqu'un ne tenait pas à ce qu'on découvre les corps, et on les a bien planqués. Il a déjà opéré pour son compte, pour des raisons personnelles ?

— Non... C'est l'argent qui le motive. McNab s'occupe de la recherche interplanétaire.

— Tu le mets sur l'enquête ?

Il haussa les sourcils, surpris.

— Ben, oui. Tu as un problème avec lui ?

— Non... Professionnellement, je n'ai rien à lui reprocher, répliqua-t-elle en tambourinant sur la table. Seulement, il y a cette histoire entre Peabody et lui.

— Alors ça, je ne veux même pas y penser.

— Moi non plus. Il l'a emmenée voir un film sentimental.

— Quoi ? bafouilla Feeney qui pâlit et faillit recracher une amande. Il est allé voir un film sentimental ? Avec elle ?

— Tu as bien entendu.

— Oh, nom d'une pipe !

Feeney tournicota dans la pièce, sur ses courtes jambes arquées.

— C'est la fin des haricots, tu sais. Il est fichu. Bientôt il lui offrira des fleurs.

— C'est déjà fait.

— Arrête, Dallas, rétorqua-t-il, fixant sur elle ses yeux implorants de bon gros toutou. Ne me mets pas ce poids sur les épaules. Savoir que… comment dire… ils sont tout nus dans un lit, ça me perturbe suffisamment.

Elle acquiesça, ravie d'avoir un interlocuteur qui partage son opinion.

— Personne ne me comprend. Figure-toi que Connors trouve ça charmant.

— Évidemment, ce n'est pas lui qui travaille avec eux ! s'exclama Feeney. Ils se font de l'œil, du pied, et Dieu sait quoi encore… C'est insupportable ! Je croyais qu'elle fricotait avec ce prostitué, Monroe, celui à la gueule d'ange.

— Il est tombé aux oubliettes.

— Ah, les femmes !

— Ouais, on se demande ce qu'elles ont dans le crâne.

Eve, qui se sentait bien mieux, puisa une poignée d'amandes dans le sachet que Feeney lui tendait.

— J'ai demandé à Peabody de se renseigner sur le petit ami de Darlene French. Ça m'étonnerait qu'on trouve quelque chose mais, dès que j'aurai son dossier, je l'interrogerai. Pour l'instant, je m'emploie à éviter les médias. Connors se débrouillera avec eux. Je vais retourner sur la scène de crime, fureter un peu dans l'hôtel. Je devrais avoir le rapport de toxicologie concernant French dans une heure. Il n'y aura rien, à mon avis, mais on ne sait jamais.

— Surtout avec les femmes, ronchonna Feeney.

— Mmm… Les parents de French ont divorcé il y a environ huit ans. Le père, Harry D. French, vit dans le Bronx avec sa seconde épouse. Tu as le temps de suivre cette piste ? Quelqu'un aurait pu vouloir se venger de lui et embaucher un professionnel.

— Je m'en occupe tout de suite. Et la mère ?

— Sherry Tides French. Elle dirige un de ces fichus magasins de bonbons au Newark Center. Blanche comme neige, apparemment. Je ne vois pas comment elle serait impliquée là-dedans.

Eve se leva et saisit sa veste.

— Puisqu'on a McNab dans l'équipe, ce serait bien qu'il essaie de trouver où notre tueur a acheté son garrot en argent. On aura les analyses du labo avant midi.

— Je vais le mettre là-dessus, ça l'empêchera de penser à la gaudriole.

— Eh bien, c'est parti !

Eve s'adressa d'abord au directeur de l'hôtel, à qui elle demanda les copies sur disquette des registres, les dossiers des membres du personnel et de tous les employés licenciés ou qui avaient démissionné depuis un an.

Elle n'eut même pas à insister sur la nécessité de collaborer avec la police, ni à mentionner un éventuel mandat de perquisition, on lui remit aussitôt, dans une chemise scellée, tous les renseignements qu'elle exigeait.

Connors avait donné l'ordre à ses subalternes de se tenir à sa disposition.

— Ça marche comme sur des roulettes, commenta Peabody dans l'ascenseur qui les menait au quarante-sixième étage.

— Ouais, il n'a pas perdu de temps, rétorqua Eve.

Elle décoda les scellés sur la porte de la suite, franchit le seuil.

— Quand on a quelques heures à passer dans un hôtel, avant d'assassiner quelqu'un, que fait-on ? On admire le panorama, on regarde la télé, on mange. Il n'a reçu aucun appel sur le communicateur de la chambre, pas de fax ni de mail. Il s'est peut-être servi de son portable.

Elle se dirigea vers la kitchenette, examina le comptoir recouvert de la poudre utilisée par l'équipe de l'Identité judiciaire pour relever les empreintes. Des assiettes étaient soigneusement posées dans l'évier.

— Il a utilisé l'AutoChef à 18 heures. Une bonne heure avant la tournée des femmes de chambre. Il connaît sans doute leur planning, il sait qu'en principe elles font cette suite vers 20 heures. Il a consulté le calendrier des manifestations qui se déroulent dans l'hôtel, donc il n'ignore pas qu'une grande réception a lieu au rez-de-chaussée, qu'un colloque va débuter. L'établissement étant presque complet, les femmes de chambre ne risquaient pas d'être en avance. Alors, il s'offre un steak.

Eve s'approcha de l'évier.

— Il l'a probablement dégusté devant l'écran vidéo, sur le canapé, ou à la table. Dans un décor aussi luxueux, on n'aurait pas le mauvais goût de manger debout dans la cuisine. Ensuite il a pris son dessert, du café, il a rapporté les assiettes sales dans la kitchenette, les a soigneusement rangées dans l'évier.

Elle étudia la manière dont il avait disposé le couteau et la fourchette près de l'assiette sur laquelle l'assiette à dessert, la soucoupe et la tasse formaient une petite pyramide.

— Il s'occupe beaucoup de lui, il est maniaque. Il vit probablement seul. Peut-être même sans droïde pour le servir. Il ne loge pas dans un hôtel, en tout cas pas en permanence. Quand on est habitué à avoir des femmes de chambre, on ne débarrasse pas la table après le repas.

Peabody acquiesça.

— J'ai remarqué quelque chose hier soir, j'ai oublié de vous en parler.

— Quoi donc ?

— Eh bien... tous les grands hôtels comme celui-là procurent à leurs clients une ribambelle de savonnettes, shampooings, crèmes, huiles pour le bain… Il n'y a plus rien, il a tout emporté. Beaucoup de gens le font, ajouta Peabody avec un sourire, mais la plupart ne se préparent pas à tuer quelqu'un ou ne viennent pas de commettre un meurtre.

— Excellente observation. Soit il est radin, soit il aime les souvenirs. Qu'en est-il des serviettes, des peignoirs et des chaussons ?

— On fournit des chaussons ? s'étonna Peabody. Je n'ai jamais dormi dans un palace, je… les peignoirs sont là, enchaîna-t-elle, comme Eve fronçait les sourcils. Il y en a deux dans la penderie de la chambre, intacts. Quant aux serviettes, il y en a assez pour une famille de six personnes. Elles n'ont pas servi non plus.

— Il a dû pourtant les utiliser avant la tournée des chambres. Prendre une douche à son arrivée. Un garçon bien sage qui débarrasse la table se lave les mains après avoir fait pipi. Or sa vessie n'a pas tenu des heures.

Eve s'immobilisa sur le seuil du cabinet de toilette ouvrant dans le vestibule – une cabine de douche protégée par des parois vitrées bleues, un lavabo, une cuvette de W-C derrière des portes en verre bleu.

— Ici aussi, les produits de toilette ont disparu. Pourquoi gaspiller de l'argent en savon et shampooing, quand on peut les avoir gratuitement ?

Eve se dirigea vers la chambre, qu'elle balaya d'un bref regard, avant de pénétrer dans la salle de bains, équipée d'une baignoire gigantesque, d'une douche hypersophistiquée et d'une cabine séchante. Elle avait déjà séjourné dans les hôtels de Connors et savait que, normalement, de multiples et précieux flacons étaient artistiquement disposés de chaque côté du lavabo. Ici, il n'y avait plus rien.

Elle s'approcha du support en bronze sur lequel étaient drapées trois épaisses serviettes ornées d'un monogramme.

— Il s'est servi de celle-là.

— Ah, bon ?

— Oui, regardez : le monogramme n'est pas centré comme celui des autres. Il s'en est servi. Quand il en a eu fini avec elle, il s'est lavé, il s'est essuyé les mains et puis, parce qu'il est très ordonné, il a remis cette serviette à sa place. En entrant, Darlene a dû se diriger droit vers la salle de bains pour changer le linge de toilette. Il était là quelque part à attendre, à la guetter, à calculer.

Eve s'interrompit.

— Peut-être dans la penderie. Elle revient dans la chambre, elle porte les serviettes, elle les laisse tomber sur le sol. Elle se tourne vers le lit, elle fait son travail avec cœur. Et il lui saute dessus. Il lui arrache son bipeur avant qu'elle puisse alerter la sécurité.

Eve marqua une nouvelle pause.

— Elle n'a pas eu la possibilité de réagir, de se débattre. Il n'y a aucun signe de lutte, elle était impuissante face à ce type. Les draps sont froissés et souillés, mais tout le reste est en ordre, donc il lui a réglé son compte sur ce lit. En musique.

— Je trouve que c'est le plus horrible, murmura Peabody. Ça me donne la chair de poule.

— Il en termine avec elle, il regarde l'heure. Ça n'a pas pris beaucoup de temps. Il se lave les mains, il rouspète un peu parce qu'elle a réussi à l'égratigner, il se change, il met tous les produits de toilette dans sa valise. Il range. Il n'enlève pas les draps, bien sûr, mais il ne veut pas laisser trop de désordre.

— Quel sang-froid !

— Oh, oui ! Un boulot facile. Quelques heures dans un palace, un bon repas, un stock de produits de toilette et un gros salaire. Je me le représente parfaitement, Peabody, par contre je ne vois pas qui l'a rétribué et je ne comprends pas pourquoi.

Eve se tut un instant, composant mentalement l'image de Darlene French. Soudain, elle entendit la porte d'entrée s'ouvrir. D'un signe, elle ordonna à Peabody de reculer, dégaina son arme et, d'un pas vif et silencieux, passa dans le couloir.

— Connors ! Bon sang… Qu'est-ce que tu fiches ici ?

— Je te cherchais, dit-il en refermant la porte.

— Cette pièce est sous scellés. Il s'agit d'une scène de crime.

Elle savait bien, pourtant, qu'avec ses doigts habiles il avait mis moins de temps à décoder les scellés qu'elle avec son passe.

— C'est justement pour cette raison que je suis venu te chercher ici, quand on m'a informé que tu étais dans l'hôtel. Bonjour, Peabody.

— Qu'est-ce que tu veux ? grommela Eve avant que son assistante ne réponde. Je travaille.

— Évidemment, j'en suis conscient. J'ai supposé que tu souhaitais interroger les personnes que tu as mentionnées hier. Barry Collins est chez lui, mais son supérieur se tient à ta disposition, de même que Sheila Walker, une autre femme de chambre qui était une amie proche de la victime. La famille l'a chargée de vider le vestiaire de Darlene.

— Elle n'a pas l'autorisation de toucher à…

— Je le lui ai dit. Pas avant que tu aies donné le feu vert. Mais je lui ai demandé d'attendre jusqu'à ce que tu sois disponible pour lui parler.

Eve était furieuse.

— Je pourrais te dire que je n'ai pas besoin d'aide pour organiser les interrogatoires.

— En effet, tu pourrais, rétorqua-t-il si aimablement qu'elle en eut le souffle coupé.

— Bon… tu m'as fait gagner du temps, marmonna-t-elle. Mais je ne veux personne dans cette suite tant que je n'aurai pas terminé.

— Compris. Tu n'auras qu'à me joindre au 001.

— Dans l'immédiat, on sort d'ici. Je vais d'abord parler à Sheila Walker.

— J'ai mis un bureau à ta disposition.

— Je préfère la rencontrer sur son lieu de travail. Ce sera moins intimidant pour elle.

— À ta guise. Elle est dans la salle de repos réservée aux employés. Je vais te montrer le chemin.

— D'accord. Tu n'auras qu'à rester dans les parages, ta présence la rassurera.

Eve constata vite qu'elle avait eu raison. Sheila, une grande fille noire très mince aux yeux immenses, ne cessait de jeter à Connors des regards anxieux, quêtant son aide, son soutien.

Elle avait l'accent des îles, charmant et musical, malheureusement gâté par les sanglots. Eve sentait poindre une migraine carabinée.

— Elle était tellement gentille. Jamais elle ne disait du mal de personne. Elle était... lumineuse. Si un client bavardait avec elle, il lui donnait un gros pourboire. Ça ne loupait jamais. Et maintenant... je ne la reverrai plus...

— Je sais que c'est dur de perdre une amie, Sheila. Pouvez-vous me dire si elle avait des soucis, des problèmes ?

— Oh, non ! Elle était heureuse. Dans deux jours, on était en congé et on devait faire du shopping. Acheter des chaussures. Elle adorait les chaussures. Juste avant notre tournée, on en avait discuté. On avait décidé de se lever de bonne heure et d'aller au centre esthétique de Sky Mall pour une séance de maquillage gratuite.

Son visage se crispa.

— Oh, monsieur Connors !

Il lui prit la main, la tint serrée entre les siennes. L'interrogatoire continua ainsi une demi-heure. Des propos décousus de Sheila émergea cependant le portrait d'une jeune femme insouciante et joyeuse qui vivait sa première histoire d'amour.

Tous les matins, à la pause, elle prenait le petit déjeuner avec son ami, dans la salle de repos, hormis les jours de paye où ils allaient dépenser leur argent dans un café non loin de l'hôtel. Il la raccompagnait quotidiennement à sa station de métro. Ils envisageaient de louer ensemble un appartement, peut-être à l'automne.

Elle n'avait pas vu, entendu ou découvert quoi que ce soit d'anormal ou d'inquiétant. Sinon elle en aurait parlé à sa meilleure amie – car Sheila affirmait être sa meilleure amie. Quand elle s'était éloignée en poussant son chariot, juste avant de mourir, elle avait le sourire.

Le responsable des grooms lui brossa un portrait tout aussi riant de Barry. Jeune, enthousiaste et très amoureux d'une femme de chambre brune prénommée Darlene.

Il avait obtenu une augmentation le mois précédent et montré à quiconque le croisait le petit cœur en or qu'il avait acheté pour l'anniversaire de leur rencontre – ils se fréquentaient depuis six mois.

Eve se rappelait avoir vu, sur la vidéo, Darlene qui jouait avec le pendentif avant d'entrer dans la suite 4602.

— Peabody, une question de fille, dit Eve tandis qu'elle quittait la salle, flanquée de son assistante et de Connors.

— Ça tombe bien, je suis une fille.

— Exact. Donc, vous vous querellez avec votre petit ami ou vous n'êtes plus convaincue que ce soit le bon. Un truc dans ce genre. Vous porteriez le cadeau qu'il vous a offert ?

— Absolument pas. Si c'est une grosse dispute, on le lui jette à la figure. Si on envisage de le plaquer, on verse quelques larmes sur le bijou, ensuite on le fourre dans un tiroir jusqu'à la rupture. En cas de prise de bec mineure, on le met dans un coin en attendant de voir comment les choses vont tourner. On n'exhibe un cadeau que si on veut montrer à la terre entière qu'on a un jules.

— Tout ça est d'un compliqué ! Mais vous confirmez mon opinion.

Eve assena une tape sur la main de Connors qui tripotait la chaîne qu'elle portait au cou, et le diamant en forme de goutte d'eau caché sous sa chemise.

— Simple vérification, dit-il. Apparemment, je suis toujours ton jules.

—Je ne l'exhibe pas, rétorqua-t-elle, perfide.
—Presque, répliqua-t-il avec un sourire angélique.
Elle le foudroya du regard.
—Essaie de m'embrasser, et je t'assomme. Peabody, on va rencontrer Barry. Quant à toi, ajouta-t-elle en enfonçant l'index dans la poitrine de Connors, il faudra qu'on discute un peu plus tard.
—Je serai à ta disposition. Tu sais que rien ne me plaît davantage.
Soudain, le sourire de Connors s'évanouit, son regard se durcit. Derrière lui, quelqu'un fredonnait à mi-voix une vieille ballade irlandaise.
Avant qu'il ait pu se retourner, un bras lui enserra le cou. Un rire sonna à son oreille, le renvoyant brusquement dans les ruelles de Dublin.
Puis on le fit pivoter, et il se retrouva face à un mort.
—Tu n'es plus aussi rapide que tu l'étais, hein, mon pote ?
—Peut-être pas.
Vive comme l'éclair, Eve dégaina son arme et appuya le canon contre la gorge de l'homme.
—Moi, je suis rapide. Reculez ou vous êtes mort.
—Trop tard, il l'est déjà, murmura Connors. Mick Connelly, qu'est-ce que tu fabriques ici ? Tu n'es donc pas en enfer ?
—Ah ! on ne peut pas tuer le diable ! Mais toi aussi, tu as l'air d'aller très bien. Pas vrai ?
Eve, éberluée, les observait.
—Du calme, chérie, lui dit Connors en détournant doucement le canon du laser. Cet individu est un vieil ami.
—Et comment ! ricana Mick. Dis donc, tu t'es pris un garde du corps de sexe féminin ?
—C'est un flic, rétorqua Connors avec un large sourire. Et c'est ma femme.
Hilare, Mick pressa une main sur son cœur.
—Eh ben ! Elle n'aura pas besoin de me buter. Cette fois, je meurs pour de bon. J'avais entendu

dire... Oh ! on raconte des tas de choses sur le célébrissime Connors, mais je n'y croyais pas.

Il s'inclina, plutôt galamment, devant Eve et lui baisa la main qui tenait le pistolet.

— Je suis enchanté de vous connaître, madame, vraiment ravi. Je m'appelle Michael Connelly, Mick pour les intimes, dont vous ferez partie je l'espère. Votre mari et moi, nous avons été jeunes ensemble. Des chenapans, hélas.

— Lieutenant Dallas, répliqua-t-elle, séduite toutefois par les yeux rieurs de son interlocuteur, aussi verts que de la mousse. Eve.

— Excusez mes manières... exubérantes, mais j'étais tellement excité de retrouver mon vieux copain...

— Il faut que j'y aille, dit-elle à Connors. Enchantée d'avoir fait votre connaissance, ajouta-t-elle en tendant la main à Mick.

— À bientôt ?

— Oui, sans doute.

Mick la regarda s'éloigner en compagnie de Peabody.

— Elle se méfie de moi, pas vrai ? Elle en a le droit. Nom d'un chien, c'est bon de te revoir !

— Qu'est-ce que tu fais à New York ? Et dans mon hôtel ?

— Les affaires. On a toujours une casserole sur le feu. Je comptais justement en discuter avec toi. Tu as un peu de temps à consacrer à un ami d'enfance ?

4

Pour un mort, Mick Connelly avait vraiment l'air en pleine forme dans son costume vert. Il avait toujours aimé les couleurs vives, Connors s'en souvenait. La coupe et l'étoffe dissimulaient les kilos qu'il avait pris au cours des dix dernières années.

Dans leur jeunesse, aucun d'eux n'avait de graisse superflue, la faim les gardait minces.

Ses courts cheveux sable encadraient une figure qui, comme le corps, s'était arrondie avec l'âge. Ses incisives étaient devenues proéminentes et évoquaient des dents de castor. Il avait rasé la moustache à laquelle il tenait tant, et qui n'avait jamais été qu'une ridicule touffe de poils.

Mais il avait toujours son nez camus typiquement irlandais, son sourire canaille et son regard malicieux.

Naguère, nul n'aurait qualifié de séduisant ce garçon maigrichon, plutôt petit et couvert de taches de rousseur. Mais il avait des mains habiles, la langue bien pendue, et l'accent de Dublin, rude et musical, qui convenait aux bagarres à coups de poing.

Quand il entra dans le bureau de Connors, dans la luxueuse aile centrale de l'hôtel, il s'immobilisa, les mains sur les hanches. Un sourire de gargouille fendait son visage.

— Tu as bien réussi, hein, mon pote ? On me l'avait dit, bien sûr, mais le voir de mes yeux, ça m'épate.

— Te voir m'épate aussi, répondit Connors d'un ton chaleureux.

Il s'était remis de sa stupeur. Une part de lui prenait du recul, s'interrogeait : que lui voulait ce fantôme surgi du passé ?

— Assieds-toi, Mick, et raconte.

— D'accord.

Mick prit place dans l'un des fauteuils rembourrés, étendit les jambes et balaya la pièce du regard – l'équipement électronique ultrasophistiqué, l'élégant mobilier, les boiseries, les portes-fenêtres ouvrant sur un balcon en pierre. Sans doute calculait-il la valeur de tout ça, songea Connors.

— Oui, tu as réussi, soupira-t-il en fixant de nouveau son ami avec son irrésistible sourire. Si je promets de ne rien te piquer, tu offrirais une bière à un vieux copain ?

Connors fit coulisser un panneau mural qui dissimulait l'AutoChef et commanda deux Guinness.

— J'ai programmé de la vraie bière pression, il faut une minute pour qu'elle soit bien mousseuse.

— Il y a un moment qu'on n'en a pas sifflé une ensemble. Combien de temps ? Quinze ans ?

— À peu près.

Et avant ça, pendant quinze ans, nous étions des voleurs, pensa Connors en s'appuyant à la table, tandis que les chopes se remplissaient. Il se détendait, mais ne baissait pas complètement la garde.

— Je croyais que tu avais rendu l'âme dans un pub de Liverpool. Un coup de couteau. En principe, mes informateurs sont fiables. Alors explique-moi ce que tu fais là.

— Je vais t'expliquer. Tu te souviens peut-être que ma mère – Dieu bénisse son âme froide et noire – me répétait que j'étais destiné à mourir dans un bouge, avec un poignard dans le ventre. Elle disait ça chaque fois qu'elle avait un coup dans le nez.

— Elle est toujours vivante ?

— Aux dernières nouvelles, oui. J'ai quitté Dublin quelque temps avant toi, tu te rappelles. J'ai voyagé ici et là, je cherchais fortune. J'ai fait des affaires. En gros, je déplaçais des marchandises, je les prenais à un endroit pour les mettre ailleurs, histoire de les laisser refroidir avant de les replacer. Voilà pourquoi j'étais à Liverpool lors de cette nuit fatidique.

Machinalement, Mick ouvrit le coffret en bois sculpté posé sur la table à côté de lui et écarquilla les yeux en découvrant qu'il contenait des cigarettes françaises – interdites quasiment dans tout l'univers et d'un prix hallucinant.

— Je peux ?

— Sers-toi.

Par amitié, Mick n'en prit qu'une au lieu d'une demi-douzaine, comme il l'aurait fait dans d'autres circonstances.

— Où j'en étais ? dit-il en extirpant un mince briquet en or de sa poche. Ah, oui ! J'avais la moitié de l'argent sur moi, et je devais rencontrer mon… client pour le reste. Ça a mal tourné. Les autorités du port ont eu vent de la chose, l'entrepôt a été fouillé. Les flics me cherchaient, ainsi que le client. Il s'était mis dans la tête que je l'avais roulé.

Devant la mine soupçonneuse de Connors, Mick éclata de rire.

— Non, je t'assure. Je n'avais que la moitié du fric, pourquoi l'aurais-je roulé ? Bref, je me suis faufilé dans le pub pour essayer de régler ça et d'organiser un transport rapide et discret. Je voulais d'abord me tirer de ce pétrin. Et figure-toi que, là-dessus, une bagarre éclate.

— Une bagarre dans un pub du port de Liverpool, murmura Connors en saisissant les deux chopes de Guinness, incroyable !

— Et une sacrée bagarre, je te le garantis.

Mick prit sa bière.

— Aux vieux amis. Santé !

— Santé.

— Les coups pleuvaient, enchaîna Mick. Moi, comment dire, je faisais profil bas. Le barman tapait sur tout le monde avec une batte, les clients commençaient à s'énerver, à prendre parti pour les uns ou les autres.

Et puis les deux types qui avaient déclenché tout ça – je n'ai jamais su pourquoi – ont sorti des couteaux. Je ne pouvais plus me carapater sans me faire découper en tranches, or je n'y tenais pas du tout, tu comprends. Il m'a donc paru plus raisonnable d'accompagner le mouvement, d'autant que les spectateurs s'échauffaient et se cognaient dessus juste pour le plaisir.

Connors n'avait aucun mal à se représenter la scène. Ils avaient eux-mêmes souvent participé à ce genre de réjouissances.

— Combien de poches tu as vidées pendant le spectacle ?

— Je ne les ai pas comptées, répondit Mick avec un grand sourire. Mais j'ai récupéré une petite partie de l'argent qui m'était dû. Bref… les chaises volaient, les types aussi. Je me suis retrouvé dans la mêlée, fatalement. Là-dessus, voilà que les deux qui avaient commencé se flanquent des coups de couteau. J'ai vu tout de suite qu'ils n'y survivraient pas. Le sang était trop noir. Et ça puait. Tu la connais, l'odeur de la mort.

— Oui, je la connais.

— Les autres ont détalé à toute allure comme des rats quittent le navire. Et le barman a appelé les flics. Alors il m'est venu une idée lumineuse : un des morts avait ma couleur de cheveux et ma corpulence. C'est le destin qui décide, pas vrai ? Mick Connelly avait besoin de disparaître. Être raide mort sur le plancher d'un pub de Liverpool… l'idéal. J'ai échangé nos papiers d'identité et j'ai pris la fuite. Ainsi Michael Joseph Connelly mourut-il poignardé dans un bouge, comme sa mère l'avait prédit, tandis que Bobby Pike filait à Londres. Et voilà mon histoire.

Mick but une lampée de bière, poussa un soupir de satisfaction.

— Nom d'un chien, ça fait plaisir de te revoir. On a eu du bon temps, pas vrai ? Toi, moi, Brian et les autres.

— Oui, en effet.

— J'ai appris ce qui était arrivé à Jenny, à Tommy et Shawn. Mourir de cette façon… Ça m'a brisé le cœur.

De notre gang de Dublin, il ne reste plus que toi, moi et Brian.

— Il est toujours à Dublin. Il a un bar, La Tirelire, dont il s'occupe personnellement.

— On me l'a raconté. J'y retournerai un jour pour le saluer. Et toi, tu y vas souvent ?

— Non.

Mick hocha la tête.

— On n'y a pas que de bons souvenirs, je te l'accorde. Mais tu as sacrément bien réussi, pas vrai ? Tu disais toujours que tu t'en sortirais.

Il se leva, sa chope à la main, et s'approcha de la porte-fenêtre.

— Tu te rends compte ? Tu possèdes cet endroit, et Dieu sait quoi encore. Ces dernières années, j'ai parcouru le monde et d'autres planètes. Partout j'ai entendu chanter les louanges de mon vieux copain.

Il pivota, souriant.

— Je suis drôlement fier de toi, Connors.

Celui-ci tressaillit : parmi ceux qui l'avaient connu jeune, personne n'avait dit ces mots à l'homme qu'il était devenu.

— Quelles sont tes activités, Mick ?

— Oh, les affaires ! Encore et toujours. Comme elles m'ont amené à New York, je me suis décidé : « Mick, tu vas prendre une chambre chez Connors, au Palace. » Je voyage de nouveau sous mon vrai nom. Il a coulé suffisamment d'eau sous les ponts depuis Liverpool. Et il y a trop longtemps que je n'ai pas bu une bière avec des vieux copains.

— Maintenant que nous avons bu cette bière, voudrais-tu m'expliquer les véritables raisons de ta présence ici ?

Mick s'adossa à la porte-fenêtre, porta la chope à ses lèvres tout en scrutant Connors de son regard pétillant.

— On ne te la fait pas, tu as toujours possédé une espèce de radar pour détecter les emmerdes. Mais je ne t'ai pas menti. J'ai pensé que tu serais peut-être intéressé par une des affaires que j'ai en cours. Des pierres.

Des jolies pierres colorées qui moisissent dans une boîte.

— Ce n'est plus pour moi.

Mick émit un rire bref, appuyé d'un clin d'œil à Connors qui, impassible, l'observait.

— Allons, c'est Mick que tu as en face de toi. Ne me raconte pas que tu as mis tes mains magiques à la retraite.

— Disons que je les utilise autrement. Légalement. Je n'ai plus besoin, depuis longtemps, de jouer les pickpockets ou les cambrioleurs.

— Qui parle de « besoin » ? se récria Mick. Dieu t'a donné un talent formidable. Non seulement tu as des mains en or, mais tu as aussi une cervelle prodigieuse. Jamais de ma vie je n'ai rencontré quelqu'un qui ait un cerveau comme le tien. Et il a été créé pour la corruption.

Souriant de nouveau, Mick se rassit.

— Ne me raconte pas que tu diriges ton empire de façon réglo, je ne te croirai pas.

— C'est pourtant vrai.

Maintenant, rectifia Connors *in petto*.

— Et c'est justement un challenge qui me plaît, ajouta-t-il.

— Mon cœur, se plaignit Mick en se tenant la poitrine. Je ne suis plus aussi jeune que je l'étais, mon organisme ne supporte pas des chocs aussi violents.

— Tu t'en remettras, et tu devras te trouver un autre complice pour tes pierres.

— Quelle honte ! Un péché, franchement, mais c'est comme ça, soupira Mick. Figure-toi que, moi aussi, je fais dans l'honnête et le sérieux. J'ai fondé une petite entreprise avec deux associés. On est des avortons, comparés à un caïd comme toi. On est dans les parfums, et l'on a l'idée de vendre nos produits dans des flacons tarabiscotés, à l'ancienne mode. Du romantique, tu vois. Tu serais prêt à investir ?

— Éventuellement.

— Alors on en discutera pendant que je suis à New York.

Mick se releva.

— Pour l'instant, je vais m'installer dans ma chambre et te laisser à tes occupations.

— Tu n'es pas le bienvenu au Palace. En revanche, tu l'es chez moi, dans ma résidence.

— C'est gentil de ta part, mais je ne voudrais pas te déranger.

— Je pensais que tu étais mort. Jenny et les autres, excepté Brian, sont morts. Ils ne sont jamais venus chez moi. Je demanderai qu'on apporte tes bagages.

On disposait déjà de rapports psychiatriques et d'analyses de personnalité émanant de divers organismes d'un bout à l'autre de la planète. Eve comptait les transmettre, ainsi que ses notes, au Dr Mira, la psychiatre et profileuse de la police new-yorkaise, pour une étude approfondie.

Toutefois un tueur professionnel n'était, par essence, qu'un instrument. Elle voulait l'épingler, certes, mais elle voulait surtout trouver son commanditaire.

— D'après le FBI, le salaire de Yost par contrat avoisine les deux millions de dollars. Les frais ne sont pas compris dans cette somme qui peut augmenter en fonction de la cible et de la difficulté du travail.

— Que possède une femme de chambre de vingt-deux ans qui vaille deux millions de dollars ? marmonna Eve, les yeux rivés sur l'écran et le visage souriant de Darlene.

— Des informations, suggéra McNab.

On lui avait ordonné, pour son plus grand plaisir, de rejoindre l'équipe en tant que consultant de la division de détection électronique. Il était à présent au côté d'Eve, ses longs cheveux blonds retenus par trois barrettes rondes, rouges, une expression grave sur son visage séduisant.

— Possible. Admettons que la victime détenait ou était supposée détenir des informations importantes.

Dans ce cas, pourquoi ne pas organiser, pour un prix beaucoup moins élevé, une agression ? Elle se rendait à son travail et en repartait toujours à la même heure, elle empruntait les transports en commun. Il suffisait de la suivre dans la rue et de la tabasser. L'affaire était réglée, sans tapage.

— Oui. Mais dans la rue, il y a un risque, rétorqua McNab, jouant l'avocat du diable pour justifier sa présence. Elle aurait pu avoir de la chance, s'enfuir ou être secourue par un bon samaritain. Tandis qu'à l'hôtel, dans une chambre, il était impossible de la louper.

— Et l'affaire se retrouve sous le feu des projecteurs, avec pour la résoudre les meilleurs limiers de la police, sans compter Connors. Parce que le commanditaire sait à quoi il s'expose en mettant un meurtre dans les pattes de Connors, ajouta Eve à contrecœur. Et cet individu a les finances nécessaires pour se payer un tueur de premier ordre.

Une ombre de sourire étira les lèvres de McNab.

— Il est peut-être stupide.

— Vous l'êtes peut-être aussi, riposta Peabody. La personne qui a engagé Yost voulait que ça fasse du bruit. Par conséquent, elle cherche à attirer l'attention. Sans doute qu'elle paie également pour ça.

— Oui, je suis d'accord, répliqua McNab, vexé. Mais pourquoi ? Le tueur et la victime sont au centre de l'attention générale. Pas lui. Alors à quoi bon ? Nous n'avons pas de vrai mobile. En réalité, nous ne pouvons même pas affirmer que French était bien la cible visée. Il s'agit peut-être d'un hasard.

— C'est elle qui est morte, contra Peabody.

— Mais si elle avait fait les chambres attribuées à une de ses collègues, pour lui rendre service par exemple, elle serait toujours vivante.

— McNab, vous m'étonnez, intervint Eve d'une voix où perçait une note ironique. Vous raisonnez quasiment comme un inspecteur. D'après les registres de l'hôtel, James Priory, alias Sylvester Yost, n'a pas demandé cette suite en particulier, ni même cet étage.

McNab et Peabody sursautèrent.

— Cela m'indique une chose, que confirme le calcul de probabilités que j'ai fait faire avant cette réunion – c'est l'une des tâches assommantes dont nous devons nous charger, à la criminelle.

Les deux jeunes gens baissèrent le nez.

— Ça m'indique donc que Darlene French n'était pas spécialement visée. Elle est morte simplement parce qu'elle se trouvait là au mauvais moment.

— Lieutenant, pourquoi débourserait-on deux millions de dollars pour tuer quelqu'un au hasard ?

— Il y a une autre question, rétorqua Eve. Pourquoi a-t-on choisi pour ce travail un tueur connu de toutes les polices de l'univers ? Et pourquoi a-t-on choisi pour commettre ce meurtre un lieu autour duquel les médias bourdonnent comme des guêpes autour d'un pot de confiture ?

Comme McNab et Peabody demeuraient silencieux, Feeney soupira.

— Tu as du mérite, Dallas. Tu essaies de bien les éduquer, de leur transmettre ton expérience, et ils restent la mâchoire pendante. Réfléchissez un peu, vous deux.

Il marqua une pause.

— Connors. C'est lui, la cible.

Pourquoi ? Voilà ce qui la tracassait. Que signifiait cet avertissement qu'on donnait à Connors ? Tiens, regarde ce que je suis capable de faire, ce que je peux te balancer à la figure.

Pour quelle raison ?

Les médias s'agiteraient, et il apaiserait les remous. L'hôtel déplorerait quelques annulations, mais aurait deux fois plus de réservations dues à la curiosité morbide du public.

Il n'était pas impossible que quelques employés démissionnent. D'autres se précipiteraient pour les remplacer.

Au bout du compte, ça ne coûterait rien à Connors. Ça lui ferait même une publicité dont il savait parfaitement tirer profit.

À moins que le commanditaire de Yost ne connaisse la manière dont Connors fonctionnait. Peut-être savait-il que Connors ne supporterait pas qu'une jeune femme innocente soit tuée alors qu'elle travaillait pour lui.

Il allait en faire une affaire personnelle. Et si c'était bien lui qu'on visait... Oui, ça la tracassait énormément.

Sa volonté d'arrêter Yost n'en était que plus farouche. Elle vengerait Darlene. Elle apporterait des réponses à Connors.

Elle étudia de nouveau le dossier de Yost. Pas de famille, pas d'associés, pas d'adresse. Rien. Pour la première fois de sa carrière, elle avait l'identité de l'assassin, des preuves solides, tout cela vingt-quatre heures après le crime. Mais pas une seule direction à suivre pour lui mettre la main dessus.

Aucune piste.

— Où est-ce que tu dors, espèce de salaud ? Où est-ce que tu manges ? Qu'est-ce que tu fabriques quand tu es en congé ?

Elle ferma les yeux.

La discrétion, songea-t-elle en se représentant le visage, la bouche, le regard de l'assassin. Rien qui retienne l'attention. Tu es un solitaire. Des quartiers agréables et paisibles, des maisons élégantes. Tu dois en avoir plus d'une. Tu voyages beaucoup. Un véhicule privé ? Oui, sans doute. Mais pas trop voyant. Solide, fiable, classique. Comme la musique que tu écoutais pendant que tu la tuais.

Seulement... si tu es venu en voiture à New York, tu n'as pas utilisé le parking de l'hôtel.

Steak et pommes de terre au four. Un repas simple et coûteux. Les vêtements qu'il portait, lors de son arrivée et de son départ, répondaient aux mêmes critères. Ainsi que sa valise.

La valise.

Elle se redressa brusquement, afficha sur l'écran un plan enregistré par la caméra de la réception.

— Oui, oui... une valise à roulettes. Simple et coûteuse. Et toute neuve, apparemment. Ordinateur, agrandis la section douze.

— En cours...

Ce fragment de l'image montrait la valise de Yost, debout à ses pieds. On ne distinguait aucun signe d'usure sur l'épais cuir noir, pas le moindre défaut.

— Continue à agrandir, de six à dix.

— En cours...

Cette fois, elle put déchiffrer l'élégante plaque en laiton du fabricant.

— Select... D'accord, qu'est-ce que ça nous donne ? Identifie le modèle.

— En cours... Modèle 345/92-C, commercialisé sous la dénomination Business Elite, disponible en cuir ou en tissu, répondant aux normes de sécurité pour les voyages aériens et interplanétaires. Mis sur le marché en janvier de cette année. Select est une filiale de Solar, société appartenant au groupe Connors Industries.

— Ce qui n'étonnera personne, marmotta Eve. Sur le marché depuis janvier. Ordinateur... non, laisse tomber.

Elle enfonça une touche de l'interphone pour appeler McNab.

— La valise. Modèle 345/92-C, baptisé Business Elite, fabriqué par Select. Établissez-moi la liste des magasins où ce modèle a été vendu, en version cuir noir, depuis janvier de cette année. Je veux les adresses et aussi, bien sûr, les noms des clients.

— Ça va prendre...

— Du temps. Vous n'en avez plus ?

— Si, lieutenant. Je m'y mets.

— Moi aussi, murmura-t-elle en se levant.

Elle prit sa veste, ses dossiers, et se dirigea vers le box de Peabody.

— Je vais travailler à la maison. Vous, vous vérifiez les cheveux.

— Les cheveux, lieutenant ?

— Ceux de Yost. Ce ne sont pas les siens. Cette coiffure ne le flatte pas, or il est extrêmement coquet. C'est donc une perruque, et d'excellente qualité. Je le soupçonne d'en avoir une collection. Commencez par celle-là, contactez les salons et les magasins de beauté des grandes villes. Il n'est pas du genre à se payer des produits de deuxième catégorie. Concentrez-vous sur les perruques en cheveux naturels, qui ne risquent pas de provoquer des allergies, etc. Il aime que tout soit bien net. Il trimballe une valise en cuir, plutôt qu'une en tissu qui serait plus légère.

Sur quoi Eve s'éloigna à grands pas, avant que Peabody ait pu lui demander quel rapport existait entre une valise en cuir et une perruque.

Elle franchissait la porte quand Connors apparut dans l'escalier.

— Qu'est-ce que tu fiches ici ? bougonna-t-elle.

— J'habite ici.

— Ne joue pas les malins.

— Et toi, pourquoi es-tu rentrée ? Tu n'as pas terminé ta journée.

— J'ai des trucs à faire.

— Ah !

— Oui, ah ! Et puisque tu es là, je vais gagner du temps. J'ai des questions à te poser et…

— J'étais en haut, coupa-t-il en lui posant la main sur le bras. J'ai installé Mick dans une des chambres d'amis.

— Mick. Ah !

— Ça t'ennuie qu'il passe quelques jours à la maison ?

— Non.

Ça tombe mal, songea-t-elle. Très mal.

— C'est ta maison, ajouta-t-elle.

— Et aussi la tienne. Il vient d'une époque de ma vie dont tu ne penses pas beaucoup de bien, je ne l'ignore pas, lieutenant. Mais cette époque, je l'ai vécue.

— J'ai rencontré certains de tes amis de Dublin. J'apprécie Brian.

— Je sais.

Il la saisit par les épaules, l'attira contre lui.

— Mick était important pour moi, Eve. Aussi proche, peut-être même plus, qu'un frère aurait pu l'être. Dans les bons et les mauvais moments. Je le croyais mort, je m'étais résigné à cette idée.

— Et tu es heureux qu'il soit vivant.

Elle comprenait l'amitié, ses exigences.

— Tu veux bien lui demander de ne rien faire d'illégal pendant qu'il est ici ?

Il lui baisa doucement les lèvres.

— Je pense qu'il te plaira.

— Ouais.

Il n'avait pas répondu à sa question, et tous deux en étaient conscients.

— Vous autres, les Irlandais, vous êtes plutôt charmants. Écoute, je dis seulement que tu n'as pas besoin de problèmes supplémentaires pour l'instant, vu la direction que prend cette enquête.

Il hocha la tête.

— Cette pauvre petite femme de chambre n'était pas la cible, n'est-ce pas ?

— J'en doute fort. Il nous faut réfléchir, chercher qui pourrait s'en prendre à toi de cette façon, et pourquoi.

— D'accord, dès que j'aurai organisé le dîner de ce soir.

— Ce soir ? Connors...

— Si tu ne peux pas, je te signerai un mot d'excuse. Magda et son fils seront là, ainsi que quelques personnalités influentes. Il est important de lisser les plumes que le drame de cette nuit a ébouriffées, et de persuader tout le monde que la vente aux enchères se déroulera sans anicroche.

— Inutile de te demander de reporter ce fichu dîner.

— Inutile, répliqua-t-il avec un grand sourire. Je ne compromettrai ni les activités de l'hôtel ni aucun de mes projets, parce qu'on estime que quelqu'un me cherche des crosses.

— La prochaine fois, on pourrait s'attaquer directement à toi.

Le sourire de Connors s'élargit encore.

— Je préférerais ça. Je ne veux pas avoir une autre mort sur la conscience. Et, de toute manière, j'ai près de moi le plus efficace des gardes du corps.

— À quelle heure, ta soirée ?

— Vingt heures.

— Alors je vais travailler. Je suppose que je suis obligée de mettre un truc élégant sur le dos ?

— Laisse-moi me charger de ça, répliqua-t-il en lui plantant un baiser sur le front. Merci.

— Pas de simagrées, s'il te plaît. J'exige que tu m'accordes un peu de ton précieux temps avant demain, ajouta-t-elle en grimpant l'escalier quatre à quatre.

— Et moi, Eve chérie, j'exige tout ton temps.

Elle haussa les épaules, continua à monter. Sur le palier du premier, elle avisa Mick qui émergeait d'une des innombrables chambres d'amis. Il avait ôté sa veste et paraissait chez lui.

— Lieutenant ! s'exclama-t-il d'un ton enjôleur. Rien de plus agaçant qu'un invité inattendu, pas vrai ? Et, par-dessus le marché, un vieux copain de votre mari que vous ne connaissiez pas. J'espère que je ne vous dérange pas trop ?

— La maison est grande, rétorqua-t-elle, réalisant à l'instant où elle prononçait ces mots qu'ils n'étaient pas très courtois.

Il répondit par un rire jovial et communicatif.

— Excusez-moi, j'ai la tête ailleurs, grommela-t-elle. Connors vous a invité, par conséquent vous ne me dérangez pas.

— Merci. J'essaierai de ne pas vous abrutir avec le récit de nos frasques de jeunesse.

— Figurez-vous que j'aime bien ce genre d'histoire.

— Attention, vous ouvrez la boîte de Pandore, répliqua-t-il en lui adressant un clin d'œil. Sacrée maison, enchaîna-t-il. Un palais, plutôt. Vous arrivez à retrouver votre chemin dans ce labyrinthe ?

— Pas toujours. Un problème ? ajouta-t-elle, comme il contemplait pensivement l'arme qu'elle portait dans son holster d'épaule.

— Non, mais je ne suis pas fou de ces pistolets.

— Vraiment. Et quelle est votre arme favorite ?

Il plia le bras, crispa le poing.

— Celle-là. Mais dans votre boulot, évidemment... À ce propos, je n'ai pas souvent eu l'occasion d'avoir une discussion agréable avec un membre de la police. Connors et un flic. Excusez-moi, lieutenant, mais je n'en reviens pas. Vous accepterez peut-être de me raconter tout ça, un de ces jours. Dieu sait que ça m'intéresse.

— Demandez à Connors. C'est un bien meilleur conteur que moi.

— J'aimerais entendre aussi votre version.

Il hésita un instant, s'approcha.

— Connors n'aurait pas choisi quelqu'un d'idiot, donc vous devez être un bon flic, lieutenant. Et par conséquent vous reconnaissez les types de mon acabit quand vous en croisez un. Mais vous ignorez peut-être que Connors est mon plus vieil ami sur cette terre. J'espère pouvoir conclure un pacte avec la femme de mon ami.

Il tendit la main. Elle n'eut qu'une brève hésitation avant de la prendre et de la serrer.

— J'accepte de conclure un pacte avec l'ami de mon mari. Tant que vous êtes à New York, Mick, tenez-vous tranquille. Je ne veux pas qu'il ait le moindre problème.

— Moi non plus. Et je ne tiens pas à en avoir. Vous êtes de la criminelle, pas vrai ?

— Exact.

— Je vous donne ma parole que je n'ai jamais eu l'occasion de tuer quelqu'un, et que je n'ai pas l'intention de commencer.

— Je ne vous le conseille pas.

5

Eve s'enferma dans son bureau et entreprit d'éplucher la longue liste de meurtres attribués à Yost.

Elle classa les dossiers, les reprit un par un, cherchant des failles dans les enquêtes, des pistes qu'on n'aurait pas suivies jusqu'au bout ou qu'on aurait négligées.

Chaque fois qu'elle trouvait quelque chose de ce style, elle mettait le dossier à part. Elle donna un nom à la pile : les loupés. Car, selon ses propres critères, il y avait eu des ratages. Des témoins qu'on n'avait pas interrogés à fond, ou qu'on avait harcelés durant l'interrogatoire. Des pièces à conviction que l'on n'avait pas suffisamment analysées.

Elle découvrit que, dans plusieurs affaires, un petit objet personnel avait été pris sur le corps de la victime. Une bague, une pince à cheveux, un bracelet. Des objets sans grande valeur, preuve que le vol n'était pas le mobile.

Mais il n'y avait pas assez d'éléments pour conclure que les crimes obéissaient à un schéma précis.

— S'il a pris quelque chose à une victime, il l'a fait pour toutes.

Il était ordonné, routinier.

Des souvenirs. Des trophées. Qu'a-t-il dérobé à Darlene French ?

Elle afficha sur l'écran de son ordinateur la vidéo de surveillance, arrêta l'image sur le plan de Darlene devant la porte de la suite 4602, l'agrandit.

— Les boucles d'oreilles.

Darlene portait de petits anneaux d'or, dissimulés par ses boucles noires. Eve était certaine qu'on ne les avait pas retrouvées sur le corps. Elle vérifia cependant, étudia les images de Darlene gisant sur le lit.

— Il t'a piqué tes boucles d'oreilles.

Un collectionneur. Parce qu'il aime son boulot ? Il veut pouvoir se remémorer ses contrats, en garder une trace tangible.

Donc, il ne tue pas que pour l'argent. Non...

Le bourdonnement du communicateur interrompit sa réflexion.

— Dallas.

— J'ai des informations sur le fil d'argent, déclara McNab. Il est vendu au mètre ou au poids, surtout à des bijoutiers – professionnels ou amateurs – et à des artistes. On peut s'en procurer chez des détaillants, mais c'est beaucoup plus cher. La plupart des clients qui l'achètent au détail s'en servent pour agrémenter leur coiffure ou confectionner vite fait un bracelet à porter au poignet ou à la cheville. Un achat impulsif.

— Voyez les grossistes. Ce n'est pas un impulsif, et il n'aime pas gaspiller son argent, rétorqua Eve, pensant aux produits de toilette qu'il avait chipés à l'hôtel.

— J'avais abouti à la même conclusion. On a plus d'une centaine de grossistes. Pour passer par eux, il faut avoir une licence d'artisan ou de détaillant. À partir de là, on n'a plus qu'à passer sa commande.

— D'accord, contrôlez tous les grossistes.

Elle prit sa liste des pièces à conviction.

— Pour French, il a utilisé un fil de soixante centimètres. Oui, ajouta-t-elle après avoir jeté un coup d'œil aux autres dossiers, pour les autres aussi. Cherchez les commandes de soixante centimètres, ainsi que les longueurs équivalentes à un multiple de soixante. Dites-moi... l'argent se ternit, n'est-ce pas ?

— Il faut le nettoyer, sauf s'il est traité au départ. D'après le labo, celui-ci ne l'est pas, et ils n'y ont relevé aucune trace de produits chimiques.

— Concentrez-vous sur les commandes aux grossistes. Établissez une liste chronologique, en partant de la date du meurtre. À mon avis, il tient à avoir un outil tout neuf, rutilant, pour chaque contrat.

Elle interrompit la communication, se replongea dans les dossiers en se focalisant cette fois sur le fil d'argent.

D'autres enquêteurs avaient suivi cette piste, mais ils s'étaient très souvent bornés à contrôler les fournisseurs de la ville où le meurtre avait été perpétré, sans aller plus loin.

Que de négligences...

Un bruit de pas lui fit lever la tête. Connors entrait dans la pièce.

— Quand on fait briller de l'argent, il se passe quoi ?

— Eh bien, il brille !

— Ha, ha ! Est-ce que le produit laisse des traces ?

Il s'assit sur le bord du bureau, sourit à Eve.

— Comment veux-tu que je réponde à cette question ?

— Tu sais tout.

— Je suis flatté, lieutenant, mais l'entretien de l'argenterie ne relève pas de mes compétences. Demande à Summerset.

— Je n'y tiens pas. Il faudrait que je lui parle sans y être forcée. J'interrogerai un technicien du labo.

Comme elle tendait la main vers son communicateur, Connors l'écarta doucement et appela le majordome par l'interphone.

— Summerset, est-ce que les produits pour l'argenterie laissent des traces ?

Le visage pâle et émacié du majordome s'inscrivit sur l'écran.

— Au contraire, si on astique correctement, tout le produit est enlevé, de même qu'une infime pellicule du métal.

— Merci. Tu as ta réponse ? dit Connors à Eve.

— Mmm... Tu vends du fil d'argent ?

— Oh, je suppose.

— Ouais, évidemment.

— Si tu veux que je t'aide pour l'arme du crime…

— McNab s'en charge. On verra jusqu'où l'on peut aller dans ce domaine sans tomber sur toi.

— Je comprends. Tu souhaitais, je crois, que nous discutions ?

— Effectivement. Où est ton copain ?

— Mick profite de la piscine. Et nous avons encore deux heures avant l'arrivée de nos invités.

— Parfait.

Elle se leva et alla fermer la porte. Puis elle pivota, contemplant l'homme qu'elle aimait, qu'elle avait épousé, son compagnon.

— Le meurtre, si l'on admet qu'il s'agit bien d'un contrat, coûte au commanditaire deux millions de dollars minimum, sans compter les frais. Qui dépenserait une telle somme pour t'attirer des ennuis, te mettre dans une situation difficile ?

— Je l'ignore. Je ne manque pas de concurrents ou d'ennemis qui me haïssent et qui ont suffisamment de moyens.

— Combien, parmi eux, ne recularaient pas devant un meurtre ?

— Dans le domaine des affaires ? Je me suis fait beaucoup d'ennemis, je te le répète, mais les batailles se livrent en principe dans une salle de réunion. Il n'est pas inenvisageable que l'un d'eux décide de m'éliminer, néanmoins de là à tuer une femme de chambre dans l'un de mes hôtels… ça me paraît totalement aberrant.

— Tu n'as pas livré toutes tes batailles dans des salles de réunion.

— Certes, mais l'affrontement était toujours direct. S'il s'agissait d'une vengeance, on s'en serait pris directement à moi. Je ne connaissais même pas cette jeune fille.

— Justement.

Elle s'approcha, le regarda droit dans les yeux.

— Ça te fait mal, ça te ronge.

— Tuer une gamine innocente…

— Qui pourrait aller jusque-là ? Quelles affaires importantes, dont tu t'occupes en ce moment, seraient compromises si tu avais la tête ailleurs, si tu n'étais pas au top ? Olympus ? La semaine dernière, nous y avons passé quelques jours, et tu avais quantité de choses à régler.

— Rien d'extraordinaire pour un projet de cette ampleur. Tout est sous contrôle.

— Qu'arriverait-il si tu n'étais pas au gouvernail ?

Il réfléchit un instant.

— Il y aurait éventuellement des retards, quelques complications, mais j'ai une équipe solide. Je ne suis pas indispensable, Eve.

— Des nèfles ! rétorqua-t-elle avec une telle véhémence qu'il en fut surpris. Tu tiens tous les leviers. L'empire que tu as construit continuerait à tourner sans toi, d'accord, mais pas de la même manière. Tu es unique en ton genre.

Il lui prit doucement le menton.

— En tout cas, si quelqu'un voulait me faire perdre le nord, il aurait dû s'attaquer à toi. Là, il aurait réussi son coup.

— Je te demande de réfléchir sérieusement. De sonder le présent et le passé. Malgré tous les remparts qu'on bâtit, le passé revient parfois nous assiéger. En ce moment même, le tien barbote dans ta piscine.

— C'est vrai.

— Connors...

Elle hésita, puis se lança.

— Tu ne l'as pas vu depuis très longtemps. Tu ignores qui il est maintenant, ce qu'il a fait pendant toutes ces années. Et voilà qu'il débarque dans ton hôtel quelques heures après le crime.

— Tu soupçonnes Mick ?

Il s'arracha un sourire, secoua la tête.

— C'est un voleur, un escroc, un menteur qui n'est pas toujours digne de confiance, je te l'accorde. Mais ce n'est pas un assassin. Il faut un tempérament très particulier pour tuer avec un pareil sang-froid. Reconnais-le.

— Peut-être, mais les gens changent.

— Non, pas Mick.

Sur ce point, au moins, il n'avait aucun doute.

— Il a peut-être changé, ça aussi je te l'accorde. Mais pas de façon aussi fondamentale. Il piquerait volontiers à une grand-mère, y compris la sienne, toutes ses économies. En revanche, il ne tuerait pas un chien galeux, il ne paierait pas quelqu'un pour s'en charger, même s'il y avait un tas d'or à la clé. Quand il voyait une goutte de sang, il tournait de l'œil.

— Bon...

Elle surveillerait néanmoins Mick Connelly.

— Cherche toutes les personnes dont tu aurais pu écraser les orteils. Donne-moi une piste.

— J'y penserai, promis.

— Très bien. Et tu renforceras les mesures de sécurité en ce qui te concerne.

— Pourquoi, je te prie ?

— Tu es la cible. Il est possible que Darlene French ne soit qu'un avertissement. Du style « regarde ce que je suis capable de faire ». La prochaine fois, tu pourrais être sur la sellette.

— Ou toi. Tu renforces ta sécurité personnelle ?

— Je n'en ai pas.

— Je ne te le fais pas dire.

— Je n'en ai pas besoin, je suis un flic.

— Et moi, je dors avec un flic. J'en ai, de la chance, non ? ajouta-t-il en l'enlaçant.

— Arrête, il n'y a pas de quoi plaisanter.

— Non, en effet. Mais je préfère en rire pour ne pas me fâcher avec ma femme avant l'arrivée de nos invités. Tais-toi, murmura-t-il en la bâillonnant de sa bouche.

Leur baiser fut long et fougueux. Quand leurs lèvres se désunirent, Eve plissa les paupières d'un air mauvais.

— Je peux mettre toute une bande de flics sur tes talons.

— Certes. Et je pourrais les semer en une seconde, comme tu ne l'ignores pas. Tu es le seul flic que je veuille auprès de moi, lieutenant. De fait...

Il n'acheva pas sa phrase, déboutonnant la chemise d'Eve. Elle lui tapa sur les doigts.

— Bas les pattes, je n'ai pas de temps pour la bagatelle.

— Alors je serai rapide, rétorqua-t-il avec un sourire canaille.

— Je te dis que...

Elle s'interrompit. Il lui mordillait le cou, et une décharge électrique parcourut tout son corps.

— Arrête !

— Impossible, il faut que je me dépêche.

Il lui dégrafa son pantalon en riant. Il l'embrassa, en riant encore. Elle n'avait plus trop envie de se débattre. Le cri qu'elle poussa lorsqu'il la coucha sur le bureau était à peine une protestation.

À moitié nue, déjà haletante, elle bredouilla :

— D'accord, finissons-en...

— Serait-ce un gémissement que j'entends ?

— Non, un grognement.

— Je n'ai jamais su faire la différence. Et ça, c'est quoi ?

D'un coup de reins, il la pénétra. Une plainte fusa de la gorge d'Eve.

— Ça, mon lieutenant chéri, c'est bien un gémissement.

— De résignation, dit-elle d'une voix hachée.

— Ça ne suffit pas, rétorqua-t-il, perfide, en faisant mine de se retirer.

— Je crois que j'ai besoin de m'exercer à la résignation.

Elle plongea les doigts dans ses cheveux noirs, l'attira au plus profond d'elle, chercha ses lèvres.

Il ne fut pas aussi rapide qu'il l'avait promis, bien au contraire. Pantelante, elle dut s'assurer que ses jambes ne se déroberaient pas sous elle avant de reposer les pieds par terre. Elle resta là un instant, vacillante, avec sa chemise ouverte, son holster à l'épaule, ses bottes.

Elle était incroyablement sexy.

— J'aimerais te photographier dans cette tenue, mais j'imagine que tu vas refuser.

Elle se regarda, grimaça.

— Fin de la récréation, marmonna-t-elle en ramassant son pantalon. Bon sang, tu m'as embrouillé les idées.

— Merci, chérie. Je peux faire beaucoup mieux, quand j'ai tout mon temps.

Elle le dévisagea. Il était ébouriffé, la jouissance avait assombri le bleu de ses yeux.

— Je t'accorderai peut-être un nouvel essai un peu plus tard.

— Tu es trop bonne avec moi, rétorqua-t-il en lui donnant une tape affectueuse sur les fesses. Maintenant, il vaudrait mieux nous pomponner pour le dîner.

Une réception était une affaire complexe, Eve s'en était rendu compte depuis son mariage. On ne pouvait pas se contenter de s'asseoir à une table et demander à son voisin de vous passer les pommes de terre. Il y avait tout un rituel à respecter. Il fallait avoir la toilette et les bijoux qui convenaient, échanger des amabilités même si on était de mauvais poil, ingurgiter d'abord de l'alcool et des petits canapés avant de passer aux choses sérieuses, dans la salle à manger.

Bref, tout ça traînait en longueur.

Eve estimait être devenue une hôtesse acceptable – pas aussi douée que Connors, mais il n'avait pas son pareil dans ce domaine. Il ne fallait pas être un génie pour accueillir des gens, même si son esprit avait tendance à vagabonder pour retourner à ses préoccupations du moment.

Si elle réussissait à trouver une piste solide pour la valise et le fil d'argent, elle découvrirait où Yost faisait ses achats et de quelle manière. Ce qui l'amènerait peut-être à circonscrire la région où il vivait et à découvrir quel genre d'existence il menait au quotidien.

Il aimait le steak. La viande de bœuf de premier choix n'était pas bon marché. L'achetait-il dans un magasin ou allait-il au restaurant ?

La qualité en toutes choses : telle était, semblait-il, sa devise.

S'offrait-il ces fantaisies seulement quand il travaillait, était-ce chez lui une habitude ? Quelles étaient ses autres dépenses ? Il avait beaucoup d'argent. Si elle pouvait...

— Vous paraissez complètement ailleurs.

— Que...

Eve secoua la tête, reportant son attention sur Magda.

— Excusez-moi.

— Non, ne vous excusez pas.

Elles étaient assises sur les coussins en soie d'un des canapés anciens du grand salon. Des diamants, aussi étincelants et ronds que des planètes, brillaient aux oreilles et au cou de l'actrice. Elle sirotait un breuvage rosé, pareil à de l'écume, dans une flûte.

— Vous avez des soucis infiniment plus importants que nos futilités. Vous pensiez à cette pauvre fille qu'on a assassinée. Savez-vous que ma suite se trouve juste au-dessus de celle où on l'a tuée ?

— Je l'ignorais.

— Quelle horreur... Ce n'était encore qu'une enfant, n'est-ce pas ? La veille du drame, je crois l'avoir vue dans le couloir alors que je quittais ma chambre. Elle m'a souhaité une bonne soirée, elle m'a appelée par mon nom. Je ne lui ai adressé qu'un sourire distrait, j'étais pressée. Je le regrette, murmura Magda.

— Était-elle seule ? Y avait-il quelqu'un avec elle ? Vous vous souvenez de l'heure qu'il était ? Oh, pardonnez-moi ! se reprit Eve, gênée. Déformation professionnelle.

— C'est normal. Je n'ai remarqué personne, mais je sais qu'il était 19 h 45, parce que j'avais rendez-vous au bar à 19 h 30 et que je m'en voulais d'être en retard. Ça fait tellement diva. J'avais discuté trop longtemps avec mon agent, à propos d'un nouveau projet.

Arrête de te comporter en flic, se tança Eve.

— Un film ?

— Vous êtes gentille de me poser la question, alors que ça ne vous intéresse pas le moins du monde. Oui, un excellent rôle. Mais j'attendrai que la vente aux enchères soit passée pour y réfléchir et prendre ma décision. Bien... dois-je vous parler de vos invités de ce soir, ou Connors vous a-t-il brossé leur portrait ?

— Il n'en a pas eu le temps, répondit Eve.

Elle se remémora leur étreinte passionnée sur le bureau, réprima un sourire.

— Tant mieux, ça me donne l'occasion d'exercer ma langue de vipère. D'abord, mon fils...

Elle jeta un regard affectueux à l'homme blond, debout près de la cheminée, dont le visage assez séduisant arborait une expression sérieuse.

— Mon fils unique, précisa-t-elle avec fierté. Il est en train de devenir un homme d'affaires avisé. Je ne sais pas ce que je ferais sans lui. Il n'est pas encore disposé à me donner les petits-enfants que je souhaite tant, mais je ne perds pas espoir. Quoique je ne voie guère Liza Trent dans le rôle d'une mère de famille.

Magda observa la blonde sculpturale qui se tenait auprès de Vince, une main sur son bras, et semblait boire ses paroles.

— Une actrice plutôt talentueuse, en tout cas extrêmement ambitieuse. Mais ce n'est pas celle qu'il faut à Vince. Elle n'est pas très intelligente. En revanche, elle flatte son ego. Regardez comme elle est suspendue à ses lèvres.

— Vous ne l'aimez pas.

— Je ne la déteste pas. Simplement, je m'impatiente : j'ai hâte d'être grand-mère.

Elle risquait d'attendre encore un moment, songea Eve qui observait Vince. Ce garçon n'avait pas un menton volontaire, ce devait être un faible. Et une victime de la mode, à en juger par ses vêtements luxueux. Par rapport à l'élégance discrète de Connors, la sienne paraissait tape-à-l'œil.

Mais, sur ce chapitre, elle n'était certainement pas une spécialiste...

— Passons à Carlton Mince, poursuivit Magda. Il ressemble à une taupe, vous ne trouvez pas ? Dieu le bénisse. Il gère mes affaires depuis un nombre incalculable d'années et il m'a été d'un immense secours pour la création de la Fondation. Mon cher Carlton est solide comme un roc et ennuyeux comme la pluie. Il a épousé Minnie, cette femme, là-bas, dans ce fourreau incroyablement moche et qui lui va si mal. Minnie Mince est la preuve vivante que la minceur et la chirurgie esthétique ne sont pas synonymes de beauté.

Eve ne put s'empêcher de pouffer. La dénommée Minnie avait effectivement l'allure d'un échalas surmonté d'une chevelure d'un rouge éclatant.

— Il y a vingt ans de ça, elle était sa comptable, enchaîna Magda. Elle avait des cheveux horribles et des dents qui rayaient le parquet. Elle s'appelle Mme Mince depuis douze ans. Elle a décroché le gros lot qu'elle visait, en l'occurrence Carlton, hélas elle a toujours des cheveux aussi horribles.

Eve se mit à rire.

— Nous sommes odieuses, non ?

— Oh, sans doute ! Mais parler des gens pour ne dire que des amabilités ne serait pas amusant du tout. Par ailleurs, Minnie rend Carlton heureux et, comme j'ai une grande affection pour lui, j'en ai également pour elle à cause de ça. Enfin, nous avons le charmant ami de Connors, l'Irlandais. Racontez-moi ce que vous savez de lui.

— Pas grand-chose. Ils étaient jeunes ensemble à Dublin, ils ne s'étaient pas revus depuis des lustres.

— Et vous le surveillez attentivement.

— Vraiment ? rétorqua Eve, penaude – elle avait oublié que les grands comédiens sont forcément d'excellents observateurs. Je regarde tout le monde de la même manière. Déformation professionnelle…

— Il n'y a que lui qui échappe à votre regard de flic, rétorqua Magda, tandis que Connors s'approchait d'elles.

— Mesdames…

D'un geste à la fois machinal et intime, il effleura de ses doigts l'épaule d'Eve. À cet instant, Summerset apparut sur le seuil et annonça que le dîner était servi.

Durant le repas, Eve put vérifier que Magda était en effet une fine observatrice de l'espèce humaine. Dès que Vince prononçait un mot, Liza Trent gloussait ou écarquillait des yeux émerveillés. Les propos de Vince n'ayant rien de fracassant, elle faisait là un numéro d'actrice assez remarquable.

Magda n'avait pas tort de comparer Carlton Mince à une taupe. Il était aussi discret que ce petit animal, s'exprimait poliment et posément, et s'employait surtout à manger. Sa femme, quant à elle, examinait subrepticement l'argenterie qui semblait lui inspirer de la convoitise.

La conversation roulait sur la vente aux enchères. Dans ce domaine, au moins, Vince connaissait apparemment son affaire.

— Les souvenirs de Magda Lane sont inestimables, surtout sa collection de costumes de scène, dit-il en découpant méticuleusement son canard. Je souhaitais pour ma part que la vente se limite à ces costumes.

— Quand on s'ampute d'une part de soi, il vaut mieux y aller carrément, rétorqua Magda en riant. C'est moins douloureux.

— Certes, admit son fils en lui décochant un regard attendri où perçait néanmoins une lueur exaspérée. Quoi qu'il en soit, vendre en dernier la tenue de bal de *L'Humiliation* sera une véritable apothéose.

— Ah ! je me rappelle très bien ! intervint Mick avec un soupir énamouré. La capricieuse Pamela entre dans la salle de bal de Carlyle Hall parée de cette toilette chatoyante digne d'une déesse de glace. Elle défie les hommes de lui résister... Les rêves que j'ai eus ce soir-là après vous avoir vue dans cette robe vous feraient rougir, mademoiselle Lane.

—Je ne rougis pas facilement, monsieur Connelly, répliqua-t-elle, ravie.

—Moi, si. Vous séparer de vos souvenirs ne vous attriste pas trop ?

—Ils seront toujours dans mon cœur. Et tout ce que la Fondation pourra entreprendre grâce aux bénéfices de la vente me tiendra chaud la nuit.

—Conserver et entretenir tous ces costumes coûte une fortune, remarqua Minnie.

—Attendez la fin des enchères, riposta Magda d'une voix douce. Vous qui êtes une ancienne comptable, vous conviendrez alors que le jeu en valait la chandelle.

—Indiscutablement, approuva Carlton, les yeux rivés sur son canard. Sur un plan fiscal, par exemple...

—Pitié, Carlton, gémit Magda en joignant les mains. Ne parlez pas du fisc, vous allez me donner une indigestion. Ce vin, Connors, est une pure merveille. C'est vous qui le produisez ?

—Mmm... Montcart 49. Subtil, dit-il en levant son verre. Moelleux, avec une pointe de mordant. Il m'a semblé qu'il était fait pour vous.

—Eve, je dois vous l'avouer, je suis désespérément amoureuse de votre mari. J'espère que vous ne m'arrêterez pas pour ça.

—Dans cet État, ce n'est pas un crime. Sinon, les trois quarts de la population féminine de New York seraient derrière les barreaux.

—Chérie, tu me flattes.

—Ce n'est pas un compliment.

Liza gloussa, comme si elle était incapable de réagir autrement.

—Quand on aime un homme séduisant et qui a du pouvoir, c'est difficile de ne pas être jalouse. Dès que les femmes s'approchent de mon Vinnie, ajouta-t-elle en pinçant le bras de Vince, j'ai envie de leur arracher les yeux.

— Ah oui ? dit Eve qui sirotait son vin. Moi, je leur flanque un bon coup de poing dans la figure.

Mick se tamponna les lèvres avec sa serviette pour étouffer un petit rire.

— D'après ce que j'ai vu et entendu, Connors ne collectionne plus les conquêtes. Il a trouvé la perle rare. Quand on était jeunes, il ne pouvait pas faire un pas sans que les filles se jettent à son cou.

— Vous devez avoir une foule d'histoires à raconter, susurra Magda en frôlant la main de Mick. Connors est toujours si mystérieux en ce qui concerne son passé.

— Des histoires, j'en ai à la pelle. La jolie rousse et son père cousu d'or qui arrivaient de Paris. La brune qui était faite au moule et qui lui offrait des sconses deux fois par semaine pour le séduire. Je crois qu'elle s'appelait Bridget. Je ne me trompe pas, Connors ?

— Non, et elle a épousé Tim Farrell, le fils du pâtissier.

Connors se rappelait tout aussi clairement que ses copains avaient détroussé la flamboyante Parisienne pendant que lui l'emmenait au septième ciel.

Tout le monde y avait trouvé son compte.

— C'était le bon temps, soupira Mick. Mais comme je suis un ami et un gentleman, je n'en dirai pas plus. Si Connors ne collectionne plus les dames, il reste un collectionneur acharné, à ce qu'il paraît. D'armes, notamment.

— J'en ai rassemblé quelques-unes au fil des ans.

— Des armes à feu ? interrogea Vince, les yeux brillants.

Sa mère secoua la tête.

— Vince a toujours été fasciné par ces choses-là. Chaque fois qu'il venait me rejoindre sur un plateau, les accessoiristes devenaient fous.

— J'en ai plusieurs dans ma collection. Peut-être aimeriez-vous les voir ? suggéra Connors.

— Avec grand plaisir !

Il régnait dans cette salle une atmosphère de violence. Le raffinement du décor ne parvenait pas à faire oublier le caractère redoutable des piques, lances, mousquets, colts et automatiques datant de la Guerre urbaine. On avait là une manifestation tangible du penchant viscéral de l'humanité pour l'autodestruction.

— Seigneur, murmura Vince en faisant le tour des vitrines. Je n'avais jamais rien vu de pareil en dehors d'un musée. Il a dû vous falloir des années pour constituer une telle collection.

— En effet.

Captant le regard gourmand que Vince dardait sur une paire de pistolets de duel, Connors déverrouilla courtoisement la vitrine en verre blindé. Il tendit l'un des pistolets au fils de Magda.

— Magnifique...

Liza frissonna ostensiblement, mais l'éclair d'avidité qui flamba dans ses yeux violets frangés de cils dorés n'échappa pas à Eve.

— Oooh ! ce n'est pas dangereux ?

— Non, il n'est pas chargé, répondit Connors avec un bref sourire. Ce petit revolver à la crosse de nacre, enchaîna-t-il en s'immobilisant devant une autre vitrine, était réservé aux dames. Celui-ci a appartenu à une riche veuve qui, au début du siècle, le prenait dans son sac tous les matins lorsqu'elle allait promener son loulou de Poméranie. On raconte qu'elle a tiré sur un voleur malchanceux, deux pillards – il y en avait beaucoup en ces temps troublés –, un portier qui en avait après sa vertu, et un gros chien qui en avait après la vertu de son toutou.

— Mon Dieu ! s'exclama Liza. Elle a tiré sur un chien ?

— C'est ce qu'on raconte.

— Quelle époque ! commenta Mick qui étudiait un semi-automatique. Dire que, quand on en avait les moyens et l'envie, on pouvait acheter ça dans un magasin... Sidérant, non ? ajouta-t-il en s'adressant à Eve.

— J'ai toujours pensé que c'était surtout consternant.

— Vous êtes contre le droit de porter des armes pour se défendre, lieutenant ? interrogea Vince qui tenait encore le pistolet de duel.

Avec ça dans la main, il se trouvait manifestement superbe.

— J'estime que la vie est le bien le plus précieux que nous ayons, or ces armes sont conçues pour tuer.

— Sans elles, vous seriez au chômage.

— Vince, tu es grossier ! lança Magda.

— Il n'a pas tort, rétorqua Eve. Rassurez-vous, Vince, les criminels se débrouillent toujours pour s'en procurer. Ce n'est pas demain que je serai chômeuse. Toutefois on voit moins de gamins massacrer leurs camarades dans les cours des écoles, d'épouses à moitié endormies tirer sur leur conjoint parce qu'elles l'ont pris pour un cambrioleur, de gangs mitrailler les passants à l'aveuglette. Et cela parce qu'on a banni les armes.

— Je suis d'accord avec vous, intervint Mick. J'ai toujours eu horreur de ces engins. Un couteau, à la limite... On est face à face, il faut plus de courage. Personnellement, je me contente de mes poings. On se bagarre, tout le monde s'en sort, et on va boire une bière. On en a cassé des nez dans notre jeunesse, pas vrai, Connors ?

— Effectivement, répondit celui-ci en refermant la vitrine. Et maintenant, que diriez-vous d'un bon café ?

6

Tout en bouclant son holster d'épaule, Eve observait son mari. Il prenait un petit déjeuner léger dans le salon de leur chambre, suivait les informations télévisées sur l'écran mural et les derniers cours de la Bourse – une série de codes et chiffres cabalistiques.

Le chat Galahad se frottait contre lui, ses yeux vairons, pleins d'espoir, braqués sur une tranche de bacon irlandais abandonnée dans l'assiette de son maître.

— Comment fais-tu pour avoir cette mine-là ? bougonna Eve. On croirait que tu rentres d'une semaine de vacances.

— J'ai une bonne hygiène de vie.

— Des clous ! Tu t'es couché à 3 heures du matin, tu as picolé du whisky et débité des âneries avec ton copain. Je l'ai entendu rire comme un crétin pendant que vous titubiez dans l'escalier.

— Je t'accorde qu'à la fin il était peut-être un peu vacillant, rétorqua-t-il, tournant vers elle son regard d'un bleu limpide. Mais en ce qui me concerne, quelques gorgées de whisky ne suffisent pas à me faire perdre l'équilibre. Je suis navré que nous t'ayons réveillée.

— Mon insomnie n'a pas duré. Je ne t'ai pas entendu te coucher.

— J'ai d'abord dû escorter Mick jusqu'à sa chambre.

— Qu'est-ce que vous avez prévu pour aujourd'hui ?

— Mick a ses propres occupations. Éventuellement, Summerset lui dira où me trouver.

— Je pensais que tu travaillerais ici.

— Non. Arrête de t'inquiéter pour moi, lieutenant, ajouta-t-il en la regardant par-dessus le rebord de sa tasse. Tu as déjà assez de soucis.

— Tu arrives en tête de liste, imagine-toi.

Il se mit à rire, se leva pour l'embrasser.

— Je suis très touché.

— Ça, je m'en fiche. Sois surtout prudent, murmura-t-elle en l'agrippant fermement par les bras.

— D'accord.

— Tu prendras au moins la limousine et un chauffeur ?

La limousine blindée pouvait résister à une pluie de bombes.

— Oui, pour te rassurer.

— Merci. Bon, il faut que j'y aille.

— Lieutenant ?

— Mmm ?

Il prit le visage d'Eve entre ses mains, baisa ses lèvres, ses joues et le bout de son nez.

— Je t'aime.

Elle eut la sensation que tout son être s'emplissait d'une lumière apaisante.

— Je sais. Pourtant, je ne suis pas une rouquine de Paris avec un papa richissime. Qu'est-ce que tu lui as pris, à cette fille ?

— Dans quel domaine ?

Elle secoua la tête en riant.

— Incurable... il est irrécupérable.

Elle se dirigea vers la porte, pivota.

— Je t'aime aussi. Oh ! Galahad vient de te chiper ton bacon !

Puis elle s'éloigna dans le couloir, le sourire aux lèvres, tandis que Connors, dans la chambre, sermonnait le chat : « Il me semblait t'avoir appris les bonnes manières. » Haussant les épaules d'un air supérieur, elle accéléra l'allure et descendit l'escalier quatre à quatre.

Ainsi qu'elle s'y attendait, Summerset apparut, comme surgi de nulle part. Il lui tendit sa veste en cuir, qu'il tenait entre le pouce et l'index.

— Je présume que, sauf contrordre de votre part, vous serez là pour le dîner.

— Présumez ce qui vous chante. J'ai besoin de vous une minute.

— Je vous demande pardon ?

— Arrêtez de jouer les snobinards, grogna-t-elle à voix basse. Suivez-moi dehors.

— Je dois vaquer à mes tâches matinales et je...

— Silence.

Quand ils furent sur le perron, elle referma la porte, huma l'air printanier.

— Vous vivez avec lui depuis longtemps, vous êtes au courant de tout. Dites-moi ce que vous pensez de Mick Connelly.

— Je n'ai pas pour habitude de colporter des ragots sur les invités de cette demeure.

— Bon sang, grommela-t-elle en lui enfonçant un poing impatient dans la poitrine. Vous croyez que j'ai du temps à perdre ? Quelqu'un veut créer des ennuis à Connors, et j'ignore complètement pourquoi. Parlez-moi de Mick Connelly.

Les yeux de Summerset, aussi noirs que de l'onyx, s'étrécirent. Il la dévisagea attentivement.

— Il était violent, comme tous les autres. L'époque était violente. Si je ne m'abuse, il avait une vie familiale très difficile. Là aussi, comme les autres. Quand Connors s'est installé chez moi, il venait souvent. Plutôt poli, mais mal dégrossi. Et affamé, comme les autres.

— Il lui est arrivé de se battre avec Connors ?

— Il leur arrivait à tous d'avoir des mots et d'échanger des coups. Cependant, ils se seraient jetés dans les flammes pour Connors. Mick le vénérait. Il s'était fait pincer alors qu'il détroussait un quidam, et Connors avait affronté la police à sa place.

— Bon, d'accord.

— Il s'agit de la femme de chambre, je suppose ?

— Oui. Je vous demande d'utiliser votre long nez pointu pour renifler alentour. Si vous captez la moindre odeur suspecte, quoi que ce soit d'anormal, contactez-moi aussitôt. Et débrouillez-vous pour suivre Connors à la trace. Il a l'habitude que vous sachiez en permanence où il est, ça ne lui mettra pas la puce à l'oreille.

Elle allait se détourner quand le majordome la retint par la manche.

— Il est physiquement en danger ?

— Si je le craignais, il ne sortirait pas de cette maison, même si je devais pour ça le droguer ou le ligoter.

Obligé de se satisfaire de cette réponse, Summerset la regarda pensivement descendre les marches et rejoindre sa voiture de service qui ressemblait de plus en plus à une poubelle.

Lorsqu'elle eut traversé la salle des inspecteurs et gagné son bureau, Eve avait la sensation que de la fumée s'échappait de ses narines. Le voyant de son communicateur clignotait frénétiquement, son ordinateur émettait des bips insistants. Elle ignora le tout et entreprit de fouiller dans ses tiroirs.

— Lieutenant ? McNab…

— Il me faut un laser antiémeute, déclara-t-elle à Peabody. L'attirail au grand complet.

Elle extirpa un poignard de combat de sa gaine en cuir, observa avec un plaisir sadique la lame acérée qui étincelait dans la lumière.

— Lieutenant ? bredouilla Peabody, sidérée.

— Je projette de descendre à la maintenance armée jusqu'aux dents. Je vais régler leur compte à ces abrutis, un par un. Je les découperai en morceaux, je les mettrai dans ma voiture et je les ferai flamber.

— Je croyais qu'elle était réparée.

— C'est ce qu'ils m'avaient dit. Bande de menteurs, de traîtres. Ah ! Vous voulez que je vous raconte ce que je viens de subir ?

— Très volontiers, lieutenant, à condition que vous rangiez ce poignard.

Avec un grognement de dégoût, Eve s'exécuta.

— Figurez-vous que j'étais au feu rouge quand cette bagnole de malheur a commencé à brouter, à renâcler comme une… comme une…

— Mule ?

— À peu près. Je demande le diagnostic à l'ordinateur de bord, et vous savez ce que j'obtiens ? Un plan, l'itinéraire le plus court pour la morgue. C'est une mauvaise blague ou quoi ?

Les lèvres de Peabody frémissaient. Elle se mordit férocement l'intérieur de la joue.

— Je l'ignore, lieutenant.

— Et ce n'est pas fini. Elle se met à tousser, elle cale. Je réussis à redémarrer. Cent mètres plus loin, elle tangue. Vous savez, comme… comme…

— Le monstre de Frankenstein ?

Eve s'écroula dans son fauteuil.

— Je suis lieutenant, un officier de police gradé. Pourquoi je ne peux pas avoir un véhicule décent ?

— C'est tout à fait déplorable. Lieutenant, si je puis me permettre une suggestion, au lieu de descendre à la maintenance avec un laser, vous devriez peut-être essayer quelques canettes de bière. Pour amadouer un ou deux membres de l'équipe. Les prendre dans le sens du poil.

— Les prendre dans le sens du poil ? Je préférerais avaler un serpent vivant. Allez-y, vous, expliquez-leur que j'ai besoin de ma voiture, en état de marche, d'ici une heure.

— Moi ? s'exclama Peabody avec un regard traqué. Ô mon Dieu ! À propos, avant de me déshonorer définitivement, il faut que je vous dise : nous avons bien avancé en ce qui concerne le fil d'argent et la valise.

— Pourquoi vous ne m'avez pas prévenue plus tôt ? rétorqua Eve en se jetant sur son ordinateur.

— Je ne sais pas, lieutenant. Je bavarde, je bavarde…

Comme Eve ne réagissait pas, Peabody poussa un soupir à fendre l'âme et regagna son box pour parlementer avec la maintenance.

— Bon, bon… marmotta Eve. Qu'est-ce qu'on a ?

Elle afficha les données sur l'écran. Pour le fil d'argent, les pistes étaient nombreuses. Cependant, si on prenait pour critère de recherche une longueur équivalant à soixante centimètres ou un multiple de soixante, l'éventail se réduisait à dix-huit sources possibles, dont six sur le territoire national. Un seul grossiste, à Manhattan même, avait vendu quatre longueurs, payées en liquide.

— Tu aurais donc acheté ça ici, à quelques centaines de mètres du lieu du crime.

Puis elle passa à la valise, et un petit sourire mauvais étira ses lèvres. Depuis janvier, des milliers de consommateurs avaient choisi ce modèle en cuir noir, mais si on se concentrait sur les quatre dernières semaines, il en restait moins d'une centaine. Une dizaine de valises avaient été vendues à New York, dont deux le jour où l'on avait acheté le fil d'argent. Et une seule avait été payée en liquide.

— Les coïncidences n'existent pas, murmura-t-elle. C'est bien ici que tu as trouvé ton matériel. Par conséquent, tu n'arrivais pas du diable vauvert, tu étais déjà à New York.

Maintenant, les perruques, se dit-elle en étudiant le rapport de Peabody sur ce point.

— Nom d'une pipe… Pourquoi les gens ne se laissent-ils pas tout simplement pousser les cheveux ?

Au cours des six derniers mois, des millions de perruques, moumoutes, extensions capillaires et autres artifices étaient sortis des salons de coiffure, centres d'esthétique, etc.

Sans compter tous ceux qui avaient été loués.

Avec la patience d'un chat devant un trou de souris, Eve afficha sur l'écran l'image de Yost devant la porte de la suite, grossit la tête et les épaules, effaça le visage, puis copia le résultat dans la banque de données.

— Ordinateur, liste les achats de perruques en cheveux naturels correspondant à cette image et réglés en liquide.

— En cours... Cinq cent vingt-six opérations, payées en liquide, durant la période définie. Liste...

La machine commença à crachoter dates et coordonnées.

— Salon Paradis, 5e Avenue, New York. 3 mai.

— Bingo. Eh bien ! on a été très occupé, ce jour-là ! On en a fait, des emplettes. Ordinateur, liste les autres achats effectués dans ce magasin.

— En cours... Outre la perruque en cheveux naturels, modèle Gentleman, la facture comprend une autre perruque en cheveux naturels, modèle Captain... Deux flacons de cinquante centilitres de lotion pour perruques, de marque Samson. Un flacon d'un litre d'élixir au collagène pour le visage, de marque Jouvence. Trois flacons de teinture oculaire, de marque Prunelle, en bleu des mers du Sud, gris tourterelle et caramel. Un produit diététique pour hommes, de marque Fat-Zap. Deux bougies parfumées au bois de santal. Total : huit mille quatre cent vingt-six dollars.

— C'est beaucoup d'argent, marmonna Eve. Mais pourquoi laisser une trace écrite, même fausse, si on n'y est pas forcé ? Ordinateur, enregistre l'image de la perruque Captain dans le dossier. Télécharge les adresses des maroquiniers, du salon et du grossiste en joaillerie sur mon unité privée.

Tandis que la machine s'exécutait, Eve se tourna vers son communicateur. Trente-deux appels depuis la veille. Sans doute des journalistes qui quémandaient une déclaration ou quelques miettes d'informations à se mettre sous la dent.

La tentation de les envoyer balader était forte, mais en attendant que sa voiture soit en état de rouler, elle pouvait consacrer un petit moment à cette corvée.

Elle écouta donc les messages, transmit les habituelles doléances des reporters au service de presse. Tant que le commandant ne lui donnerait pas le feu vert, elle ne parlerait pas aux médias.

Elle s'arrêta cependant sur l'appel de Nadine Furst, la star de Channel 75 qui était aussi une amie.

— Pas encore, ma grande, marmonna-t-elle.

Elle répondit toutefois au message.

— Inutile de m'asticoter, déclara-t-elle. Dans l'immédiat, je n'ai rien pour vous. Nous menons l'enquête, toutes les pistes sont explorées avec diligence, et cetera. Vous connaissez ça par cœur. Ne vous avisez pas de surcharger ma boîte vocale de messages, sinon je vais m'énerver.

Satisfaite, elle programma l'envoi de cette réponse en sorte qu'elle parvienne à Nadine une heure plus tard. Ainsi, elle serait déjà sur le terrain lorsque la journaliste la recevrait. Puis elle consacra vingt minutes à la rédaction de son rapport au commandant.

Elle attrapait sa veste, quand Whitney la convoqua dans son bureau. Elle sortit en trombe, récupéra Peabody au passage.

— Alors, la maintenance ?

— Eh bien ! vous savez qu'ils sont très à cheval sur la procédure réglementaire !

Reniflant de mépris, Eve emprunta l'escalier mécanique.

— Vous avez mentionné le laser antiémeute ?

— J'ai pensé qu'il valait mieux garder cette possibilité en réserve, lieutenant.

Peabody jugeait également préférable de ne pas rapporter les commentaires désobligeants à propos d'un certain lieutenant qui bousillait les véhicules municipaux et autres équipements financés par les deniers publics.

— Mais j'ai mis l'accent sur votre enquête présente, en précisant que le commandant Whitney n'appréciait guère que ses officiers supérieurs se déplacent dans des poubelles.

— Ça, c'est bien dit.

— À condition qu'ils ne l'appellent pas pour vérifier. Dallas, vous pourriez demander au commandant qu'il les mette au pas.

— Je n'ai pas l'habitude de me plaindre auprès de mon supérieur, sous prétexte que je suis gradée.

— M'obliger à régler vos problèmes ne vous dérange pas tellement, maugréa Peabody.

— Exact, rétorqua Eve, plus guillerette. Vous communiquerez le résultat actuel de vos recherches à Whitney pendant que je lui ferai mon rapport oral. Je pense que notre homme a un gentil petit nid ici à New York.

— Vraiment ?

— Oui.

En haut de l'escalier, elles s'engouffrèrent dans l'ascenseur menant à l'étage du commandant. Là, Eve frappa à la porte et entra sans attendre de réponse.

Assis derrière son bureau, Whitney ne se leva pas pour l'accueillir. Grand et massif, il avait une large figure noire, des cheveux de plus en plus grisonnants et un regard qui n'avait rien perdu de son acuité.

Deux autres personnes se trouvaient dans la pièce, un homme et une femme. Ils ne se levèrent pas non plus, étudièrent attentivement Eve qui les observa à son tour avec suspicion.

Des costumes d'un noir terne, des cravates nouées sans souci d'élégance, des chaussures confortables impeccablement astiquées…

Des fédéraux. Merde.

— Je vous présente les agents spéciaux James Jacoby et Karen Stowe du FBI, déclara Whitney, les mains jointes devant lui. Le lieutenant Dallas conduit l'enquête avec l'aide de son assistante, l'officier Peabody. Lieutenant, le FBI s'intéresse à votre affaire.

Eve, immobile, garda le silence.

— Le Bureau, ainsi que d'autres organismes gouvernementaux, traque le dénommé Sylvester Yost depuis plusieurs années. Il est impliqué dans divers crimes, notamment des assassinats.

— J'en suis arrivée à la même conclusion, répondit Eve à Jacoby.

— Nous comptons sur la coopération de la police new-yorkaise. L'agent Stowe et moi-même dirigerons cette affaire depuis notre antenne new-yorkaise.

— L'agent Stowe et vous êtes libres de travailler où

bon vous semble. Mais il s'agit de mon affaire et vous ne dirigerez rien du tout.

— Les activités de Yost tombent sous le coup de la loi fédérale, objecta Jacoby, fixant sur elle son regard brun et arrogant.

— Yost n'est pas la propriété exclusive du FBI, d'Interpol ou de la police new-yorkaise. Mais c'est moi qui enquête sur le meurtre de Darlene French, et j'ai l'intention de continuer.

— Si vous ne voulez pas qu'on vous retire le dossier, lieutenant, vous auriez intérêt à changer de ton.

— Vous aussi, agent Jacoby, si vous ne voulez pas que je vous prie de sortir d'ici, intervint Whitney. Nous sommes prêts à collaborer avec le FBI en ce qui concerne Yost. Mais il n'est pas question de remplacer le lieutenant Dallas. Vous n'avez pas tous les pouvoirs, ne l'oubliez pas.

Jacoby se tourna vers Whitney, le poil littéralement hérissé, les yeux étincelants.

— Votre subordonnée est liée au dénommé Connors, qui a peut-être un rapport avec cet homicide et que les fédéraux soupçonnent depuis longtemps de se livrer à des activités illégales.

— Je vous conseille d'étayer vos accusations par des preuves solides, contra Eve d'une voix qu'elle avait du mal à contrôler. Pouvez-vous présenter un dossier convaincant sur les prétendues activités délictueuses de Connors ?

— Vous savez pertinemment qu'il n'y en a pas.

Jacoby se leva.

— Vous couchez avec un homme qui a les mains sales, ça vous regarde. Mais…

— Jacoby, coupa Stowe en s'interposant entre son équipier et Eve. N'en faisons pas une histoire personnelle.

— Excellente suggestion, approuva Whitney qui se redressa à son tour. Agent Jacoby, je passerai l'éponge sur cette attaque inqualifiable à l'égard du lieutenant. Mais si vous vous avisiez de recommencer, de quelque manière que ce soit, j'en référerais à vos supérieurs. Vous souhaitez que le lieutenant et son équipe coopèrent et vous communiquent tous les éléments qu'ils recueilleront concernant Darlene French. J'étudierai votre requête, à condition qu'elle me soit adressée par écrit, en bonne et due forme, par votre commandant. À présent, veuillez considérer que cet entretien est terminé.

— Le Bureau a les moyens de reprendre ce dossier.

— Ça se discute, riposta Whitney. Mais rien ne vous empêche d'entreprendre les démarches nécessaires pour atteindre cet objectif. D'ici là, je vous conseille d'éviter de piétiner mes plates-bandes et d'insulter mes collaborateurs.

— Je vous présente mes excuses, commandant Whitney, déclara Stowe en décochant à Jacoby un regard qui lui intimait le silence. Nous vous remercions de nous avoir reçus.

Sur quoi, elle entraîna Jacoby hors de la pièce.

— Respirez un bon coup, grommela Whitney dès que la porte se fut refermée. Avant de dire quelque chose que vous pourriez regretter.

— Je vous assure, commandant, que je ne regretterai aucune de mes paroles, rétorqua Eve – qui prit néanmoins une profonde inspiration afin de se calmer. Merci pour votre soutien.

— Jacoby a dépassé les bornes. Il est entré ici avec sa panoplie d'agent fédéral en croyant m'impressionner. Il m'aurait demandé poliment de coopérer, j'aurais accepté. Vous avez ma parole, il ne reprendra pas votre affaire. Mais vous devrez peut-être travailler en tandem avec eux. Ça vous pose un problème ?

— Ce n'est pas moi qui l'aurai, le problème.

Un sourire joua sur les lèvres du commandant.

— Bon, expliquez-moi où vous en êtes.

Elle s'exécuta, de façon aussi concise et précise que possible. Whitney se borna à faire la moue et hausser les sourcils.

— Pendant toutes ces années, on n'a pas repéré Yost à New York ?

— Les éléments que j'ai réunis ne l'indiquent pas. On a suivi la piste du fil d'argent, mais sans se concentrer sur la longueur précise du garrot qu'il utilise. Je ne comprends pas comment on a négligé quelque chose d'aussi élémentaire. La valise, la perruque ont un rapport avec French. Mais il a vraisemblablement répété ce schéma, à quelques détails près. Le profil du suspect élaboré par le FBI est assez confus, j'ai donc l'intention d'en faire établir un par le Dr Mira en y incluant les dernières informations que j'ai rassemblées.

— Faites donc ça et, à chaque étape, veillez à ce que tous les documents et la paperasse nécessaires soient disponibles. Jacoby n'hésiterait peut-être pas à vous mettre des bâtons dans les roues pour de simples questions administratives. Quant aux médias, je vous demande de raser les murs. Cette affaire jette une ombre sur Connors et, par ricochet, sur vous. Pas de déclaration aux journalistes avant que je ne vous y autorise.

— Bien, commandant.

— Ne vous réjouissez pas trop vite. Vous aurez les reporters aux trousses avant que ce soit terminé. Je présume que vous n'avez pas encore d'idée sur l'identité de la personne qui tire les ficelles ni sur ses motivations ?

— Effectivement.

— Alors occupez-vous de Yost. Forcez-le à sortir de son trou.

— Entendu, commandant.

Elle pivota pour se diriger vers la porte, près de laquelle Peabody était quasiment au garde-à-vous.

— Dallas ?

— Oui, commandant.

— À mon avis, vous pouvez prévenir Connors : le FBI risque de lui causer certains désagréments.

— Compris.

Elle sortit, luttant contre l'envie de flanquer un coup de pied dans le mur.

— Pour Jacoby, Darlene French n'est qu'un instrument. À ses yeux, comme à ceux de Yost, ce n'est pas un être humain. Le salaud.

Parvenue devant l'ascenseur, dont la porte était ouverte, elle découvrit Stowe dans la cabine.

— Foutez-moi la paix.

Stowe leva la main dans un geste de conciliation.

— Jacoby est parti, accordez-moi une minute. Je descends avec vous.

— Votre équipier est un salaud.

— Pas du matin au soir, répliqua Stowe avec un sourire contraint.

C'était une femme coquette, qui avait dépassé la trentaine et s'efforçait de contourner l'austère code vestimentaire de la police fédérale en coiffant joliment ses cheveux couleur miel. Elle avait des yeux noisette, un regard franc et direct.

— Écoutez, je voudrais m'excuser pour l'attitude de Jacoby. Sincèrement.

— Mmm...

— Au fond, nous sommes tous des flics et nous avons le même objectif.

— Vraiment ?

— Vous voulez Yost, nous aussi. L'essentiel, c'est de le mettre derrière les barreaux, peu importe qui verrouillera la cellule.

— Vous avez eu des années pour la verrouiller, cette cellule. Darlene French n'en a pas eu davantage pour vivre.

— Vous avez raison. Mais, pour ma part, je n'ai eu que trois mois, dont plusieurs semaines pour assimiler les données concernant Sylvester Yost.

Les portes de l'ascenseur, qui avait atteint le niveau du parking, coulissèrent. Stowe jeta un coup d'œil alentour – il lui faudrait remonter jusqu'au hall du rez-de-chaussée.

— Je vous demande simplement de faire abstraction du mauvais caractère de Jacoby. Je crois que nous pouvons nous entraider.

— Tenez votre équipier en laisse, et on verra bien.
Eve laissa les portes se refermer puis gagna l'emplacement où était garée sa voiture vert pois cassé, toute cabossée et ornée d'une figure réjouie, jaune, qu'un plaisantin de la maintenance avait peinte sur la vitre arrière.

Heureusement qu'elle n'avait pas son laser sur elle.

7

Eve se rendit d'abord au Salon Paradis, agréablement surprise que son véhicule parcoure le trajet sans l'humilier outre mesure.

Elle était déjà venue ici, alors qu'elle enquêtait sur un autre crime sexuel. Une autre affaire où Connors était impliqué. Celle qui nous a réunis, songea-t-elle.

Cela remontait à plus d'un an, cependant le décor n'avait pas changé. De la musique jouait en sourdine, en harmonie avec le murmure des cascades qui créait une atmosphère apaisante, délicatement parfumée par des gerbes de fleurs fraîches.

Les clients se prélassaient dans la salle d'attente en sirotant du vrai café, des cocktails de jus de fruits ou de l'eau gazeuse. Eve reconnut aussitôt la réceptionniste, une femme à l'opulente poitrine. Elle avait pourtant changé de coiffure. Aujourd'hui, ses cheveux roses étaient relevés en une sorte de fontaine de frisettes qui jaillissaient d'un cône posé sur le haut de son crâne.

Elle ne reconnut pas Eve, mais son regard refléta de la réprobation quand elle vit sa veste au cuir usé, ses bottes éraflées et ses boucles en bataille.

— Je suis navrée, mais nous n'accueillons nos clients que sur rendez-vous. Je crains que tous nos conseillers n'aient aucune disponibilité avant huit mois. Puis-je vous suggérer un autre salon ?

Eve s'accouda sur le comptoir.

— Vous ne vous souvenez pas de moi, Denise ? Vous me vexez. Attendez, j'ai quelque chose qui vous rafraîchira la mémoire…

Souriant jusqu'aux oreilles, Eve prit son insigne et le fourra sous le nez – remodelé à grands frais – de la réceptionniste.

— Oh, non ! Ça ne va pas recommencer.

Denise se mordit les lèvres, se remémorant brusquement que ce flic avait épousé Connors.

— Oh ! je... Veuillez m'excuser, madame. Je...

— Madame lieutenant.

— Oui, bien sûr, bredouilla Denise avec un petit rire. Je suis distraite, pardonnez-moi. Aujourd'hui, nous sommes débordés. Mais nous avons toujours du temps à vous consacrer. Que pouvons-nous faire pour vous ?

— Où se trouve votre département de vente au détail ?

— Cherchez-vous un produit particulier, ou voulez-vous simplement butiner dans nos rayons ? Nos conseillers vous...

— Contentez-vous de me montrer ce que vous avez, Denise, et appelez le responsable du département.

— Très bien. Si vous voulez me suivre... Puis-je vous offrir un rafraîchissement, à vous et votre assistante ?

— J'aimerais un de ces cocktails roses, se hâta de répondre Peabody. Sans alcool, ajouta-t-elle, comme Eve lui lançait un regard torve.

— On vous l'apporte immédiatement.

Le secteur de vente au détail, auquel on accédait par un court escalier roulant argenté, était aménagé derrière une véritable petite oasis avec piscine et palmiers. De larges portes vitrées s'ouvrirent à leur approche. De l'autre côté s'étendaient des rayons savamment conçus pour présenter tout un assortiment de produits destinés à embellir l'aspect physique de la clientèle.

Ici le personnel arborait d'amples tuniques rouges sur des combinaisons d'un blanc neigeux qui moulaient évidemment des corps parfaits.

Chaque comptoir disposait d'un mini-écran sur lequel on pouvait suivre des démonstrations de soins esthétiques, de techniques de relaxation.

— Je vais chercher Martin, le responsable, déclara Denise.

— Bonté divine, regardez ça, chuchota Peabody en s'approchant d'un assortiment éblouissant de flacons, de tubes dorés et de pots de crème. Dans les salons chics de ce genre, on donne toujours des tas d'échantillons.

— Gardez vos mains dans vos poches et concentrez-vous sur le boulot.

— Mais c'est gratuit, alors je...

— Si vous prenez la moindre bricole, ils vous persuaderont ensuite de claquer six mois de salaire. C'est l'arnaque classique.

Cet endroit est une jungle, pensa Eve. Surchauffée, imprégnée d'une atmosphère douceâtre et un rien érotique.

Elle étouffait dans ce maelström de couleurs et de chichis.

Mais, en matière de flamboiement, Martin éclipsait tout le reste.

Denise le précédait, ses hauts talons rouges cliquetant sur les dalles blanches, telle une servante ouvrant le passage à un souverain. Elle fit quasiment la révérence avant de s'éloigner.

Martin s'avança, son long manteau saphir balayant le sol. Il était vêtu d'une combinaison argent qui scintillait sur son corps élancé et musclé. On distinguait nettement ses pectoraux, ses biceps et ses parties génitales. Sa chevelure, également argentée, dégageait un visage aux traits aigus et était coiffée en une complexe masse de bouclettes retenues par un cordon saphir et qui lui ruisselait dans le dos.

Il sourit, tendit des doigts chargés de bagues.

— Lieutenant Dallas, dit-il d'une voix charmeuse à l'accent français.

Avant qu'elle ait pu réagir, il lui fit un baisemain dans les règles de l'art.

— Nous sommes honorés de vous accueillir au Salon Paradis. Qu'y a-t-il pour votre service ?

— Je cherche un homme.

— *Chérie*, mais nous en sommes tous là !

— Très drôle, rétorqua-t-elle, amusée malgré elle. Je parle de cet individu, ajouta-t-elle en lui montrant le portrait de Yost.

Martin étudia attentivement la photo.

— Séduisant, quoiqu'il faille peaufiner l'ensemble. Le modèle Gentleman ne sied pas à l'ossature de son visage ni à son style. On aurait dû le dissuader de faire cet achat.

— Vous reconnaissez cette perruque ?

— Chevelure alternative, rectifia-t-il avec un sourire un rien narquois. Ce n'est pas la plus populaire, la plupart de nos clients préfèrent éviter le gris. Puis-je vous demander pourquoi vous cherchez cet homme chez nous ?

— Il a acheté la perruque ici, ainsi que d'autres produits. Le 3 mai. Il a payé en liquide. Je souhaiterais m'entretenir avec les vendeurs qui l'ont servi.

— Avez-vous la liste des produits qu'il a choisis ?

Eve la sortit de son sac et la lui tendit.

— C'est beaucoup pour un règlement en liquide, commenta-t-il. Quant au modèle Captain..., il lui convient infiniment mieux, selon moi. Un instant, je vous prie.

Il alla montrer la liste et la photo à la brunette du rayon des produits pour la peau. Elle réfléchit puis opina et s'en fut au pas de course.

— Nous croyons savoir qui s'est occupé de lui, dit Martin. Voulez-vous que je mette à votre disposition un salon privé ?

— Non, ça va. Et vous, vous ne le reconnaissez pas ?

— Non, je n'ai pas affaire directement à la clientèle, à moins qu'il n'y ait un problème quelconque. Ou à moins que les clients ne soient des VIP, comme vous. Ah, la voici ! Letta, mon cœur, je compte sur vous pour aider le lieutenant Dallas.

— Volontiers, répondit la jeune femme d'une voix nasillarde, typique du Middle West, qui fit tiquer Martin.

— Vous avez servi cet individu ? interrogea Eve, pointant l'index sur le portrait que Letta examinait.

— Oui, je suis certaine que c'est lui. Sur cette photo, la bouche et les yeux sont modifiés, mais la structure faciale est la même. Et la liste de produits correspond.

— C'était la première fois que vous le voyiez ?

— Eh bien... il me semble qu'il était déjà venu. Mais il porte des perruques... des chevelures alternatives, corrigea-t-elle avec un regard penaud en direction de Martin. Il aime changer la couleur de sa peau, de son regard, son look... Comme beaucoup de nos clients. C'est l'un des services que nous leur offrons. Changer de look agit sur l'humeur et permet de...

— Épargnez-moi votre speech, Letta. Parlez-moi du jour où il a acheté ces produits.

— Oui, madame. Je crois que c'était en début d'après-midi. J'avais passé un temps fou avec une dame qui souhaitait voir tout ce que nous avions en blond. Quand je dis tout, je n'exagère pas. Là-dessus, elle m'a sorti le « Je vais réfléchir » classique.

Letta tressaillit, craignant d'avoir gaffé, et se décontracta quelque peu quand Martin esquissa un sourire.

— Aussi, poursuivit-elle, quand ce monsieur m'a demandé le modèle Gentleman, en noir avec les tempes grisonnantes, j'ai été soulagée. Il savait ce qu'il voulait, même si je considérais que son choix était discutable.

— Pour quelle raison ?

— C'était un monsieur grand et massif, avec une figure carrée. J'ai pensé que ce devait être un manuel. Le modèle Gentleman était trop raffiné pour lui. Mais il y tenait. Il a mis la perruque lui-même, il avait l'habitude.

— Comment étaient ses cheveux ?

— Oh ! il est chauve comme un œuf ! Et il ne se rase pas, c'est naturel. Il a un crâne très sain, bien coloré, luisant. Je ne comprends pas pourquoi il le cache. Ensuite il a vu le modèle Captain… et il me l'a réclamé aussi. Ça lui allait mieux. J'ai trouvé que ça lui donnait l'air d'un général, je le lui ai dit, et ça lui a fait plaisir. Il a souri. Un sourire vraiment gentil. D'ailleurs il était très poli, courtois. Il m'a remerciée en m'appelant Mademoiselle Letta. Ça n'arrive pas tous les jours.

Elle s'interrompit, scrutant le plafond pour mieux rassembler ses souvenirs.

— Après, il m'a déclaré qu'il désirait acheter des produits Jouvence. Nous sommes formées à aider les clients à découvrir toute la gamme des soins que propose le salon. J'ai essayé de l'emmener d'un rayon à l'autre, mais là aussi, il savait exactement ce qu'il voulait. Il refusait mes suggestions, toujours très galamment. Nous avons terminé par la diététique. J'ai dit qu'il n'en avait certainement pas besoin, et il a répondu en riant que, malheureusement, il appréciait trop la bonne chère. Il a préféré emporter ses achats, au lieu d'utiliser notre service de livraison. On lui a préparé un paquet et, quand il a sorti cette liasse de billets, j'ai cru que ma mâchoire allait se décrocher.

— En principe, les clients ne règlent pas en liquide ?

— Oh, ça arrive ! Mais, personnellement, je n'avais jamais encaissé plus de huit mille dollars en billets. Je devais avoir l'air ahurie parce qu'il m'a souri de nouveau en disant qu'il préférait payer comptant.

— Vous avez donc passé beaucoup de temps avec lui.

— Plus d'une heure.

— Comment s'exprimait-il ? Avait-il un accent ?

— J'en ai eu l'impression, oui, mais je n'ai pas pu le situer. Il avait la voix assez aiguë, vous voyez. Presque comme une femme. Mais très agréable, douce, on sentait qu'il avait de la culture. En y réfléchissant, la perruque Gentleman correspondait davantage à sa voix qu'à son physique.

— A-t-il mentionné son nom, évoqué son lieu de résidence, de travail ?

— Non. Au départ, j'ai essayé de connaître son nom – je serais heureuse de vous montrer d'autres articles, monsieur… ? Il s'est contenté de sourire. Alors j'ai continué à l'appeler monsieur. J'ai supposé qu'il habitait New York, puisqu'il a emporté ses achats. Ce n'est peut-être pas le cas.

— Vous m'avez dit que vous pensiez l'avoir déjà vu ici.

— J'en suis quasiment sûre. Au moment où la clientèle commençait à se bousculer pour les cadeaux de Noël. Je venais d'être embauchée. Fin octobre ou début novembre. Là aussi, il s'intéressait aux produits de soins pour la peau. Il portait un manteau et un chapeau, mais je crois bien que c'était lui.

— C'est vous qui l'aviez servi ?

— Non, c'est Nina. Je m'en souviens parce que, toutes les deux, nous nous sommes retrouvées derrière le comptoir. Elle m'a dit que ce type lui achetait toute la ligne Jouvence. Ça représente un paquet d'argent, et une bonne commission. Alors j'ai jeté un coup d'œil au client et j'ai regretté de ne pas m'être occupée de lui.

— Mais vous ne l'aviez pas remarqué avant, ni depuis.

— Non, madame.

Eve lui posa encore quelques questions, puis demanda à s'entretenir avec Nina.

Celle-ci, contrairement à Letta, n'avait pas une excellente mémoire. Eve réussit cependant à lui soutirer un renseignement : Yost venait au Salon Paradis une ou deux fois par an.

— Il doit avoir d'autres lieux de prédilection, dans d'autres villes, déclara Eve à Peabody, lorsqu'elles regagnèrent la voiture. Du même standing, vraisemblablement. Et il sait ce qu'il veut, il paie en liquide. Il n'est pas indifférent à la publicité, il choisit les meilleurs articles.

— Il regarde beaucoup la télé ?

— Probablement, et il se documente sur le Net. Les

substances qui entrent dans la composition d'un produit, le profil du fabricant, les critiques des consommateurs. Voyons les éléments que la DDE peut nous fournir concernant cette ligne de soins pour la peau depuis la fin octobre. La marque Jouvence doit avoir un site.

Elles se rendirent ensuite à la maroquinerie. Aucun des employés n'avait le souvenir d'un homme correspondant à la description de Yost. Puis, au centre-ville, elle décrocha le gros lot en ce qui concernait le fil d'argent.

Le patron avait une excellente mémoire visuelle. Eve le devina à l'instant où elle s'approcha du petit comptoir vitré. Il roula des yeux, ses lèvres se mirent à trembler. Elle entendit sa respiration s'accélérer et craignit qu'il n'ait un malaise cardiaque.

— Madame Connors ! s'écria-t-il avec un fort accent, sans doute indien.

— Dallas, rectifia-t-elle en exhibant son insigne. Lieutenant Dallas.

— C'est un honneur...

Là-dessus, il vociféra quelques mots incompréhensibles au jeune homme présent dans le magasin.

— Je vous en prie, enchaîna-t-il, vous êtes chez vous dans notre humble établissement. Choisissez ce qui vous plaît et considérez que c'est un cadeau. Ce collier vous conviendrait ? Un bracelet ? Des boucles d'oreilles ?

— Je veux seulement des renseignements.

— On va prendre une photo. D'accord ? On vous voit souvent à la télévision, et nous espérions qu'un jour vous daigneriez entrer dans notre modeste boutique.

Il se retourna pour donner un ordre à son jeune associé qui farfouilla sous le comptoir où il pêcha une caméra holographique miniature.

— Ça suffit ! grogna Eve.

— Votre célèbre époux ne vous accompagne pas ? s'entêta-t-il. Mais vous faites du shopping avec votre amie. Nous lui réservons aussi un cadeau.

— Ah, oui ? roucoula Peabody, enchantée.
— La ferme, Peabody. Non, je ne fais pas de shopping. Il s'agit d'une enquête de police.
— Mais nous n'avons pas appelé la police.
Il pivota de nouveau vers le jeune homme qui les mitraillait avec son appareil et secoua vigoureusement la tête.
— Non, non, nous n'avons pas appelé la police, répéta-t-il. Nous n'avons aucun problème. Ce collier est pour vous, reprit-il en sortant le bijou d'un tiroir sous le comptoir. Nous l'avons dessiné et réalisé. Nous serions flattés que vous le portiez.
Dans d'autres circonstances, Eve lui aurait flanqué son poing dans la figure pour le faire taire. Mais ses yeux noirs, brillants d'espoir, évoquaient ceux d'un cocker.
— Vous êtes très aimable, mais je ne suis pas autorisée à accepter des cadeaux dans l'exercice de mes fonctions. Ça me créerait des ennuis.
— Oh ! nous ne voulons surtout pas vous causer des problèmes ! Ce n'est qu'un présent insignifiant.
— Merci, peut-être une autre fois. Vous pourriez m'aider en examinant cette photo. Reconnaissez-vous cet homme ?
La confusion et le désappointement se peignirent sur les traits du bijoutier. Il se pencha sur le portrait.
— Oui, c'est M. John Smith.
— John Smith ?
— Oui, il a un hobby : les bijoux. Malheureusement, il n'achète jamais les pierres que nous lui proposons. Seulement du fil d'argent. Soixante centimètres. Il a des idées... très arrêtées.
— Il vous en achète souvent ?
— Oh ! il est venu deux fois ! D'abord avant la période de Noël, il faisait très froid. Et aussi la semaine dernière. Il n'avait pas ces cheveux-là. C'est moi qui l'ai reçu, je lui ai montré nos pierres. Il ne voulait que du fil d'argent. Tss...
— Il a payé en liquide ?

— Oui, les deux fois.
— Comment connaissez-vous son nom ?
— Je le lui ai demandé. Vous seriez aimable de me donner votre nom, monsieur, et de me dire comment vous avez entendu parler de notre humble établissement.
— Qu'est-ce qu'il a répondu ?
— Qu'il s'appelait John Smith et qu'il avait consulté notre site sur Internet. Ça peut vous être utile, madame le lieutenant Dallas Connors ?
— Lieutenant, ça suffira. Eh oui, ça m'est utile. Vous avez d'autres détails ? Il a parlé de son hobby ?
— Il n'était pas très bavard. Il ne s'est pas attardé. J'ai dit à mon frère cadet que je ne comprenais pas comment M. Smith pouvait être passionné par la joaillerie, alors qu'il ne s'intéressait pas aux pierres ni aux autres métaux. Il n'a même pas jeté un coup d'œil à nos autres articles. Il ne nous a pas expliqué quel genre de bijou il fabriquait. Il était là pour acheter, et c'est tout. Vous voyez ?
— Oui.
— Il est très poli. Son communicateur a sonné, mais il n'a pas répondu. Je lui ai demandé si le fil d'argent qu'il avait pris cet hiver lui avait convenu, s'il en était satisfait. Il m'a dit que oui. Et puis il a souri et... j'espère que ce n'est pas un de vos amis, parce que je n'ai pas aimé son sourire. Je lui ai vendu ce qu'il voulait, et j'ai été content qu'il s'en aille. Je ne vous offense pas ?
— Du tout. Peabody, vous avez une carte ?
— Oui, lieutenant, répliqua Peabody en extirpant de sa poche une carte de visite d'Eve.
— S'il revient, contactez-moi immédiatement. Surtout, faites attention à ne pas éveiller sa méfiance, ne lui dites pas qu'on vous a posé des questions sur lui. Au cas où il entrerait dans votre boutique, débrouillez-vous, vous ou votre frère, pour me prévenir sans qu'il s'en doute.
— C'est un méchant homme ?

— Oui, un sale individu.
— Je l'ai pensé quand il a souri. Et mon cousin est d'accord avec moi.
Eve considéra le jeune homme qui brandissait toujours sa caméra.
— Je croyais que c'était votre frère.
— Lui, oui. Je parle de mon cousin de Londres, où nous avons une autre modeste boutique. Nous nous sommes aperçus que M. John Smith lui avait également acheté du fil d'argent.
Eve lui agrippa le poignet.
— À Londres ? Comment votre cousin sait-il qu'il s'agit du même homme ?
— Fil d'argent, trois longueurs de soixante centimètres. M. Smith avait des cheveux couleur sable et une moustache. Mais nous pensons que c'est la même personne.
Eve prit son carnet.
— Donnez-moi l'adresse du magasin londonien. Le nom de votre cousin. Vous détenez d'autres petites boutiques ailleurs ?
— Nous possédons dix humbles établissements.
— Je vais vous demander une faveur.
Les yeux de son interlocuteur brillèrent comme des joyaux.
— Ce serait un immense honneur pour moi.
— Je veux les coordonnées de tous vos magasins. Je vous serais reconnaissante de joindre les membres de votre famille qui les dirigent, pour savoir si on leur a acheté du fil d'argent – soixante centimètres. J'enverrai à chacun d'eux une photo de cet individu. S'il se présente chez eux, il faudra m'avertir sur-le-champ.
— Je vais arranger ça, madame le lieutenant Dallas Connors.
Il se tourna vers son frère, tous deux échangèrent quelques mots toujours aussi incompréhensibles.
— Mon frère vous donnera les coordonnées, et j'appellerai personnellement mes cousins.

— Dites-leur que nous les contacterons, moi ou mon assistante.

— Ils en seront enchantés. Auriez-vous l'obligeance de prendre aussi notre carte de visite pour votre célèbre époux ? Peut-être daignera-t-il visiter notre modeste établissement.

— D'accord. Merci pour votre collaboration.

Il escorta Eve jusqu'à la porte qu'il lui ouvrit, s'inclina cérémonieusement et, la mine réjouie, la regarda rejoindre son véhicule.

— Appelez Feeney, ordonna Eve dès qu'elle fut au volant. Qu'il lance une recherche sur les meurtres similaires à Londres.

— Ce sera un honneur pour moi, madame le lieutenant Dallas Connors.

Comme Eve lui décochait un coup d'œil furibond, Peabody esquissa un sourire.

— Excusez-moi, je n'ai pas pu résister.

— Vous avez fini de vous amuser ? Bon, dites à Feeney que, s'il fait chou blanc, il creuse la piste des personnes disparues. Ça m'étonnerait qu'on ait retrouvé tous les corps. Ce type est un vrai pro. Si son commanditaire tient à ce que quelqu'un disparaisse, la victime disparaît. Mais le crime en lui-même doit obéir au même schéma. C'est un routinier.

Peabody s'exécuta, puis :

— Voilà, Feeney s'y met. Et maintenant ?

— Vous contactez les cousins. Moi, je vais voir Mira. Il me faut une analyse approfondie.

— Vous avez accompli la moitié de mon travail.

Le Dr Mira détourna les yeux de son ordinateur pour observer Eve, debout, les mains dans les poches, et qui contemplait la vue qu'offrait la fenêtre du bureau.

— Vous paraissez très bien connaître cet homme, ajouta-t-elle. Et les profileurs du FBI l'ont étudié à fond.

— Vous pouvez aller plus loin.

— Vous me flattez.

Mira se redressa, commanda du thé à l'AutoChef. Elle était vêtue d'un tailleur très simple, bleu ardoise, ses magnifiques cheveux bruns, coiffés en arrière, mettaient en valeur son beau et doux visage. Elle tortillait entre ses doigts la longue chaîne en or qu'elle portait au cou.

— C'est un sociopathe, probablement intelligent et sûr de l'être. L'orgueil est le moteur qui l'anime. Il se considère comme un homme d'affaires, le meilleur dans sa partie. Un domaine qu'il a choisi. Il apprécie les belles choses. Il n'a peut-être pas conscience que le viol ajoute à sa satisfaction. Pour lui, ce n'est qu'un moyen de liquider sa victime. Homme ou femme, peu importe. Il ne s'agit pas de sexe, mais d'avilissement.

Mira s'interrompit un bref instant, jeta un coup d'œil à sa montre, à son communicateur.

— Utiliser simplement le garrot serait plus rapide et efficace, mais le plus souvent il frappe et viole. Pour lui, cela fait partie d'un tout, comme on teste la couleur et le bouquet d'un bon vin avant de le boire.

— Il aime son travail.

— Oh, oui ! Énormément. Cependant, dans son esprit, ce n'est qu'un travail. Je serais surprise qu'il tue à l'aveuglette ou pour des mobiles personnels. C'est un professionnel, il s'attend à être rémunéré, grassement payé. Le fil d'argent est sa marque de fabrique, une sorte de publicité destinée à des clients potentiels.

— Il ne cache rien. Le fil d'argent, son visage, son ADN. Pourtant il porte des déguisements.

— J'ai la conviction que ces déguisements sont une sorte de jeu. Une pincée de piment. L'expression d'une profonde vanité.

Le Dr Mira se mit à arpenter la pièce ; elle paraissait agitée, ce qui ne lui ressemblait guère.

— Il adore se pomponner, comme un autre choisirait sa chemise avant de se rendre au bureau. La loi, que vous incarnez, ne le préoccupe pas le moins du monde. Il l'a impunément transgressée pendant des années. Je dirais que, au mieux, vous l'amusez.

— Il ne rira pas longtemps, je vous le garantis.

Eve remarqua que Mira consultait de nouveau sa montre, fronçait les sourcils. Elle avait oublié le thé, ce qui ne lui était encore jamais arrivé.

— Ça va, docteur ?

— Pardon ? Oh, oui !

— Vous paraissez distraite.

— Je le suis, je l'avoue. Ma belle-fille est en train d'accoucher, j'attends des nouvelles. Les bébés ne sont pas pressés, et nous, nous attendons.

— Je comprends.

Eve se dirigea vers l'AutoChef pour prendre les tasses de thé.

— Merci, dit Mira. Je vais rédiger le profil, Eve, ça m'occupera l'esprit. Mais je crains de n'avoir pas beaucoup d'éléments nouveaux à vous apporter.

— Pouvez-vous m'expliquer pourquoi Connors est visé ?

Mira tressaillit, réalisant soudain qu'Eve avait aussi des soucis. Elle se rassit, invita son interlocutrice à l'imiter.

— J'imagine que vous avez déjà quelques idées sur ce point. Votre mari est immensément riche, il a du pouvoir et des ennemis. Sur un plan professionnel et personnel. Son passé comporte – officiellement – quelques zones d'ombre. Il est possible que certaines personnes, tapies dans ces zones d'ombre, cherchent à le mettre en difficulté. Mais je présume que vous en avez discuté ensemble.

— Oui, seulement ça ne me mène nulle part. Si quelqu'un lui avait tendu un traquenard, organisé le meurtre d'un de ses principaux concurrents, par exemple, ça se tiendrait. Mais une femme de chambre employée dans un de ses hôtels ? À quoi ça rime ?

Mira lui posa une main sur le bras.

— Vous êtes perturbée, anxieuse. C'est peut-être un motif suffisant.

— Au point de tuer ? Pour Yost, d'accord. Pour lui, ce n'est qu'un boulot comme un autre. Mais en ce qui concerne son commanditaire, il y a forcément autre chose. Yost a acheté quatre longueurs de fil d'argent. Ce n'était pas uniquement destiné à Darlene French. Il mijote un nouveau coup.

— Je vais continuer à étudier les données que nous avons. J'aimerais vous aider davantage.

Le communicateur de Mira retentit soudain, et elle bondit de son siège comme un ressort.

— Excusez-moi… Anthony ? Est-ce…

— C'est un garçon, quatre kilos, cinquante centimètres. Une merveille !

— Ô, mon Dieu ! s'exclama Mira, les larmes aux yeux. Et Deborah ?

— Elle est extraordinaire, et elle va bien. Admire ce trésor.

Eve, gênée, coula un regard en direction de l'écran du communicateur. Elle aperçut un homme brun qui tenait un bébé tout rouge, qui gigotait et vagissait.

— Grand-maman, dis bonjour à Matthew James Mira.

— Bonjour, Matthew, susurra le Dr Mira. Anthony, il a ton nez. Il est superbe. J'ai tellement hâte de le prendre dans mes bras. Tu as appelé ton père ?

— Je vais le faire tout de suite.

— Nous viendrons vous voir ce soir.

Mira effleura l'écran, comme si elle caressait la tête du nourrisson.

— Dis à Deborah que nous l'aimons et que nous sommes fiers d'elle.

— Et pas de moi ?

— Bien sûr que si. Je t'embrasse, mon chéri.

— Je préviens papa. Pleure bien, maman.

— Oui… balbutia le Dr Mira en interrompant la communication.

Elle déplia un mouchoir.

— Excusez-moi. Un petit-fils…

— Félicitations, il a l'air…

D'un poisson rouge tout fripé avec des pattes, pensa Eve qui garda néanmoins ce commentaire pour elle – ce n'était sans doute pas ce que les gens souhaitaient entendre dans de pareils moments.

— … en parfaite santé, acheva-t-elle.

— Oui, soupira Mira en se tamponnant les yeux. Il n'y a rien de tel qu'un petit être qui vient au monde pour nous rappeler l'essentiel.

Eve se leva.

— Vous êtes pressée de rejoindre votre famille, je…

Son communicateur l'interrompit.

— Dallas.

— Lieutenant, répondit gravement Peabody, nous avons un autre homicide. Même *modus operandi*. Cette fois, dans une résidence privée de l'Upper East Side.

— Retrouvez-moi au parking. J'arrive.

— Oui, lieutenant. La résidence appartient à Elite Immobilier, filiale de Connors Industries.

8

L'immeuble en brique était situé dans un quartier réputé pour ses loyers exorbitants et ses restaurants ultrachics. Sur les marches du perron, de somptueuses fleurs blanches coiffant de longues tiges roses jaillissaient de trois urnes en pierre.

Ailleurs, elles auraient été fracassées ou volées en quelques heures.

Mais ici, les habitants vivaient dans la tranquillité, le confort, et n'auraient jamais eu l'idée de dévaliser leurs voisins. Leur sécurité était assurée par des systèmes électroniques sophistiqués ou des droïdes privés qui patrouillaient à pied, revêtus d'uniformes bleu marine. Ces précautions dissuadaient la racaille de venir s'égarer dans cette oasis de paix et de salir les trottoirs.

La demeure de Jonah Talbot, où il vivait seul et qui comportait un étage, disposait de tous les équipements de sécurité possibles. Il y était pourtant mort dans d'atroces conditions.

Âgé d'une trentaine d'années, il était bien bâti, constata Eve en l'examinant. Il avait été frappé, comme Darlene French, d'abord au visage. Ses côtes et ses reins présentaient également des marques de coups. Il ne portait qu'un tee-shirt gris. Le short de sport assorti était chiffonné dans un coin. Son meurtrier avait abusé de lui et l'avait abandonné, gisant à plat ventre, le fil d'argent noué sur la nuque.

— J'ai l'impression qu'il travaillait chez lui, déclara Eve. Vous avez son dossier ?

— Oui, lieutenant, répondit Peabody. Jonah Talbot,

trente-trois ans, célibataire, sans enfants. Vice-président et éditeur adjoint de Starline. Résidant à cette adresse depuis novembre 2057. Fils unique, parents divorcés, il a un demi-frère né du remariage de sa mère.

— Dites-moi ce que vous savez sur Starline.

Peabody afficha les données sur son mini-portable.

— Ils publient des livres, des disquettes, des magazines électroniques, des journaux holographiques, et cetera.

Elle s'interrompit, s'éclaircit la gorge.

— La société a été créée en 2015 et rachetée en 2051 par Connors Industries.

— Ben voyons, murmura Eve qui sentit un frisson glacé lui parcourir l'échine. Yost a pris des risques. Cette fois, il ne s'est pas attaqué à une jeune femme de cinquante kilos, pourtant sa victime ne s'est pas vraiment bagarrée.

Doucement, elle souleva une main de Talbot, étudia les écorchures sur ses jointures.

— Il a essayé de lutter mais… pas vraiment. Pourquoi ? Il est physiquement solide, même s'il n'est pas aussi baraqué que Yost. Rien n'est renversé dans cette pièce, à part cette petite table. Deux types de cette corpulence auraient dû mettre tout sens dessus dessous. Bon, on a suffisamment d'images sous cet angle. Mettons-le sur le dos.

Toutes deux le retournèrent avec précaution.

— Yost ne l'a pas tué immédiatement, commenta Eve en soulevant le tee-shirt pour inspecter les hématomes sur le torse, d'une couleur affreuse. Passez-moi les loupes.

Peabody s'exécuta, Eve régla la puissance des microloupes.

— Regardez… là, juste sous l'aisselle gauche. Une trace de piqûre. Il lui a injecté un tranquillisant pour l'empêcher de résister. Il l'a roué de coups. Ensuite il a attendu que Talbot reprenne connaissance pour le violer. Oui, j'en suis sûre. Si la victime n'a pas conscience d'être souillée, humiliée, c'est moins jouissif.

Son père agissait de cette façon, Eve ne s'en souvenait que trop. Quand il cognait trop fort et qu'elle s'évanouissait, il patientait. Il attendait toujours qu'elle soit en état de supplier.

— Réveille-toi, souffla-t-elle. Allez, ouvre les yeux. Ne reste pas là toute molle, petite garce, comment tu veux faire jouir un homme ?

— Lieutenant ? s'inquiéta Peabody.

Eve sursauta, secoua la tête.

— Il a attendu, répéta-t-elle. Il l'a maintenu en vie assez longtemps pour que ces hématomes apparaissent, et pour que Talbot se débatte avec le peu d'énergie qu'il avait encore. Puis il lui a passé le garrot autour du cou, et il a terminé son travail.

Elle remonta les loupes sur son front.

— Contactez Feeney et McNab, qu'ils nous disent ce que donnent les films enregistrés par les caméras de surveillance.

— Bien, lieutenant.

— Talbot t'a égratigné, murmura Eve, en examinant de nouveau la main blessée de la victime.

Comme Darlene French, pensa-t-elle. Et les autres ? Ces écorchures, ces plaies seraient-elles également des souvenirs que Yost emportait après chaque contrat ? Des blessures de guerre, en quelque sorte ?

Et quel objet avait-il pris à Jonah Talbot ?

Elle rechaussa les microloupes, chercha sur le corps une trace de piercing. Elle la trouva sur le testicule gauche.

Elle en frémit en se remémorant la douleur qu'elle avait éprouvée, récemment, lorsqu'on lui avait percé les oreilles.

— Seigneur, mais les gens sont cinglés ! Enregistrez : trace de piercing sur le testicule gauche, indiquant que la victime avait là un ornement quelconque.

Elle se redressa et, lentement, balaya la pièce du regard. Elle tournait le dos à la porte, quand elle entendit un bruit de pas.

— Peabody, dites à l'équipe de l'identité judiciaire de

tout passer au peigne fin, à la recherche d'un anneau, peut-être. Je ne sais pas ce que les types peuvent bien s'accrocher à leurs bijoux de famille.

— Je ne peux malheureusement pas éclairer votre lanterne, lieutenant.

Connors… D'instinct, elle se positionna entre lui et la victime.

— Je ne veux pas de toi ici.

— Tes désirs ne sont pas toujours des ordres.

Comme il s'avançait, elle lui posa rudement la main sur la poitrine.

— C'est une scène de crime.

— Je ne l'ignore pas. Écarte-toi, je ne m'approcherai pas davantage.

Le ton de Connors était sans réplique.

— Tu le connaissais…

— Oui, répondit-il en contemplant le corps, envahi par une pitié mêlée de colère. Je présume que tu as déjà son dossier, mais je peux te dire que c'était un homme intelligent et ambitieux qui avait rapidement pris sa place dans le monde de l'édition. Il avait la passion des livres. Les vrais livres, ceux qu'on tient dans ses mains et dont on tourne les pages.

Eve garda le silence. Connors avait aussi l'amour des vrais livres, ce qui avait dû le rapprocher de Talbot.

— Une fois par semaine, il travaillait chez lui, poursuivit Connors d'une voix sourde. Un autre que lui en aurait profité pour se reposer, il avait des secrétaires et des responsables éditoriaux pour assumer certaines tâches. Si ma mémoire ne me trompe pas, il possédait un petit bateau dans une marina de Long Island. Il adorait naviguer. Et il envisageait d'acheter là-bas une résidence secondaire. Il fréquentait quelqu'un depuis peu.

— C'est son amie qui l'a découvert. Elle est dans une autre pièce avec un agent.

— Tout ce que je viens de te raconter n'a rien à voir avec sa mort. Il a été tué parce qu'il travaillait pour moi.

Il fixa sur Eve un regard dur.

— Et j'ai la ferme intention de mener ma propre enquête.

Elle posa une main sur la sienne, sentit sous ses doigts une violence qu'il avait toutes les peines du monde à maîtriser.

— Je te demande d'attendre dehors. Laisse-moi m'occuper de lui, murmura-t-elle.

Durant un instant terrible, elle craignit qu'il ne fasse ou dise quelque chose qui l'obligerait à trafiquer la vidéo des premières constatations. Mais une expression réfrigérante se peignit sur les traits de Connors qui recula.

— J'attendrai, articula-t-il simplement, et il sortit.

Lorsque Eve la rejoignit pour prendre sa déposition, Dana – la petite amie de la victime – avait déjà pleuré tout son soûl. Ses yeux étaient rouges et bouffis, et elle ne cessait de boire de l'eau, comme si verser tant de larmes l'avait déshydratée. Cependant elle était cohérente, ce qui soulagea Eve.

— Nous allions déjeuner ensemble. Jonah avait prévu de faire une pause vers 14 heures. C'était à son tour de régler l'addition.

Elle se mordit furieusement la lèvre inférieure pour réprimer un sanglot.

— Nous avions l'habitude de payer à tour de rôle. Il y a un restaurant, le Polo's, du côté de la 82e Rue, où nous aimions déjeuner. Je n'habite pas loin d'ici, et tous les deux nous prenions notre mercredi pour travailler chez nous. Je suis agent littéraire. C'est comme ça que nous nous sommes rencontrés, il y a quelques mois. Aujourd'hui, j'étais en retard. Je suis arrivée au restaurant vers 14 h 20.

Elle but une gorgée, ferma brièvement les yeux. Son visage, sans être vraiment beau, avait du charme et reflétait une forte personnalité.

— J'étais en communication avec un client, il avait besoin de réconfort et la conversation s'est éternisée. Jonah me taquine, il dit que je suis toujours en retard. Le quart d'heure Dana… Alors quand je suis arrivée et que je ne l'ai pas vu, j'ai pensé : toi, mon grand, je vais te river ton clou. Ô, mon Dieu ! Vous m'accordez une minute, je vous prie ?

— Prenez tout votre temps.

Dana pressa le verre d'eau fraîche sur son front, ses joues, comme si elle avait la fièvre.

— À 14 h 30, j'ai commencé à m'inquiéter et je l'ai appelé. Il n'a pas répondu, j'ai patienté encore un moment. Le restaurant est à cinq minutes d'ici. J'étais à la fois anxieuse et irritée. Vous comprenez ?

— Oui, parfaitement.

— J'ai décidé d'aller chez lui. J'étais certaine qu'on se croiserait en chemin, qu'il se répandrait en excuses. J'hésitais entre l'enguirlander ou faire semblant de croire à son mensonge. Et puis je suis entrée dans la maison…

— Vous aviez une clé ?

— Pardon ?

Les yeux de Dana, qui étaient devenus vitreux, s'éclaircirent de nouveau. Bien, songea Eve. Tu as du courage. Tu t'en sortiras.

— Non… non, je n'avais ni sa clé ni le code de sa porte. Nous n'en étions pas encore là. Nous souhaitions tous les deux ne pas précipiter les choses. Le couple moderne type… Nous nous fréquentions, mais chacun gardait prudemment son espace vital.

Une larme roula sur la joue de Dana, qu'elle n'essuya pas.

— La porte n'était pas fermée, pas complètement. J'en ai oublié ma colère. J'ai franchi le seuil, j'ai appelé Jonah. Pour me rassurer, je me répétais qu'il devait être englouti dans un livre et qu'il en avait perdu la notion du temps. Mais, en réalité, j'avais peur. J'ai failli faire demi-tour. J'appelais, j'appelais… il ne répondait pas. Je me suis dirigée vers son bureau. Et là, je l'ai vu. Jonah… J'ai vu Jonah par terre, il y avait du sang autour de sa tête. Excusez-moi, balbutia-t-elle.

En proie à un étourdissement, elle se plia en deux. Alors elle avisa un livre abandonné sur le sol. Étouffant une plainte, elle le ramassa, lissa la couverture.

— Jonah était un fou de littérature, pour lui c'était comme une drogue. Il amoncelait les textes sous toutes les formes imaginables. Il y en a partout dans cette maison, dans son bureau et même sur son bateau. Je peux… vous croyez que je peux garder celui-ci ?

— Pour l'instant, nous sommes obligés de conserver toutes les pièces à conviction. Mais quand nous aurons terminé, je veillerai à ce qu'on vous fasse parvenir cet ouvrage.

— Je vous remercie. Bon… enchaîna Dana, tenant le livre contre elle comme pour y puiser de la force. Après l'avoir découvert, je suis sortie en courant. Il me semble que j'aurais couru des heures, si je n'avais pas rencontré une patrouille de droïdes. Ensuite, je me suis écroulée sur les marches et j'ai pleuré.

— Jonah travaillait toujours ici le mercredi ?

— Oui, sauf quand il était en voyage ou qu'il avait une réunion à laquelle il devait impérativement assister.

— Et vous déjeuniez ensemble tous les mercredis ?

— Depuis deux mois et demi, environ. C'était devenu une habitude, même si nous affirmions que nous n'en étions pas au stade des habitudes.

— Vous étiez intimes ?

— Nous faisions l'amour régulièrement, répliqua Dana d'une voix tremblante. Nous évitions d'employer des termes comme intimité. Cependant nous n'avions plus de relations sexuelles avec d'autres partenaires.

— Je vais être indiscrète, mais pouvez-vous me dire si M. Talbot portait un quelconque ornement corporel ?

— Un petit anneau d'argent au testicule gauche. Très sexy.

Quand l'interrogatoire fut achevé, Dana se leva, chancela. Eve la prit par le bras.

— Il vaudrait mieux que vous restiez assise, le temps de vous remettre du choc.

— Ça va… Je veux rentrer chez moi.

— Un policier vous raccompagnera.

— Je préférerais marcher, si vous m'y autorisez. J'habite tout près et je... j'ai besoin de marcher.

— Entendu. Nous aurons peut-être d'autres questions à vous poser.

— Pas aujourd'hui, je vous en supplie.

Dana se dirigea vers la porte, s'immobilisa.

— Je crois que j'étais peut-être profondément amoureuse de lui. Je ne le saurai jamais. Ça me désespère.

Eve demeura un moment figée sur son siège. Son esprit était en ébullition, et il lui fallait mettre de l'ordre dans ses idées. La victime était en chemin pour la morgue, un tueur accomplissait méthodiquement son sale boulot, deux agents du FBI voulaient lui retirer l'affaire... En outre, elle avait sous son toit un invité qui ne lui inspirait pas confiance, et un mari qui pouvait être en danger et risquait fort de lui causer de sérieux ennuis.

Lorsque Feeney apparut, elle était toujours pétrifiée, tel un sphinx, les yeux à demi clos, les lèvres pincées dans une expression sinistre. Comprenant aussitôt qu'elle était perturbée, il s'assit sur la table basse devant elle et lui tendit son sempiternel sachet d'amandes grillées.

— Tu veux les bonnes ou les mauvaises nouvelles ?

— Commence par les mauvaises, la coupe n'est pas tout à fait pleine.

— Il est entré par la porte. Ce type a un passe, ce qui ne nous arrange pas.

— Un passe de police ?

— Oui, ou une copie à peu près parfaite. On va essayer d'en avoir le cœur net. En résumé, Dallas, il a déverrouillé la porte et il est entré comme chez lui. C'était Yost, indiscutablement, on n'a même pas besoin de l'ADN que les gars de l'identité judiciaire récolteront. Bien sapé, une nouvelle perruque – cheveux noirs assez longs pour se faire un petit chignon sur la nuque. Le look artiste, qui convient sans doute à ce quartier.

— Il sait se fondre dans le décor.

— Il avait un attaché-case. Il a pris le temps de remettre le passe dans une poche extérieure de la mallette. Et il est allé droit vers le bureau, il connaissait les lieux.

Eve se pencha vers lui.

— Feeney… tu es en train de me dire que les caméras de la maison tournaient ?

— Oui, c'est ça, la bonne nouvelle, rétorqua-t-il avec un sourire féroce. Soit Yost n'y a pas pensé, soit il s'en fichait comme de sa première paire de chaussettes, mais les caméras de surveillance fonctionnaient. Je suppose que Talbot a oublié de les éteindre à son réveil. On le voit et on l'entend vaquer à ses occupations matinales avant de se mettre au boulot. Il avait un très bon équipement.

Eve se redressa.

— Il a dû oublier. Quand on travaille chez soi, on n'a pas envie que des caméras filment vos moindres gestes, ni que des micros vous enregistrent si vous lâchez un rot. Yost a fait une boulette.

— Ouais, c'est bien possible. On a tout le film du meurtre, Dallas. Du début à la fin.

— Je veux le…

Elle s'interrompit, songeant à Connors.

— Je le visionnerai au Central. Tu nous réserves une salle de réunion ? J'ai quelque chose à régler avant de vous rejoindre.

— Mmm… Connors est dehors. Tu sais que je n'ai pas l'habitude de fourrer mon nez partout.

— C'est ce que j'apprécie chez toi, Feeney.

— Mmm… Je veux juste dire que ça va être pénible pour lui. Forcément. Il sera d'abord révolté, ensuite il sera dans une rage froide. C'est sa nature. Eh bien… il me semble que Connors, dans cet état d'esprit, pourrait nous être très utile !

— Tu es un vrai stratège, Feeney.

— Je dis ce que je pense, voilà tout. Toi, tu considères probablement qu'il vaudrait mieux le mettre hors circuit.

Il la dévisagea, lut dans les yeux d'Eve que c'était effectivement son opinion.

— Mais là, tu raisonnes avec tes tripes, pas avec ta cervelle. Réfléchis, et tu comprendras que, parfois, la cible est la meilleure arme dont nous puissions disposer. De toute façon, il ne te laissera pas l'écarter.

— Arrête de tourner autour du pot. Tu suggères de l'impliquer officiellement dans l'enquête ?

— C'est toi qui tiens les rênes. Je dis simplement que tu aurais intérêt à ne négliger aucune éventualité.

Estimant qu'il était allé aussi loin que possible, Feeney haussa les épaules et quitta la pièce.

Eve sortit à son tour, sélectionna quelques policiers en uniforme à qui elle ordonna de quadriller le quartier pour interroger les voisins. Du coin de l'œil, elle surveillait Connors, appuyé contre le capot d'une voiture rutilante. Il l'observait, attendait. Mais tout son être trahissait l'impatience.

— J'en ai pour une minute, murmura-t-elle à Peabody.

Elle s'approcha de lui.

— Je croyais que tu devais te déplacer en limousine, avec ton chauffeur.

— J'ai décidé de ne pas attendre qu'ils arrivent quand on m'a averti pour Jonah.

— Qui t'a averti ?

— J'ai certains informateurs. C'est un interrogatoire, lieutenant ?

Comme elle ne répondait pas, il jura à voix basse.

— Excuse-moi…

— Rentre à la maison, enferme-toi dans la salle de sport et boxe le punching-ball. Ça te soulagera.

— Ça, c'est ta méthode, rétorqua-t-il en s'arrachant un petit sourire.

— En principe, ça marche très bien.

— Il faut que je retourne au bureau, j'ai une réunion. Tu préviendras ses proches parents ?

— Oui.

Il détourna les yeux, contempla la ravissante façade de la demeure. Il songeait manifestement aux atrocités perpétrées derrière ces murs.

— Je veux leur parler moi-même, marmonna-t-il.

— Dès que l'annonce officielle aura été faite, on te donnera le feu vert.

Il braqua de nouveau son regard sur elle. Feeney avait raison, pensa-t-elle. Il était anéanti, mais la révolte commençait à monter en lui.

— Dis-moi ce que tu sais, Eve. Ne m'oblige pas à agir derrière ton dos.

— Dans l'immédiat, je vais au Central. Quand j'aurai appelé la famille et rédigé mon rapport préliminaire, j'étudierai avec mon équipe les pièces à conviction dont nous disposons. Pendant ce temps, le légiste et les gars du labo travailleront. Le Dr Mira est en train d'établir un profil. Nous creusons certaines pistes dont je ne tiens pas à parler ici. Je me bagarre aussi avec le FBI qui essaie de me dessaisir du dossier et, comme si ça ne suffisait pas, je recevrai sans doute l'ordre de faire une déclaration aux médias.

— Quelles pistes ?

— Je te le répète, je ne tiens pas à en discuter pour l'instant. Laisse-moi un peu d'espace, un peu de temps pour réfléchir. D'un côté il y a l'homme que j'aime et pour qui je m'inquiète, de l'autre mon travail. Je ne suis pas aussi douée que toi pour équilibrer les deux plateaux de la balance.

— Alors je te répondrai ce que tu me dis toujours : je suis capable de prendre soin de moi.

Bizarrement, elle ne pesta pas, n'éprouva même pas de l'irritation. Seulement de la compassion et de l'angoisse. Connors, le parangon du contrôle de soi, était déchiré.

Alors elle fit une chose qu'elle ne s'autorisait jamais en public, surtout lorsque d'autres flics étaient dans les parages. Elle l'entoura de ses bras et l'étreignit, la joue pressée contre la sienne.

— Je suis désolée, murmura-t-elle, regrettant de ne

pas connaître les paroles qui réconfortent un être souffrant. Je suis tellement navrée.

Il ferma les yeux, se laissa aller contre Eve. La brûlure cuisante qui lui mordait le cœur et cette rage qui le dévorait s'apaisèrent un instant. Il avait eu dans sa vie plus que sa part d'épreuves, de douleur, et jamais personne ne lui avait offert une épaule sur laquelle s'appuyer. La compréhension et la compassion d'Eve étaient un baume sur une plaie à vif.

— Je suis dépassé, dit-il d'une voix sourde, terriblement calme. Je ne parviens pas à saisir le pourquoi de tout ça.

Elle lui caressa les cheveux.

— Nous trouverons la réponse, je te le promets.

— J'aimerais t'avoir près de moi ce soir.

— Je serai là.

Il lui prit la main, baisa le bout de ses doigts.

— Merci.

Elle attendit qu'il remonte dans sa voiture, qu'il démarre. Elle eut la tentation de le faire suivre par un véhicule de patrouille, mais cette précaution l'agacerait et il s'arrangerait pour semer ses anges gardiens.

Quand elle pivota sur ses talons, elle s'aperçut que les agents en uniforme feignaient d'être très occupés et de regarder ailleurs. Elle n'en fut même pas gênée, elle avait d'autres chats à fouetter.

— Au boulot, dit-elle à Peabody.

Connors pénétra dans l'ascenseur privé menant à ses bureaux. Il sentait la rage enfler de nouveau en lui. Mais il ne pouvait pas se permettre d'y céder pour l'instant.

Il savait comment la juguler. Cette faculté, durement acquise, l'avait maintenu en vie durant les pires années de son existence. Elle l'avait aidé à créer son empire, à devenir ce qu'il était à présent.

Mais qui était-il ?

Il ordonna à l'ascenseur de stopper, le temps de se calmer.

Il était un homme capable, pour agrémenter son univers, d'acquérir tout ce qu'il désirait et qu'il avait jadis si ardemment convoité.

La beauté, le confort, l'élégance, la respectabilité.

Un homme qui s'était donné les moyens de commander, afin de ne plus jamais, au grand jamais, avoir le sentiment d'être désarmé et vulnérable. Un homme qui détenait le pouvoir. Celui de se distraire, de se lancer des défis, de se faire plaisir.

Quelqu'un qui régnait sur des milliers de personnes dépendant de lui pour gagner leur pain. Pour vivre.

Et maintenant, deux de ces personnes étaient mortes.

Il était impuissant à changer cette réalité, à réparer. Il ne pouvait rien faire, hormis traquer le coupable et son commanditaire. Venger les victimes.

La rage obscurcit l'esprit, se dit-il. Il veillerait à garder sa perspicacité, sa clairvoyance.

Quand il émergea de l'ascenseur, son regard était glacial. Sa réceptionniste, derrière sa console, se dressa aussitôt. Elle fut cependant prise de vitesse par Mick qui surgit de la salle d'attente.

— Eh ben ! Mon vieux, je suis impressionné.

— Ne me passez aucune communication pour l'instant, déclara Connors à la jeune femme. À moins qu'il ne s'agisse de ma femme. Suis-moi, Mick.

— Et comment ! J'espère que tu vas m'emmener faire le tour du propriétaire, encore que ça risque de durer quelques semaines.

— Tu devras te contenter de mon bureau. J'ai une réunion qui m'attend.

— Quel bosseur, celui-là !

Ils longèrent une galerie vitrée dominant Manhattan puis un large couloir orné d'objets d'art. Les yeux de Mick se mirent à briller.

— Seigneur, tout ça est authentique ? Simple curiosité, rassure-toi. Tu te rappelles la fois où on avait piqué quelques babioles au musée national de Dublin ?

— Parfaitement. Mais je préférerais que mon personnel ignore cette anecdote croustillante.

Connors poussa la massive porte noire à deux battants qui donnait accès à son domaine personnel, et s'effaça pour laisser entrer son ami.

— J'oublie toujours que, maintenant, tu respectes la loi. Seigneur Dieu ! s'exclama Mick en s'immobilisant sur le seuil.

Il avait été ébloui par la demeure de Connors, néanmoins il ne s'attendait pas à ce que son bureau soit aussi luxueux.

C'était immense, l'équipement électronique à lui seul – or Mick s'y connaissait – valait une fortune. Et tout ça – ces tapis, ces boiseries précieuses, les antiquités disposées çà et là – appartenait au copain d'enfance avec qui il écumait naguère les ruelles puantes de Dublin.

— Tu désires un café ? proposa Connors.

Mick lâcha bruyamment son souffle.

— Ah, non ! J'ai besoin d'un remontant.

— Je te sers un verre de whisky irlandais.

Connors se dirigea vers un meuble ciré qui renfermait un bar. Puis il commanda à l'AutoChef une tasse de café noir et très fort.

— À la santé des voleurs ! déclara Mick en levant son verre. Tu n'appartiens peut-être plus à la confrérie, mais tu as été des nôtres et, bon sang, c'est quand même grâce à ça que tu as grimpé si haut.

— En effet. Qu'est-ce que tu as fait, aujourd'hui ?

— Oh ! j'ai joué les touristes !

Mick déambulait dans la pièce. Il entrebâilla la porte de la salle de bains, immense elle aussi, et siffla entre ses dents.

— Il ne manque plus qu'une femme nue. J'imagine que tu n'en as pas sous la main, à offrir à un vieux copain ?

— Le commerce du sexe ne m'a jamais intéressé, répondit Connors en s'asseyant pour boire son café. J'ai toujours eu des principes.

— C'est vrai. Évidemment, avec ton physique, tu n'as pas eu besoin d'acheter une nuit d'affection. Nous autres, simples mortels, n'avons parfois que cette solution.

Mick revint s'installer dans un fauteuil, face à Connors.

— Ça ne t'embête pas que je sois passé comme ça, sans prévenir ? Je ne suis pas une relation très reluisante.

Connors crut percevoir une note d'amertume dans la voix de Mick.

— Voir un vieil ami me fait toujours plaisir.

— Tant mieux. Tu sais, je suis épaté par ce que tu as réussi à construire.

— J'ai eu beaucoup de chance. Si tu le souhaites, tu peux visiter l'immeuble. Je vais m'arranger pour que tu aies un guide, pendant que j'assiste à ma réunion.

— En ce moment, tu as surtout l'air d'avoir des problèmes.

— Je viens de perdre un ami. Il a été assassiné cet après-midi.

— Je suis désolé. New York est une ville violente. Ce monde est violent. Pourquoi tu n'annulerais pas ta réunion ? On se trouve un pub et on s'enfile quelques chopes de bière, ça te fera du bien.

— C'est impossible, mais ta sollicitude me touche.

Mick hocha la tête et vida son verre.

— Eh bien, puisque ça ne te dérange pas, je vais visiter le bâtiment ! Ensuite j'ai quelques affaires à régler, et je dînerai dehors. Je rentrerai sûrement assez tard. Ce n'est pas embêtant par rapport à ton système de sécurité ?

— Summerset prendra les dispositions nécessaires.

— Cet homme est une merveille, décréta Mick qui se leva. Je m'arrêterai à St. Patrick, je ferai brûler un cierge pour ton ami.

9

Dans la salle de réunion, Eve regardait Jonah Talbot mourir. Elle regardait, écoutait. Les plus infimes détails, encore et encore.

Un jeune homme séduisant, concentré sur sa tâche, qui lisait un texte sur son écran vidéo, tout en pianotant d'une main sur le clavier d'un portable dernier cri dont les enceintes acoustiques diffusaient de la musique classique.

Il n'avait pas entendu son meurtrier entrer dans la maison, pénétrer dans le bureau.

Elle visionna de nouveau l'instant où Talbot avait senti quelque chose, une présence. Ce raidissement instinctif du corps, ce mouvement brusque de la tête. Les yeux qui s'écarquillaient. On y lisait de la peur. Pas une véritable panique, mais la stupéfaction, l'affolement.

Et le visage de Yost, impassible. Son regard mort, ses gestes précis, pareils à ceux d'un droïde. Il posait son attaché-case.

— Qui êtes-vous ? Qu'est-ce que vous voulez ?

Le réflexe habituel. Les questions que posaient presque toutes les victimes à leurs agresseurs.

Yost n'avait évidemment pas répondu. Il avait traversé la pièce. Malgré sa corpulence, il se mouvait avec une certaine grâce. Comme s'il avait pris des leçons de danse, songea Eve.

Talbot s'était redressé très vite, avait contourné sa table de travail. Pas pour fuir, pour se battre. Et là, durant un instant, on distinguait dans les yeux morts de Yost une étincelle de plaisir.

Il avait laissé Talbot donner le premier coup. Puis, alors qu'une goutte de sang coulait à la commissure de ses lèvres, Yost était passé à l'action.

Des grognements, le choc des poings qui frappaient au son de la musique. Ça n'avait pas duré longtemps. Yost était trop efficace pour jouer avec sa victime, pour s'accorder plus de temps que nécessaire. Il avait juste laissé Talbot le renverser sur le bureau, il lui avait laissé croire, une fraction de seconde, qu'il pouvait vaincre.

Mais la seringue était déjà dans la main de Yost, sous l'aisselle de Talbot.

Celui-ci avait pourtant continué à lutter, alors que la drogue brouillait sa vision, embrumait son cerveau, ralentissait ses gestes. Il ne réagissait plus, il s'évanouissait.

C'est là que Yost commençait à frapper. Lentement, méthodiquement, sans gaspiller d'énergie. Ses lèvres remuaient, il fredonnait.

Il réduisait le visage en bouillie, puis se redressait légèrement et s'attaquait aux côtes. Le craquement des os brisés était épouvantable.

—Il est calme, murmura Eve. Mais ça l'excite. Il aime ça. Il aime son boulot.

Il abandonnait Talbot, pantelant et ensanglanté, sur le sol et commandait à l'AutoChef un verre d'eau minérale. Il consultait sa montre, s'asseyait pour boire. Puis il jetait un nouveau coup d'œil à sa montre, se relevait et allait prendre dans son attaché-case le fil d'argent dont il vérifiait la solidité.

Alors il souriait et, à voir ce sourire, Eve comprenait pourquoi le joaillier en avait frémi. Il passait le garrot autour de son propre cou, en croisait les extrémités. Il ne le serrait pas suffisamment pour entailler la peau, mais assez cependant pour gêner sa respiration.

Sur le sol, Talbot bougeait, gémissait.

Yost enlevait sa veste, la pliait soigneusement sur une chaise. Il retirait ses chaussures et ses chaussettes, son pantalon, en veillant à ne pas le froisser.

Il s'approchait de Talbot, le débarrassait de son short, lui tâtait les muscles avec un hochement de tête approbateur.

Il n'avait encore qu'un début d'érection. Il resserrait le garrot autour de son cou, se caressait frénétiquement. Puis il s'agenouillait entre les jambes de Talbot, lui tapotait la joue.

— Tu es là, Jonah ? Il ne faudrait pas que tu manques ça. Réveille-toi. J'ai un beau cadeau pour toi.

Talbot entrouvrait des yeux injectés de sang, emplis de douleur et d'effroi.

— Oui, c'est bien. Écoute cette musique. L'allegro de la *symphonie en ré majeur, opus 31*. Mozart... Un de mes morceaux préférés. Je suis ravi de le partager avec toi.

— Prenez ce que vous voulez, balbutiait Talbot. Ce que vous voulez...

— Tu es très aimable, et c'est précisément ce que j'ai l'intention de faire.

Il soulevait les hanches de Talbot de ses mains pareilles à des battoirs. Le viol était interminable, d'une brutalité inouïe. Eve s'obligea à regarder, malgré la nausée qui lui tordait l'estomac, les supplications qui menaçaient de fuser de sa gorge.

Elle regarda Yost frémir tout entier de plaisir, elle l'écouta pousser un rugissement triomphal. Ses yeux étincelaient à présent, comme le fil d'argent qu'il passait au cou de Talbot. Ils étaient aussi sombres et brûlants que ceux d'un oiseau de proie, tandis qu'il le nouait sur la nuque de sa victime et serrait d'un coup sec.

Le corps de Talbot tressautait, ses doigts agrippaient désespérément le garrot.

Mais ce sursaut ne durait qu'un très bref instant. Au moins, la vie n'avait pas tardé à le quitter.

Les yeux du tueur étaient de nouveau aussi morts que ceux de sa victime. Il retournait tranquillement Talbot sur le dos, le contemplait puis, avec une certaine délicatesse, lui retirait le petit anneau qui ornait son testicule. Du bout du pied, il remettait Talbot dans sa position initiale.

Nu, luisant de sueur, il reprenait ses vêtements et son attaché-case.

Il allait ensuite dans la salle de bains du premier, dépourvue de caméras de surveillance. Huit minutes après exactement, il reparaissait, pimpant, sa mallette à la main. Il sortait de la maison sans un regard en arrière.

— Pause, commanda Eve à l'ordinateur qui projetait le film.

Peabody poussa un faible soupir, teinté de soulagement et de pitié.

— Il a consulté sa montre à plusieurs reprises, déclara Eve. Il avait donc un horaire à respecter. Manifestement, il connaissait la maison, soit parce qu'il y était déjà venu, soit parce qu'il en possédait le plan. Je crois qu'il connaissait aussi les habitudes de Talbot, son rendez-vous du mercredi pour le déjeuner. D'après les indications enregistrées par le système vidéo, il a pénétré dans les lieux à 13 heures et il en est reparti cinquante minutes plus tard. Dix minutes avant l'heure du rendez-vous, et bien avant que quiconque puisse s'inquiéter du retard de la victime. Il a laissé la porte déverrouillée afin qu'on trouve rapidement Talbot. Son commanditaire voulait que le crime soit découvert sans délai.

Eve s'approcha du tableau où étaient affichées les images figées de Darlene French et, maintenant, de Jonah Talbot.

— On le soupçonne d'avoir exécuté une bonne quarantaine de contrats au cours de sa carrière. Mais là, nous avons pour la première fois le film du meurtre. Par conséquent Yost ignorait que les caméras de la résidence n'étaient pas désactivées. Néanmoins, il aurait pu et il aurait dû s'en assurer.

— Il devient moins rigoureux, commenta McNab. Un jour ou l'autre, ils font tous une boulette.

— C'est possible, mais l'arrogance est l'une des caractéristiques de sa personnalité. Il n'a pas pris la peine de vérifier. Il n'a pas peur de nous. Pour lui, nous ne sommes que des roquets qu'il chasse d'un coup de pied. Il a acheté quatre longueurs de fil d'argent. Quatre victimes potentielles. Un contrat juteux, pour un seul client qu'il nous faut trouver dans le cursus de Yost. Il flirte avec le danger. Il se sent protégé, peut-être même invulnérable.

— D'après le salaire minimum qu'il touche habituellement, il a dû empocher entre dix et douze millions, déclara Feeney en se grattant le menton. Au rythme où il va, son contrat actuel sera exécuté dans une semaine ou deux. Et ça lui rapportera une fortune.

— En se fondant sur les informations que nous avons, il n'a jamais commis autant de meurtres en si peu de temps, renchérit Eve.

— Il envisage peut-être de prendre sa retraite ou, en tout cas, de longues vacances. Il a les moyens de changer de visage et de mener la grande vie quelque part.

— Des vacances... marmonna Eve, réfléchissant à voix haute tout en scrutant l'image de Yost sur l'écran. Jamais auparavant il n'a liquidé quatre personnes dans un périmètre aussi restreint... Il exerce cette profession depuis vingt-cinq ans ou plus. La retraite... Oui, pourquoi pas ? Ou du moins un congé sabbatique. Comme un cadre supérieur qui vient de réussir un coup important. Il a sans doute déjà tout organisé. Il est prévoyant.

— Où irait Connors s'il s'accordait ce genre de congé ?

Eve regarda Peabody, les sourcils froncés.

— Que voulez-vous dire ?

— Eh bien, d'après son profil psychologique, il se considère comme un homme d'affaires de premier ordre, un homme de goût ! Il aime les belles choses, et il peut s'offrir ce qu'il y a de mieux. La seule personne qui corresponde à ce portrait... c'est Connors.

S'il devait partir se reposer quelque part, où irait-il ?

— Question pertinente, Peabody. Il a des résidences partout. Ça dépendrait de son humeur. Il aurait besoin de calme, avec seulement un ou deux droïdes pour le servir. Il n'irait pas dans une ville. D'après son profil et ses habitudes, Yost est plus solitaire que Connors. À mon avis, il a loué ou acheté une propriété avec tout le confort imaginable et une bonne cave à vin. Mais la trouver équivaut à chercher une aiguille dans une meule de foin.

Un petit sourire perfide étira les lèvres d'Eve.

— Par contre, je pense que c'est une excellente piste à donner aux fédéraux. Qu'ils la creusent, nous, on va explorer celle de la musique. Il connaissait par cœur cette œuvre de Mozart, il la fredonnait. Peabody, vous vérifiez les réservations pour les concerts, l'Opéra, les ballets, et cetera. Les meilleures places, celles qui coûtent le plus cher. Dressez la liste des spectateurs qui ont pris un seul billet. McNab, vous vous occupez des achats de disques de musique classique, réglés en liquide. C'est un collectionneur.

Eve arpentait à présent la salle, son esprit tournait à plein régime.

— Il nous faut les résultats du labo, je vais bousculer un peu Dickhead. Je veux voir ce que les gars de l'identité judiciaire ont récupéré dans la salle de bains. Il s'est douché mais n'a pas utilisé la savonnette réservée aux invités. Quand il exécute un boulot comme celui-ci, notre psychopathe maniaque trimballe sans doute son savon, son shampooing et ses objets de toilette dans son attaché-case. Ça nous fait une autre piste à suivre. Feeney, tu peux contacter les cousins joailliers, pour le fil d'argent, pendant que je secoue Dickhead ?

— D'accord.

À ce moment, son communicateur bourdonna.

— Une minute… bougonna-t-il en s'éloignant pour répondre.

— Lieutenant ? dit McNab, visiblement gêné. Je pensais à… à la façon dont Yost s'est servi du garrot pour…

pour bander. Même si ce type est raffiné, s'il aime Mozart et le bon vin, il a l'expérience de la pornographie et probablement des prostitués qui ne rechignent pas à certaines perversions sexuelles. Si c'est un solitaire, il a probablement du matériel vidéo ou holographique. Il est possible de s'en procurer sur le marché légal, mais il y a le reste, notamment ces films où les acteurs sont réellement assassinés. À mon avis, il doit apprécier ce genre de truc. Et ça, on le trouve au marché noir.

— Vous avez l'air d'en connaître un rayon sur le sujet, persifla Peabody d'un ton sec.

— J'ai travaillé un certain temps pour la brigade des mœurs, se justifia-t-il, penaud. Je pourrais essayer de remonter cette piste. Comme vous avez dit, lieutenant, c'est un collectionneur.

— Parfois, McNab, vous me surprenez, ironisa Eve. Allez-y, vous avez ma bénédiction.

— Le salaud, grommela Feeney en rempochant son communicateur. J'avais lancé une recherche sur les crimes similaires à Londres ou en Angleterre, au cours de la période que tu avais définie. Chou blanc… Alors j'ai demandé à un de mes gars de ratisser plus large. Il a trouvé quelque chose.

— Où ?

— Dans le comté de Cornouailles, le long de la côte. Les flics ont découvert deux cadavres sur la lande. En très mauvais état. Forcément, ils étaient restés longtemps en pleine nature. Ils avaient été étranglés, mais il n'y avait pas de fil d'argent. C'est pour ça qu'on n'a pas fait immédiatement le rapprochement.

— Et maintenant, pourquoi tu relies cette affaire à Yost ?

— Les policiers locaux ont réussi à déterminer la date de la mort, et ça colle. Le *modus operandi* également. Les deux victimes, un homme et une femme, ont été rouées de coups, principalement au visage. On leur a administré un tranquillisant. On les a violés. Mon subalterne s'est procuré les clichés des cadavres pour étudier les plaies au cou, en tout cas ce qui est encore visible, et ça correspond. Le randonneur qui les a découverts a prévenu la police, mais il est parti avant l'arrivée des flics. C'est peut-être lui qui a chipé les fils d'argent.

— On a identifié les victimes ?

— Oui. Un couple de contrebandiers qui avaient leur quartier général dans un cottage de la région. Je peux obtenir plus de renseignements, discuter avec l'inspecteur qui a mené l'enquête.

— D'accord, et tu me transmettras tout ça sur mon ordinateur personnel. Je vais aussi donner aux fédéraux cet os à ronger. Avec un peu de chance, ça les incitera à me lâcher les baskets. Rendez-vous demain matin à 8 heures, chez moi. Si vous avez quoi que ce soit de nouveau d'ici là, contactez-moi.

Elle secoua Dickie, le responsable du labo, et elle le secoua comme un prunier. À son habitude, il se répandit en lamentations. Elle le menaça des pires représailles, puis lui agita une carotte sous le nez – en l'occurrence une bouteille de rhum jamaïcain : c'était ainsi que fonctionnait leur relation. Satisfait, il accepta de s'atteler à la tâche sur-le-champ.

Ensuite elle fit son rapport à Whitney qui l'autorisa à fournir à Jacoby et Stowe les éléments qu'elle avait sélectionnés. Comme elle le craignait, il lui annonça dans la foulée qu'elle n'échapperait pas à une conférence de presse, le lendemain à 14 h 30.

Elle regagna son bureau en rouspétant, et appela Stowe.

Le joli visage de l'agent fédéral apparut sur l'écran, empreint d'une expression irritée.

— Lieutenant, comment se fait-il que j'apprenne par un bulletin télévisé un meurtre vraisemblablement commis par Sylvester Yost ?

— Parce que les nouvelles vont vite, agent Stowe, et que je n'ai pas manqué d'occupations. Je vous appelle précisément pour vous mettre au courant. Alors, si vous me cassez les pieds, nous allons perdre du temps.

— Vous auriez dû nous prévenir, mon équipier ou moi, avant de quitter la scène de crime.

— Je ne me souviens pas d'avoir lu cette directive dans le manuel de procédure. Je vous contacte maintenant par courtoisie, or je sens que ma courtoisie s'épuise.

— Une saine coopération…

— Si vous voulez de la coopération, taisez-vous et écoutez.

Eve marqua une pause, observant Stowe qui frémissait d'indignation puis prenait une inspiration pour se calmer.

— J'ai certains éléments qui pourraient être utiles pour votre enquête et pour la mienne. Je crois que, là-dessus, vous pourriez travailler plus vite que nous. Vous voulez qu'on coopère, on va négocier. Dans vingt minutes, je serai dans un club du centre, Le Tripot. Je vous y attends, et n'oubliez pas qu'un marché, c'est donnant donnant.

Elle coupa la communication sans laisser à Stowe le temps de réagir.

Puis elle fonça au club, pour être sûre d'y arriver avant ses collègues.

Lorsqu'elle entra, un large sourire fendit la figure étonnamment laide d'un énorme Noir tatoué et paré de plumes, au crâne aussi luisant qu'une boule de billard.

— Salut, Blanchette.

— Salut, Noiraud.

Il était trop tôt pour la clientèle qui fréquentait ce club de strip-tease intégral. Il y avait cependant quelques mordus attablés dans la salle et une seule danseuse qui semblait s'ennuyer ferme et agitait sans conviction son opulente poitrine au rythme de la musique.

Crac, le patron de l'établissement, s'employait essentiellement à évacuer les clients que le spectacle échauffait à l'excès. Il les empoignait et les balançait sur le trottoir où leur crâne se fracassait. C'était ainsi qu'il avait acquis ce surnom : Crac.

Il passa derrière le bar, et servit à Eve un café noir à l'aspect décourageant.

— Il y a longtemps que vous m'avez pas rendu visite, vous me manquiez.

— Arrête, tu vas me faire pleurer.

Elle avala une gorgée de l'infect breuvage qui lui écorcha le gosier.

— J'attends deux fédéraux.

Il prit une mine si consternée que même la tête de mort ricanante tatouée sur sa joue en eut l'air chagriné.

— Amener des fédéraux chez moi ? Mais pourquoi vous me faites une chose pareille, ma douce ?

— Je veux leur montrer un haut lieu de notre merveilleuse cité. Ils sont de Washington, ils se considèrent comme le sel de la terre, et j'aimerais bien qu'ils voient comment ça se passe dans le monde réel. J'ai l'impression que la femme n'est pas si mal, mais le type est un enquiquineur de première.

— Il faut que je leur chatouille un peu les côtes ?

— Non, contente-toi de leur décocher ces regards aimables dont tu as le secret pour leur donner des émotions fortes dont ils se souviendront longtemps. Oh ! et sers-leur une tasse de cet extraordinaire café !

Les dents de Crac étincelèrent, pareilles à des colonnes de marbre.

— Vous avez vraiment un mauvais fond.

— Je sais. Tu as quelque chose ici que les fédéraux ne devraient pas renifler ?

— On est clean... pour l'instant. Ah ! les voilà qui se pointent ! remarqua-t-il. Plus blancs que blanc, même elle qui a du sang nègre dans les veines. Ils engagent jamais des gens de couleur, au FBI ?

— Si, mais travailler pour le Bureau, ça fait déteindre. Mets-toi à l'écart, Crac, chuchota-t-elle.

Elle pivota sur son tabouret.

— Bonjour.

— Vous choisissez des endroits charmants, lieutenant, dit Jacoby en fronçant le nez.

Il inspecta un tabouret, s'y percha avec une répugnance manifeste.

— Moi, ça me plaît bien. Du café ? C'est ma tournée.

— Ça me semble risqué, dans une pareille décharge à ordures.

Crac se précipita, se pencha vers Jacoby.

— Vous traitez mon établissement de décharge à ordures ?

Karen Stowe s'interposa.

— Il parle à tort et à travers, dit-elle d'un ton enjoué. C'est génétique, il n'y peut rien. Je prendrai volontiers un café, merci.

— À votre service.

Avec une dignité impériale, Crac prépara le café, non sans avoir lancé à Eve un regard pétillant d'humour.

— Vous avez apporté quelques biscuits pour moi ? demanda celle-ci.

— Le Bureau n'a pas l'habitude de faire du troc avec les policiers locaux.

— Jacoby, bon Dieu… le rabroua Stowe. Si on s'installait plus confortablement ? proposa-t-elle à Eve.

— D'accord.

Eve attendit que Crac leur servît leurs cafés et les conduisît à une table isolée.

— J'ai certains éléments pour vous concernant une affaire qui ressemble à la méthode Yost, déclara Stowe. Un juge de la Cour suprême, assassiné il y a deux ans.

— Un juge violé et garrotté, ça déclenche l'hystérie des médias, objecta Eve. Je ne me rappelle pas avoir entendu quoi que ce soit là-dessus.

— La politique… On a étouffé l'histoire parce que le juge était en compagnie d'une jeune fille mineure.

— Elle est morte ?

— Non. Je continue à fouiller, mais il apparaît d'ores et déjà que cette gamine a été droguée, puis ligotée et enfermée dans une pièce voisine. Je ne parviens pas à avoir son nom, tout ça est bien verrouillé, néanmoins il semblerait que les autorités l'aient mise à l'abri. Le service de protection des témoins, je présume. On ne veut pas qu'elle parle du juge qui avait un penchant déplorable pour la jeunesse. Officiellement, il est décédé d'une crise cardiaque. L'équipe médicale, à son arrivée sur les lieux, n'aurait pas pu le ranimer. Voilà... Et maintenant, à vous.

Eve hocha la tête et réprima un sourire en voyant Jacoby ingurgiter une gorgée de café et devenir subitement verdâtre. Elle attendit qu'il se remette du choc, puis exposa à Stowe les informations qu'elle avait décidé de lui communiquer.

—Les Britanniques me transmettront les dossiers, affirma son interlocutrice. Nous devrions retrouver le randonneur sans trop de difficultés. Quant à cette propriété que posséderait Yost pour les vacances ou la retraite, je crois que c'est une bonne piste. J'ai abouti à la même conclusion que vous. Il ne frappe jamais deux fois au même endroit. S'il a quatre cibles à New York, il pourrait bien s'accorder ensuite un congé. On va creuser ça et voir ce que ça donne.

Stowe marqua une pause.

—Je serai dans l'obligation d'interroger votre mari.

—J'ai largement rempli ma part du marché. Ne poussez pas trop le bouchon.

—Nous n'avons pas besoin de votre permission, Dallas, intervint Jacoby qui avait repris ses esprits.

—Vous n'avez qu'à tenter le coup, il ne fera qu'une bouchée de vous. Écoutez, poursuivit Eve en se retournant vers Stowe. S'il avait des réponses, ou le moindre soupçon sur l'identité du commanditaire, il me le dirait. Il connaissait Jonah Talbot, il avait de l'amitié pour lui et il se sent responsable. Il veut que Yost soit arrêté, pour des raisons personnelles. Moi aussi. Il collaborera avec moi, avec la police new-yorkaise, mais pas avec vous.

—Il le ferait si vous insistiez.

—Peut-être, mais je m'abstiendrai. Suivez les pistes

que je vous ai fournies et voyez où ça mène. Ne vous plaignez pas, j'ai été plus généreuse que vous.

Eve se leva, fixa sur eux un regard dur.

— Je vais être très claire. Pour vous approcher de Connors, il faudra me marcher dessus. Si par miracle vous réussissiez à me piétiner, il vous couperait les pattes sans sourciller et vous passeriez le reste de votre vie à vous demander ce qui est arrivé à votre carrière et votre brillant avenir. Collaborons, et on aura la peau de ce salopard. Vous en récolterez les lauriers, je m'en fiche. Mais surtout laissez Connors tranquille.

Elle pivota, se dirigea vers le bar et, d'un geste brusque, jeta quelques billets sur le comptoir.

— Vous leur avez bien botté les fesses, Blanchette, chuchota Crac avec un clin d'œil.

— Et ce n'est qu'un début…

Dès qu'Eve fut sortie, Stowe poussa un soupir de soulagement.

— Ça s'est bien passé, non ?

— Nous poser des ultimatums… marmonna Jacoby d'un ton dégoûté. Pour qui elle se prend ?

— Pour un bon flic, riposta Stowe.

Elle en avait plus qu'assez de caresser cet imbécile dans le sens du poil. Malheureusement, sans lui, elle n'aurait pas accès à l'affaire Yost.

— Elle défend son territoire professionnel et personnel, ajouta-t-elle. C'est normal.

— Les policiers dignes de ce nom n'épousent pas des criminels.

Stowe le dévisagea longuement.

— Tu es vraiment stupide. Tu racontes n'importe quoi. On a certains soupçons sur les activités passées de Connors, je te l'accorde, mais personne – *personne* – dans aucun organisme d'investigation terrestre ou interplanétaire ne possède la moindre preuve, le moindre indice susceptible d'établir un lien entre lui et un quelconque crime ou délit. En outre, je te signale que, dans cette affaire, il est une victime. Il le sait, Dallas le sait, et nous aussi. Alors, s'il te plaît, arrête de débiter des âneries.

Cela le vexa tellement qu'il en but une autre gorgée de café, laquelle manqua l'étouffer.

— Tu es dans quel camp ? hoqueta-t-il.

— Attends que je réfléchisse… Dans celui de la loi et de l'ordre, il me semble. Comme Dallas.

— À d'autres ! Elle ne nous a pas donné toutes les informations qu'elle a.

— Ah bon ? rétorqua-t-elle avec une ironie glaciale. Tu ne crois pas qu'à sa place nous aurions fait la même chose ? Il n'empêche qu'elle ne nous a pas menés en bateau. Elle nous a fourni des pistes intéressantes. Et quand elle a affirmé qu'elle nous laisserait récolter les lauriers, elle était sincère. Ce n'est pas la gloire qui la motive.

Elle repoussa sa tasse de café, à laquelle elle n'avait pas touché, se leva.

— J'aimerais pouvoir en dire autant.

10

Eve comptait, sitôt arrivée à la maison, monter directement dans son bureau pour étudier les nouveaux éléments que son équipe avait réunis, et grignoter le bout d'os que les fédéraux lui avaient jeté.

Ses projets furent chamboulés à l'instant même où elle franchit le seuil. Elle ne fut pas surprise de voir Summerset dans le hall. S'ils n'échangeaient pas chaque soir quelques propos aigres-doux, elle était frustrée.

Mais alors qu'elle ouvrait la bouche pour lui envoyer la première pique, il lui coupa la parole :

— Connors est en haut.

— Normal, je vous rappelle qu'il habite ici.

— Il ne va pas bien.

Elle sentit son estomac se contracter. Elle ébaucha le geste de retirer sa veste, et ni l'un ni l'autre ne nota que Summerset l'aidait à s'en débarrasser et gardait sur son bras ce vêtement qu'il exécrait.

— Où est Mick ?

— Il dîne dehors.

— Donc, ce n'est pas lui qui distraira Connors. Quand est-il rentré ?

— Il y a une demi-heure environ. Il a passé quelques coups de fil, mais il n'est pas encore dans son bureau. Il est dans votre chambre.

Elle opina, commença à monter l'escalier.

— Je m'en occupe.

— Je vous fais confiance, murmura Summerset.

Elle trouva effectivement Connors dans la chambre. Il était en communication, immobile devant les hautes fenêtres dominant le jardin où le printemps éclatait.

— Si je peux faire quoi que ce soit pour vous aider...

Tout en écoutant la réponse de son correspondant, il ouvrit la fenêtre et se pencha, comme s'il avait besoin d'air frais.

— Nous le regretterons tous infiniment, madame Talbot. Sachez que Jonah était aimé et respecté. Non... ajouta-t-il après un silence, nous ignorons hélas pourquoi...

Il se tut de nouveau un long moment. Eve avait si souvent vécu ce genre de situation, elle imaginait sans peine la souffrance de Mme Talbot.

Et celle de Connors.

— Oui, bien sûr, dit-il enfin. Je vous en prie, appelez-moi si vous avez besoin de quoi que ce soit. Courage, madame Talbot.

Il retira les écouteurs de l'appareil, mais resta devant la fenêtre. Sans bruit, Eve s'approcha, l'enlaça et s'appuya contre son dos.

Elle sentit son corps se crisper.

— C'était la mère de Jonah.

— Oui, j'ai entendu.

— Elle m'est reconnaissante de lui offrir mon aide. Elle m'a remercié de lui présenter mes condoléances.

Il parlait d'une voix sourde, atrocement sarcastique.

— Naturellement, j'ai omis de lui préciser que son fils serait toujours vivant s'il n'avait pas travaillé pour moi.

— Peut-être, mais...

— C'est certain !

Avec une violence inouïe, il brisa les écouteurs en deux et les balança dans le jardin. Eve manqua perdre l'équilibre, se rattrapa de justesse. Elle était de nouveau solidement campée sur ses jambes quand il pivota.

— Il n'avait rien fait. Rien du tout ! Il était simplement l'un de mes salariés. Comme la petite femme de chambre. Et pour cette seule raison, ils ont été molestés, violés et tués. Je suis responsable de tous ceux qui travaillent pour moi. Combien seront-ils encore à mourir à cause de moi ?

— Voilà exactement ce qu'il cherche. Que tu te culpabilises, que tu te ronges.

La fureur de Connors, que Feeney avait prédite, était là. Bouillante, prête à se déchaîner.

— Donne-lui ce qu'il veut, poursuivit-elle. Fais-lui savoir que tu es anéanti, et il en voudra encore plus.

— Alors, quelle est la solution ? articula-t-il en serrant les poings. Je peux combattre un adversaire que j'ai devant moi. D'une manière ou d'une autre, je suis capable de l'affronter. Mais comment je peux lutter contre ça ? Tu as une idée du nombre de personnes qui travaillent pour moi ?

— Non.

— Moi aussi, je l'ignorais. Aujourd'hui, je me suis plongé dans les chiffres. C'est ma spécialité, les chiffres. Eh bien, j'ai des millions de salariés ! Je lui offre sur un plateau des millions de proies possibles.

— Non.

Elle l'agrippa par les bras.

— Réfléchis. Tu ne lui offres rien, c'est lui qui prend. Réagir publiquement, montrer ton désarroi serait une erreur monumentale. L'aveu que tu es vaincu.

— Oui, mais peut-être qu'à partir de là il s'attaquerait directement à moi.

— C'est possible.

Elle lui caressait les bras, dans un geste inconscient de réconfort.

— Cette idée m'est venue, à moi aussi, et elle m'angoisse. Mais quand j'arrête de penser avec mon cœur pour raisonner avec ma tête, cette hypothèse ne tient pas. Il ne veut pas te tuer. Il veut te blesser. Tu comprends ? Il te veut brisé, tourmenté… comme tu l'es en ce moment.

— Dans quel but ?

— Voilà ce qu'il nous faut découvrir. Et on trouvera. Assieds-toi.

— Je n'ai pas envie de m'asseoir.

— Assis, ordonna-t-elle sur le ton autoritaire qu'il prenait souvent avec elle quand elle avait besoin de repos.

Comme il lui décochait un regard torve, elle haussa les épaules et alla lui préparer un cognac.

Une seconde, elle envisagea de lui administrer un sédatif en catimini, cependant il s'en apercevrait. Elle pourrait essayer de le lui faire avaler de force – il ne s'était pas gêné pour lui infliger pareil traitement – mais elle n'était pas certaine d'avoir physiquement le dessus.

Ça ne servirait qu'à les mettre tous les deux dans une colère noire.

— Tu as mangé ? demanda-t-elle.

Trop torturé pour remarquer cette brusque inversion de leurs rôles habituels, et s'en amuser, il poussa un soupir exaspéré.

— Non, grommela-t-il. Pourquoi tu ne vas pas travailler un peu ?

— Pourquoi tu es aussi cabochard ?

Elle posa le verre d'alcool sur la table basse.

— Et maintenant tu t'assieds, dit-elle, les poings sur les hanches. Ou, si tu préfères, je me charge de te faire asseoir. Une petite bagarre te ferait peut-être du bien. Je suis à ta disposition.

— Je ne suis pas d'humeur.

Néanmoins, comme il était d'humeur à ruminer, il s'exécuta.

— Écran vidéo, commanda-t-il.

— Stop, contra-t-elle. Pas de médias.

— Écran vidéo, répéta-t-il. Si tu ne veux pas regarder, tu sors.

— Stop !

— Lieutenant, tu commences à me chauffer sérieusement les oreilles.

La fureur de Connors enflait de nouveau et menaçait de s'abattre sur Eve. C'était précisément ce qu'elle souhaitait. Il n'en était pas encore au stade de la rage froide. Mais ça viendrait.

— Je t'énerve parce que c'est la voix de la raison qui parle par ma bouche.

— Eh bien, va jacasser ailleurs ! Je ne veux pas de ton cognac, ni de ta compagnie, ni de tes conseils de flic.

— Parfait, je boirai le cognac.

Elle détestait ce breuvage.

— Je t'épargnerai mes conseils de flic, mais... enchaîna-t-elle en se pelotonnant sur ses genoux, je reste là.

Il tenta de la repousser.

— Dans ce cas, c'est moi qui sortirai de cette pièce.

— Tu n'iras nulle part, rétorqua-t-elle en lui nouant les bras autour du cou. Dis donc... je suis aussi pénible quand je suis de mauvais poil ?

Il soupira de nouveau puis, vaincu, appuya son front contre celui d'Eve.

— Tu es épouvantablement odieux. Je me demande pourquoi je te garde.

— Moi aussi.

Elle lui effleura les lèvres d'un baiser.

— Peut-être à cause de ça...

Glissant les doigts dans ses cheveux, elle l'embrassa à pleine bouche, passionnément.

— Eve...

— Laisse-toi faire. Je t'aime.

Et elle ne supportait pas de le voir désespéré et vulnérable. Ils travailleraient ensemble sur cette affaire, ils combattraient ensemble. Plus tard. Pour l'instant, elle voulait simplement l'apaiser.

Lentement, elle lui déboutonna sa chemise, baisa sa poitrine, son cœur qui cognait.

— J'aime le goût de ta peau...

Elle se mit à califourchon sur lui, plongea son regard dans le sien, si bleu, que le désir commençait à troubler.

Elle s'était trompée. La tendresse et la douceur ne l'amèneraient pas à cette froide détermination qu'elle cherchait à faire renaître en lui. Il avait besoin de violence.

Sans cesser de le contempler, elle se débarrassa de son holster, de sa chemise.

Il ne la touchait toujours pas. Quand il poserait la main sur elle, les digues se rompraient. Pour l'instant, il s'obstinait à résister.

Elle se pressa contre lui, écrasa sa bouche sur la sienne.

— Touche-moi…

Alors il céda. Brutalement, il la renversa sur le canapé, se coucha sur elle. Il la pétrissait, la mordait, prêt à la dévorer, se repaître d'elle pour combler ce vide atroce, béant en lui.

Lorsqu'elle laissa échapper son premier cri de plaisir, qu'elle lui griffa le dos, il accéléra le tempo. Ils étaient à l'unisson, leurs corps laqués de sueur se heurtaient, fusionnaient.

Envahi par une rage sauvage, il n'avait qu'une idée : elle, s'unir à elle, la prendre tout entière, cette femme souple comme une liane qui était faite pour lui, cette chair délicate que meurtrissaient ses muscles d'homme.

Cette gaine de soie que ses doigts exploraient, cette eau divine dont il s'abreuvait.

Elle est à moi. À moi, criait une voix dans sa tête.

Elle jouissait, encore et encore.

Elle est à moi.

D'un coup de reins, il la pénétra. À travers le voile de sang qui brouillait sa vision, il distinguait les yeux de son amour. Le feu y brûlait.

— Je suis en toi, souffla-t-il, tandis que tous deux dérivaient vers la folie. Tout ce que je suis est là, en toi. Mon corps, mon âme…

Eve mit longtemps à reprendre ses esprits. Quand elle parvint à se rappeler son nom, Connors était toujours couché sur elle. Il ne bougeait pas.

Elle lui caressa le dos, lui donna une tape sur les fesses.

— Si ça ne t'ennuie pas, j'aimerais bien pouvoir respirer.

Il releva la tête puis, avec difficulté, se redressa sur les coudes.

— Tu as l'air très contente de toi.

— Pourquoi pas ? Je suis aussi très contente de toi.

— Merci, murmura-t-il en embrassant la fossette qu'elle avait au menton.

— Tu n'as pas à me remercier. Nous sommes mariés, le devoir conjugal fait partie des obligations d'une bonne épouse.

— Idiote... Merci de me comprendre si bien. De t'occuper de moi.

— Tu m'as souvent montré l'exemple.

Elle repoussa la mèche qui barrait le front de Connors.

— Tu te sens mieux ?

— Oui.

Il se rassit, la prit sur ses genoux.

— Laisse-moi savourer ça encore un petit moment, dit-il en lui caressant la cuisse.

— Arrête, ou on va se retrouver en position horizontale.

— Mmm, c'est tentant. Mais nous avons du pain sur la planche. Lieutenant... serai-je autorisé à travailler avec toi sur cette affaire ou faudra-t-il que je fasse valoir mon point de vue au risque de dévaster cette magnifique chambre ?

Elle se nicha contre lui, resta un instant silencieuse.

— Je suis partagée. Non... ne m'interromps pas, s'il te plaît. Une part de moi veut te tenir à l'écart. Parce que j'ai peur pour toi. Mais le flic sait que plus tu seras impliqué dans l'enquête, plus vite on coincera ce salaud. Le flic et toi ayant le même objectif, la femme s'incline.

— Vous aider, participer, me permettra de mieux supporter tout ça.

— Oui, maintenant j'en suis convaincue. Bon... on se douche, on mange un morceau, et après je pose les règles de base.

— J'ai toujours détesté cette expression. Les règles de base.

— Je sais, rétorqua-t-elle avec un petit rire.

Ils se firent servir un plat de pâtes aux fruits de mer, et elle posa ses conditions.

— Si Whitney est d'accord, tu seras officiellement intégré dans l'équipe en tant qu'expert consultant civil. Ce statut confère certains privilèges, et des limites à ne pas franchir. Tu percevras une rémunération – à mon avis, l'équivalent de ce que tu as payé pour une de tes six cents paires de chaussures. On te remettra…

— Un insigne ?

— Ne sois pas ridicule, gronda-t-elle en pointant le menton. Tu auras une carte avec ta photo et tes empreintes. Tu ne seras pas autorisé à porter une arme.

— Ce n'est pas grave, je possède tout un arsenal.

— Tais-toi, s'il te plaît. Tu auras accès uniquement aux informations que te communiquera le responsable de l'enquête. En l'occurrence, moi.

— Ça, c'est pratique.

— Tu devras obéir aux ordres, faute de quoi tu serais mis sur la touche. Là aussi, c'est le responsable de l'enquête qui décide. On respectera à la lettre le manuel de procédure.

— Je me suis toujours demandé combien ce fameux manuel avait de pages.

— Je te signale que faire le malin peut se solder par une sanction disciplinaire.

— Tu sais que tu m'excites, chérie ?

Elle grogna, alors qu'elle avait envie de chanter : il était de nouveau lui-même.

— Mes collaborateurs et moi, nous aurons besoin de consulter certains de tes dossiers, reprit-elle.

— Entendu.

— Bon, conclut-elle en avalant une dernière bouchée. Au boulot.

— Tu as fait le tour des règles de base ?

— Si j'en ai oublié, je te les expliquerai au fur et à

mesure. Ouste ! Dans mon bureau ! Je vais te dire où l'on en est.

Travailler avec Connors avait un avantage : il comprenait les flics. Parce qu'il était marié avec Eve mais surtout, soupçonnait-elle, parce qu'il avait passé des années de sa vie à leur damer le pion.

Elle n'était pas obligée de lui mettre les points sur les *i*, ce qui lui évitait de perdre du temps.

— Tu n'as pas donné tous les éléments que tu avais au FBI, commenta-t-il. Ils finiront par le savoir.

— Oui, et ils le digéreront.

— Si tu as rassemblé en moins d'une semaine plus d'informations importantes qu'ils n'en ont obtenu pendant des lustres, ils seront terriblement vexés.

— Oui, et ça me désole pour eux.

— Tu as un esprit de compétition déplorable, lieutenant.

— Peut-être. Ils n'ont pas accordé suffisamment d'attention au fil d'argent. Le profil qu'ils ont établi indique que Yost a un *modus operandi*, que c'est un maniaque du détail, et pourtant ils ont négligé les détails.

— C'est typique du FBI, non ? Ils s'appuient sur des renseignements officiels, estampillés, ils se méfient de l'instinct.

Comme elle le dévisageait en fronçant les sourcils, il lui adressa un grand sourire.

— Simple intuition, je n'ai pas eu affaire à eux personnellement. En tout cas, ça ne vaut pas la peine d'en parler maintenant.

— Ah, oui ? N'oublie pas de me rappeler d'en discuter plus tard.

— Mmm... Je voulais simplement dire que toi, tu te fies non seulement aux informations dont tu disposes, mais aussi à ton flair. Tu n'écartes *a priori* aucune hypothèse.

— À la décharge des fédéraux, la plupart d'entre eux ne vivent pas avec un individu qui a les moyens de débourser cinq mille dollars pour un shampooing dans un joli flacon. Alors ils ne considèrent pas les choses sous cet angle. Ils n'imaginent pas ce que c'est, un type riche qui s'offre tout ce qui lui fait plaisir.

— Tandis que toi, tu connais ça par cœur. Mais comme tu as quelques lacunes en matière de luxe, je suis bombardé expert consultant.

— Civil, précisa-t-elle. Et nous n'avons pas encore le feu vert de Whitney.

— En l'attendant, je voudrais visionner la vidéo du meurtre de Jonah.

— Non.

— Je veux voir ce que Yost portait, et comment. J'ai regardé les images enregistrées par les caméras de l'hôtel. Il avait un costume confectionné par un tailleur anglais.

— Comment diable reconnais-tu un tailleur anglais au premier coup d'œil ?

— Eve chérie, répliqua-t-il, pinçant entre le pouce et l'index le tee-shirt fané et informe de sa femme. Il y a des gens pour qui la mode et l'élégance sont une priorité.

— Si tu crois m'offenser, tu te goures.

Elle prit le disque dans son sac, l'inséra dans le lecteur de son ordinateur.

— Je vais te le montrer devant la porte de la maison, ça devrait te suffire. Ordinateur, lecture : plan un à quinze, sur l'écran mural.

Ils observèrent tous les deux Yost qui montait nonchalamment les marches du perron.

— Oui, il s'habille en Angleterre, murmura Connors. Les chaussures aussi sont anglaises. Je ne distingue pas bien l'attaché-case.

— D'accord. Ordinateur, agrandis dix fois l'image, section douze à vingt-deux.

Sur l'écran s'affichèrent la main de Yost et la mallette.

— Un attaché-case Whitford, vendu exclusivement à Londres. La manufacture m'appartient.

— Parfait. On se concentre sur les ventes à Londres. Les designers anglais.

— Les tailleurs, rectifia-t-il.

Eve plissa le front.

— Moi, je trouvais que pour Talbot il avait adopté un look plutôt artiste.

— La perruque et le foulard donnent cette impression-là, mais le reste est très classique. Le costume me paraît être un Marley, quoique Smythe et Wexville aient aussi ce style strict, très structuré. Les chaussures sont des Canterbury, j'en suis presque certain.

Eve loucha sur les chaussures qui, pour elle, étaient des souliers noirs sans rien de spécial.

— Bon, on suivra cette piste. Ordinateur, éjecte le disque.

— Annuler commande, dit Connors. Je veux voir la suite.

— Non, c'est inutile.

— Tu préfères que je le fasse derrière ton dos ?

— Je te répète qu'il est inutile de t'infliger ça.

— J'ai parlé à sa mère, elle pleurait. Ordinateur, suite du film.

Pestant entre ses dents, Eve se leva et alla remplir deux verres de vin. Elle n'avait pas besoin de regarder la vidéo. Elle n'avait qu'à fermer les paupières pour que sa mémoire lui restitue ce cauchemar du début à la fin. Cette nuit, quand elle se coucherait, elle la revivrait probablement encore. Ou pire, elle remonterait dans le temps, serait de nouveau cette enfant brisée et ensanglantée dans une pièce sordide où clignotait une lumière rouge.

Rassemblant son courage, elle revint s'asseoir près de son mari.

— Pause, ordonna Connors d'une voix glaciale.

Il scrutait l'écran. Jonah Talbot gisait sur le sol et celui qui allait le tuer déboutonnait sa chemise.

— Agrandissement de l'image, section trente à quarante-deux.

Il attendit que l'ordinateur s'exécute, hocha la tête.

— Tu as remarqué ce petit dessin sur le poignet ? C'est la marque de Finwyck, un chemisier de Bond Street, à Londres. On continue...

Il visionna le film en entier, sans prononcer un mot, sans broncher. Cette rage froide qu'Eve avait cherché à faire naître en lui était bien là, et elle imprégnait l'atmosphère de la pièce.

Quand ce fut terminé, il éjecta le disque qu'il posa sur le bureau d'Eve. Il ne s'accorda qu'un bref instant pour se ressaisir.

— Je suis navré de t'avoir obligée à revoir tout ça. Je ne comprendrai jamais vraiment comment tu arrives à supporter ces horreurs, jour après jour.

— En me disant que j'arrêterai ce psychopathe, que je veillerai à ce qu'on le jette au fond d'un trou pour qu'il ne puisse plus nuire.

— Ça ne suffit pas... marmonna-t-il.

Il prit son verre de vin, le vida d'un trait.

— Il porte une montre suisse, naturellement. Une Rolex. J'en possède une moi-même, comme tous ceux qui sont attachés à la ponctualité. Là aussi je peux t'aider, parce que...

— L'usine t'appartient.

— Ainsi que les principaux magasins qui vendent ce modèle. Même chose pour l'attaché-case et les chaussures. Le reste de sa garde-robe réclamera plus de temps dans la mesure où il faudra, je présume, fournir les mandats et la paperasse nécessaires. À Londres, tout est fermé à cette heure-ci.

— Je m'en occuperai demain matin. Dans l'immédiat, obtiens-moi ce que tu peux. Moi, je vais me pencher sur le juge de la Cour suprême.

— Tu as demandé à McNab de vérifier les réservations pour les concerts de musique classique, et cetera. S'il rencontre des obstacles, préviens-moi, j'arrangerai ça.

— D'accord.

— En ce qui concerne le porno écoulé au marché noir, j'ai encore quelques contacts dans ce milieu. Plus exactement, je connais des gens qui connaissent des gens.

— Non, ça risquerait de se savoir et d'alerter le salaud qui approvisionne Yost. Du coup, il comprendrait que je suis sur ses talons.

— Je peux facilement effacer mes traces. Mon équipement...

— Pas cette fois, Connors. Je dois pouvoir expliquer à l'équipe comment je me suis procuré certaines informations. On respecte les règles.

— C'est toi le patron.

Dans son appartement encombré, où régnait une belle pagaille, McNab travaillait sur son ordinateur favori, tandis que Peabody, en chemise et pantalon d'uniforme, se concentrait sur l'écran d'un des nombreux mini-portables de son amant.

Éplucher les sites pornographiques commençait à lui donner la migraine, cependant elle s'acharnait, déchiffrait les titres et les pseudonymes des amateurs qui téléchargeaient les bandes-annonces.

McNab avait une théorie : Yost naviguait peut-être dans ce labyrinthe et visionnait ces extraits d'une durée de trente-deux secondes pour faire son choix. Il n'était pas impossible qu'il commande ses vidéos sur le Net, auquel cas il utilisait une carte de crédit. Néanmoins, même s'il se contentait des bandes-annonces, il se connectait sous un pseudonyme.

La plupart des titres étaient grotesques. Elle doutait fort que Sylvester Yost soit appâté par ces âneries.

Elle poussa un soupir, se frotta les yeux – il lui semblait avoir du sable sous les paupières – et farfouilla dans son sac à la recherche d'un antalgique.

McNab, distrait, lui massa la nuque.

— Tu veux faire une pause ?

— Je veux juste assommer mon mal de crâne et me dégourdir un peu les jambes.

Elle se leva, s'étira et alla dans la cuisine.

McNab savait qu'elle avait annulé un rendez-vous avec Charles Monroe pour travailler avec lui. Il était ravi que le séduisant prostitué se retrouve le bec dans l'eau. En fait, il n'avait qu'une envie : écrabouiller son rival. Et, tôt ou tard, il ne s'en priverait pas.

Il reporta son attention sur l'écran. Deux hommes et deux femmes se contorsionnaient sur le sol, dans un amas de corps nus et d'une souplesse ahurissante.

— Ça alors…

— Quoi ? Tu as quelque chose ? s'exclama Peabody qui se précipita.

Elle loucha sur les images, émit un reniflement de mépris et assena une tape sur la tête de McNab.

— Arrête de me faire des fausses joies, j'ai cru que tu avais trouvé…

Elle s'interrompit soudain, bouche bée.

— Ça alors… marmotta-t-elle.

— C'est dingue, non ? Ma parole, ils n'ont pas de colonne vertébrale, sinon ils ne pourraient pas prendre cette position.

Ils se dévisagèrent ; dans leurs regards brillait la même lueur de défi et de désir.

— On ne va pas se laisser surclasser par une bande d'acteurs de porno, dit McNab en s'attaquant déjà au ceinturon de sa compagne.

— Sûrement pas. Mais après, on risque d'avoir des courbatures.

— Les flics sont insensibles à la douleur.

— Ah oui ? répliqua-t-elle, hilare, tandis qu'ils se jetaient l'un sur l'autre.

Ailleurs dans la ville, Sylvester savourait son cognac et fumait son cigare. Il avait activé son unique droïde pour une durée de douze minutes, le temps de ranger la cuisine et la salle à manger.

Naturellement, il contrôlerait. Les droïdes, même les plus sophistiqués, ne satisfaisaient généralement pas ses exigences. Il tenait à ce que tout soit dans un ordre parfait.

Il s'était préparé pour le dîner un succulent sauté de veau. Souvent, après un travail, il aimait cuisiner, humer le fumet de la nourriture, siroter un bon vin en touillant une sauce.

Mais ce plaisir avait des inconvénients : on salissait casseroles, poêles, et ustensiles divers. C'était là qu'intervenait le droïde, Yost préférant s'octroyer un cognac et un cigare au lieu de charger le lave-vaisselle.

En peignoir de soie noire, les yeux mi-clos, il écoutait du Beethoven.

Quand un homme avait bien travaillé, il avait droit à une récompense. Un moment de bonheur.

Bientôt, très bientôt, ces moments deviendraient des journées, puis des semaines, des mois. Il vivrait une retraite paisible. Oh ! son activité professionnelle lui manquerait sans doute ! Il ne s'en inquiétait pas. S'il éprouvait trop de nostalgie, il accepterait un contrat par-ci, par-là.

Seulement pour ne pas s'ennuyer.

Mais il était persuadé que la solitude, le farniente, la musique et l'art suffiraient à le combler.

Lorsqu'on lui avait proposé la tâche à laquelle il se consacrait actuellement, il l'avait considérée comme un signe. Ce serait l'apothéose de sa carrière. Jamais encore il n'avait eu l'occasion d'approcher de si près un individu de l'envergure de Connors. Cela lui avait également permis de demander et de recevoir le triple de sa rémunération habituelle pour trois cibles.

Et il lui appartiendrait de choisir la quatrième. S'il trouvait le moyen d'assassiner Connors dans un délai de deux mois à compter de la signature du contrat, il percevrait un bonus de vingt-cinq millions de dollars.

Une jolie tirelire pour sa retraite.

Il ne doutait pas de parvenir à ses fins. Ce serait réellement l'apogée d'une brillante carrière. Il s'en réjouissait à l'avance.

11

Méthodiquement, Eve avait fait sauter les verrous qui bloquaient l'accès au dossier concernant le juge Thomas Werner. D'après les conclusions officielles, il était décédé d'une crise cardiaque, chez lui, dans un quartier chic de Washington.

Maintenant, elle écumait.

— Bougre de crétin. Je suis flic. Tu as mon numéro de plaque, mon empreinte vocale. Qu'est-ce que tu veux de plus ?

— Un problème, lieutenant ?

Elle ne tourna même pas la tête vers Connors.

— La bureaucratie... grommela-t-elle. On me demande de présenter de nouveau une requête en bonne et due forme, pendant les heures de travail. Qu'est-ce que je suis en train de faire en ce moment ? Je ne travaille pas ?

— Je pourrais peut-être...

Elle le foudroya du regard, entoura son ordinateur de ses bras comme pour le protéger.

— Tu veux seulement épater la galerie.

— Moi, je serais aussi mesquin ?

— Tu serais prêt à toutes les bassesses, rien que pour marquer un point.

— Eh bien, pour te montrer ma noblesse d'âme, je ne tiendrai pas compte de cette insulte ! Jette donc un coup d'œil à cette liste d'achats que j'ai imprimée pour toi. Je vais essayer de résoudre ton problème.

— Votre demande concernant le dossier personnel et médical du juge Thomas Werner ne peut être satisfaite pour l'instant. Veuillez présenter votre requête à nos services entre 8 et 15 heures, du lundi au vendredi, en triple exemplaire, accompagnée du formulaire idoine. Au cas où il manquerait un document, la requête vous serait renvoyée. Attention ! Toute tentative d'accès à des dossiers qui ne serait pas précédée d'une requête officielle constitue une violation de la loi fédérale, passible d'une amende de cinq mille dollars et d'une éventuelle peine d'emprisonnement.

— Ça, ce n'est pas gentil, murmura Connors.

Les lèvres pincées, elle rafla la liste qu'il lui avait apportée et se réfugia dans la kitchenette sous prétexte de se servir du café, tandis qu'il prenait sa place.

Pas question de voir avec quelle facilité il allait contourner l'obstacle.

Tout en programmant l'AutoChef, elle parcourut la liste. Connors, pour lui mâcher le travail, avait souligné une série d'emplettes réglées en liquide et effectuées en février, en une seule journée.

Typique de Yost, songea-t-elle. Un nouvel accès de fièvre acheteuse. Un attaché-case, des chaussures – six paires –, un portefeuille, quatre ceintures en cuir, plusieurs paires de chaussettes en soie ou en cachemire. Il avait commandé deux chemises sur mesure dans la boutique chic que Connors avait identifiée grâce au dessin brodé sur le poignet.

Le tout lui avait coûté plus de trente mille dollars.

Le grossiste en joaillerie, cousin de celui de New York, confirmait également que Yost avait acheté du fil d'argent, deux longueurs de soixante centimètres.

Pas un centimètre de plus. Toujours l'arrogance, la certitude de réussir du premier coup.

Yost avait fait du shopping deux ou trois jours avant de partir sur la côte tuer les deux contrebandiers – d'après les résultats de l'autopsie, qui ne permettait pas d'établir avec exactitude le moment de leur mort.

Comment s'était-il rendu en Cornouailles ? Avait-il une voiture à Londres ? Une maison ? Logeait-il dans quelque hôtel de luxe, avait-il loué un véhicule, pris le train, l'avion ?

On devait pouvoir répondre à ces questions.

— Tu as une maison à Londres ? interrogea-t-elle en retournant dans le bureau.

— Oui, mais je l'utilise rarement. En principe, je préfère ma suite attitrée au New Savoy. Le service y est irréprochable.

— Tu as une voiture, là-bas ?

— Deux. Dans un garage.

— Il faut longtemps pour aller en Cornouailles ?

— Je n'ai jamais fait le trajet par la route, donc je vérifierai. Personnellement, pour gagner du temps, je prendrais le jetcopter d'un de mes bureaux. Sauf si j'avais envie d'une balade à la campagne.

— Et si tu voulais ne pas te faire remarquer ?

— Je louerais probablement un véhicule discret et fiable.

— C'est aussi mon avis, parce que si tu empruntais le train ou une navette aérienne, tu serais obligé de réserver ta place. Ça représente une démarche supplémentaire, et il n'aime pas ça. Le New Savoy est, je suppose, l'un des meilleurs hôtels londoniens ?

— Je me plais à le croire.

— Il t'appartient, évidemment ?

— Mmm... Tu veux voir ce que j'ai là ?

— On va être arrêtés et emprisonnés ?

— Nous pourrons toujours demander des cellules voisines.

— Ha ! ha ! je me tords de rire...

Elle s'approcha du bureau, lut par-dessus l'épaule de Connors les données inscrites sur l'écran de l'ordinateur.

— Ça ne fait que confirmer la crise cardiaque. Si l'info que m'ont refilée les fédéraux est exacte, il y a forcément quelque chose là-dessous.

Il clappa de la langue, adressa un sourire à Eve.

— Je suis sûr qu'il existe une loi interdisant de fouiner dans les archives des hôpitaux.

— Vas-y quand même.

— J'adore quand tu me parles de cette manière.

Il enfonça une touche du clavier et les dossiers s'affichèrent sur l'écran.

— Tu n'as pas attendu ma permission, accusa-t-elle.

— Là, j'avoue que je ne comprends pas. En tant qu'expert consultant civil, je viens simplement d'exécuter les ordres du responsable de l'enquête. Mais si tu estimes que je mérite une sanction disciplinaire...

Elle se pencha davantage et lui mordit l'oreille.

— Oh ! merci, lieutenant !

Réprimant un petit rire, elle parcourut ce qu'elle avait sous les yeux.

— Fracture de la cloison nasale et de la mâchoire, quatre côtes cassées, deux doigts écrasés. Hémorragie. Ça fait beaucoup de plaies et de bosses pour une crise cardiaque.

— Sans oublier le viol.

— Il était encore vivant à ce moment-là. Il est mort par strangulation. Les fédéraux ne m'ont donc pas menti. Tant qu'on y est, voyons si on a examiné et soigné la jeune fille. Une mineure de moins de dix-huit ans. Même date. Sans doute sexuellement abusée, en état de choc. Elle était peut-être sous l'emprise de substances illicites.

Il lança la recherche, but une gorgée de café dans la tasse d'Eve.

— Pourquoi t'intéresses-tu à elle ? Tu sais qui a assassiné Werner.

— Il ne faut rien négliger. Il est possible qu'elle ait contribué à tendre le piège.

— Nous y voilà... murmura Connors, pointant l'index vers l'écran. Mollie Newman, seize ans. Tu avais raison, l'analyse sanguine révèle des traces d'Exotica et de Zoner.

— Elle est pour l'instant la seule à avoir vu Yost à l'œuvre, et elle est vivante.

Du Zoner, pensa-t-elle. Ce n'était pas Werner qui lui en avait donné. S'amuser avec une gamine complètement défoncée n'était pas très excitant.

— Je veux retrouver cette Mollie. Elle a forcément des parents ou des tuteurs... Tiens, regarde, elle a une mère : Freda Newman.

— Lieutenant ? Tes amis du FBI ont déjà cette information et, selon toute vraisemblance, ils savent où elle est. Ils t'ont jeté cet os à ronger pour te calmer.

— Je sais, mais je veux explorer cette piste à fond. Et il me faut découvrir où Yost s'est procuré le garrot à Washington. En principe, il l'achète près de l'endroit où il va frapper. Par conséquent...

La sonnerie de son communicateur l'interrompit.

— Dallas.

— Lieutenant, je crois qu'on a quelque chose sur les sites pornographiques.

— Peabody, qu'est-ce que c'est que cette tenue ?

Rouge comme une tomate, Peabody baissa le nez sur le peignoir fleuri qu'elle laissait dans la penderie de McNab, parce que c'était plus pratique.

— Je... c'est un genre de kimono.

— Extrêmement seyant, commenta Connors.

— Oh, merci ! bredouilla Peabody. C'est vraiment confortable, alors je...

— On s'en fiche, coupa Eve. Qu'est-ce que vous avez déniché ?

— J'ai épluché les pseudos que se donnent les amateurs qui se connectent sur ces sites. Ça m'a sidérée, vous n'avez pas idée de ce que ces cinglés peuvent inventer. Bref, je me suis dit que, d'après son profil psychologique, notre homme devait préférer un truc plus classique. J'ai cherché des pseudos qui avaient un rapport avec argent et surtout mercure. Vous comprenez, comme le...

— Vif-argent, j'avais compris. Et alors ?

— Eh bien... nous...

Peabody fut écartée d'une bourrade par McNab. Eve nota avec une réprobation grandissante qu'il ne portait pas de peignoir. Ni, d'ailleurs, de chemise.

— C'est là qu'on a commencé à s'amuser ! s'exclama-t-il. Certains de ces pervers, surtout ceux qui sont de bons pères de famille ou qui ont une position sociale élevée, brouillent les pistes. Ils ne tiennent pas à ce qu'on connaisse leur vice. Mais quand je me suis focalisé sur le pseudo Mercure, ça a fait tilt. Une vraie boule de flipper. Personne ne se donne autant de mal, pas sur les sites légaux. J'ai repéré des connexions via Hong Kong jusqu'à Prague, puis de Prague jusqu'à Chicago, Vega II et ainsi de suite...

— Essayez d'être concis, McNab.

— Je n'arrive pas à m'approcher de la source. À la DDE, on a des joujoux plus pointus que les miens. Je réussirai peut-être à le faire sortir de son trou, ce salaud. J'ignore combien de temps il me faudra, mais je retourne au bureau tout de suite et je m'y attaque.

— Non, aujourd'hui vous avez passé plus de quinze heures sur le pont. Même si j'ai la nette impression que vos activités n'ont pas toutes été strictement professionnelles. Mais passons... je prends la relève.

— Euh... sans vous offenser, lieutenant, vous n'avez peut-être pas les connaissances techniques qui vous permettent de franchir les premiers obstacles. Et après, sans vouloir me vanter, ça nécessite un talent de magicien.

Connors se campa près d'Eve, pour que McNab le voie.

— Hello, dit-il simplement.

— Oh! si vous êtes aux commandes, tout va bien! Je vous transmets ce que j'ai. Comme je viens de l'expliquer, les touches que nous avons avec le dénommé Mercure sont sur des sites autorisés, quoique certains soient un peu limite. Pour les autres, on n'a encore rien trouvé, mais on n'est pas au bout de nos recherches, très loin de là.

— Excellent boulot, déclara Eve. Maintenant, reposez-vous.

— C'est déjà fait, répondit le jeune informaticien avec un sourire malicieux. Du coup, on est en pleine forme.

— Voilà qui me rassure, grommela Eve.
Sur quoi elle coupa la communication.
— Je te confie le soin de poursuivre cette recherche, dit-elle à Connors. Demain matin, Feeney et McNab pourront te relayer. Je sais que tu as d'autres occupations.
— Je me débrouillerai.
— J'ai oublié de te prévenir : demain, j'ai une conférence de presse. Tu voudras peut-être en donner une toi-même.
— C'est déjà organisé. Ne t'inquiète pas pour moi, Eve.
— Qui a dit que j'étais inquiète ?
Elle perçut un bip dans le bureau voisin, celui de Connors.
— Les données de McNab viennent d'arriver. À toi de jouer.

Elle se concentra sur le garrot. À présent qu'elle savait où et comment chercher, ce fut étonnamment simple. Une longueur de fil d'argent, payée en liquide la veille de la crise cardiaque du juge Werner. D'après l'encart publicitaire, le magasin situé dans Georgetown existait depuis soixante-quinze ans et s'enorgueillissait de proposer à sa clientèle une marchandise de premier ordre.
Ce jour-là, Yost avait vraisemblablement fait du shopping et s'était offert quelques jolis cadeaux.
Elle lança donc une recherche sur les boutiques de luxe, les meilleurs hôtels de Washington et les agences de location de véhicules. Puis elle commanda à l'ordinateur d'établir des recoupements et une liste de noms.
Tandis que la machine travaillait, elle se servit une autre tasse de café, se carra confortablement dans son fauteuil et ferma les yeux. Elle poussa un soupir, énuméra mentalement les tâches urgentes qu'elle aurait à accomplir dans la matinée.
Passer une série de coups de fil à Washington et Londres. Rédiger une requête pour localiser Freda

et Mollie Newman. Je n'obtiendrai pas l'autorisation, mais je dois quand même la demander. Préparer cette fichue conférence de presse. Demander à Mira si elle a terminé le profil de Yost, voir où en est Feeney avec le garrot.

Les propriétés immobilières. Ça, je verrai avec Connors.

Le labo. Bousculer Dickhead. La morgue. Il faut rendre la dépouille de Jonah Talbot à la famille.

Bon, je vais rejoindre Connors. Il a dû avancer.

Encore une minute de répit et…

Ce fut sa dernière pensée avant de sombrer dans le sommeil.

Dans les ténèbres.

Elle tremblait dans le noir, pourtant elle n'avait pas froid. C'était la peur qui s'insinuait dans ses os fragiles, qui les faisait s'entrechoquer.

Elle n'avait nulle part où se cacher. Jamais elle ne pouvait se cacher. Il arrivait. Elle entendait son pas lourd, de l'autre côté de la porte. Elle regardait la fenêtre, se demandait comment ce serait de se jeter à travers la vitre, de tomber. De s'envoler, libre.

La mort la délivrerait.

Mais elle n'en avait pas le courage. Sauter par la fenêtre la terrifiait davantage que le monstre qui allait entrer dans la pièce.

Elle n'avait que huit ans.

La porte s'ouvrait, une ombre gigantesque s'encadrait sur le seuil, une silhouette sans visage.

Papa est rentré. Et il te voit, petite fille.

Non, s'il te plaît. Non, non…

Elle hurlait ça dans sa tête, mais elle ne disait rien. Prononcer ces mots ne l'arrêterait pas, ça rendrait les choses encore plus horribles.

Il posait les mains sur sa peau glacée, elles se glissaient sous la couverture comme des araignées. Quand il prenait le temps de la toucher, c'était pire, bien pire…

Elle fermait les paupières, de toutes ses forces, elle essayait de s'évader de son corps, de se réfugier dans un coin de son esprit. Mais il ne le lui permettait pas. La souiller, la violer ne lui suffisait pas.

Alors il lui faisait mal. Affreusement mal. Ses doigts étaient comme des serres qui la lacéraient jusqu'à ce qu'elle se mette à pleurer. Ses larmes l'excitaient.

Vilaine petite fille.

Elle essayait de le repousser, de rapetisser, faire que son corps soit trop minuscule pour qu'il puisse le pénétrer. Mais elle suppliait, impossible de s'en empêcher. Et elle criait, un long cri rauque de douleur et de désespoir tandis qu'il fouaillait sa chair.

Elle rouvrait les yeux, voyait la figure de son père. Puis, soudain, ce visage se déformait, se métamorphosait.

C'était Yost maintenant qui la violait, qui lui passait un fil d'argent autour du cou. Elle n'était plus une enfant, mais une femme, un flic, pourtant elle était impuissante.

Elle n'avait plus d'air dans les poumons, le sang perlait sur sa peau que mordait le garrot.

Elle luttait bec et ongles mais on la maintenait.

— Eve… Réveille-toi, ma chérie.

Connors la serrait dans ses bras, s'efforçait de l'arracher à son cauchemar. Elle était transie.

Il la berça, murmurant inlassablement son nom, l'étreignant pour la réchauffer. La terreur qu'il sentait dans le corps convulsé de sa femme se répercutait en lui, tel un chien enragé qui refusait de les lâcher.

Elle continuait à se débattre comme une femme qui se noie. Affolé, il pressa sa bouche sur la sienne pour lui insuffler son souffle, sa vie.

Elle se laissa aller contre lui.

— Tout va bien, tu es en sécurité, murmura-t-il. Tu es à la maison. Tu es gelée, mon pauvre amour.

Il ne se décidait cependant pas à desserrer son étreinte pour prendre une couverture.

— Cramponne-toi à moi…

— Ça va, balbutia-t-elle. C'est passé.

Ce n'était pas tout à fait vrai.

— Cramponne-toi quand même, j'en ai besoin.

Elle noua ses bras tremblants autour de lui, nicha sa tête au creux de son épaule.

— J'ai senti ton odeur. Et puis j'ai entendu ta voix. Mais je n'arrivais pas à te rejoindre.

— Je suis là.

Il était déchiré ; elle n'imaginait pas la souffrance qu'il endurait chaque fois que, dans son sommeil, elle revivait les horreurs de son enfance.

— Je suis là, mon cœur, dit-il en lui baisant le front. Tu as eu un affreux cauchemar.

— Oui, comme d'habitude. C'est fini, maintenant.

Elle s'écarta, plongea son regard dans celui de son mari, y découvrit une peine infinie.

— C'est aussi affreux pour toi.

— Comme d'habitude, Eve, rétorqua-t-il en la gardant contre lui jusqu'à ce que leurs deux corps se détendent. Je vais te chercher un peu d'eau.

— Merci.

Quand il fut dans la cuisine, elle renversa la tête contre le dossier du fauteuil. Elle s'en remettrait. Elle s'en remettait toujours. Elle enfouirait la peur au tréfonds d'elle et poursuivrait sa route. Elle s'appuierait sur la femme qu'elle était devenue, ne penserait plus à ce qu'elle était autrefois.

Une victime.

Elle se redressa. Au travail, se dit-elle. Le flic qu'elle était avait du pouvoir, un but à atteindre.

Lorsque Connors revint et s'accroupit devant elle pour lui tendre un verre d'eau, elle avait de nouveau les idées claires.

Suffisamment claires pour, malgré sa gratitude, soupçonner son mari.

— Tu n'aurais pas mis un calmant là-dedans ?

— Bois.

— Connors... gronda-t-elle.

— Eve chérie, répliqua-t-il d'une voix suave.

Il but la moitié de l'eau, lui redonna le verre.

— Bois le reste.

Elle s'exécuta à contrecœur tout en observant Connors. Il semblait fatigué, las, phénomène rarissime chez lui.

Il avait besoin de repos, réalisa-t-elle. Mais il attendrait qu'elle soit couchée, endormie, et continuerait à travailler.

Néanmoins, il n'était pas le seul à savoir quels leviers manipuler pour obtenir ce qu'on voulait. Elle reposa le verre vide.

— Content ?

— À peu près. Maintenant, tu devrais éteindre ton ordinateur et dormir.

Parfait… Elle opina, en veillant toutefois à prendre une mine agacée.

— Tu n'as peut-être pas tort. Je ne peux plus me concentrer, mais…

— Oui ?

— Ça ne t'ennuierait pas de rester ici avec moi ? C'est idiot, mais…

— Non, ce n'est pas idiot du tout.

Il s'allongea près d'elle dans le fauteuil inclinable, l'enlaça et lui caressa les cheveux. Elle se blottit contre lui.

— Oublie tout jusqu'à demain, ma chérie.

— D'accord. Tu ne t'en iras pas, tu me le jures ? ajouta-t-elle d'une toute petite voix.

— Je te le jure.

Certaine qu'il ne trahirait pas sa promesse, qu'il se reposerait, elle ferma les yeux et se laissa glisser dans un sommeil sans rêves.

Et finalement, Connors l'imita.

Elle se réveilla la première, alors que l'aube pointait. Elle ne bougea pas et le regarda dormir, ce dont elle avait rarement l'occasion.

Un flot de tendresse la submergea, pareil à une lame de fond qui entraînait avec elle toute une gamme de sentiments et d'émotions. Un bonheur fou, un vertige, de l'émerveillement, du désir, la fierté d'être la compagne d'un homme tel que lui.

Il était si incroyablement beau, jamais elle ne comprendrait vraiment pourquoi elle l'avait séduit.

Il l'avait choisie, elle. Parmi toutes les femmes du monde qui s'offraient à lui, c'était elle qu'il avait choisie. Il l'avait même traquée, harcelée, songea-t-elle en esquissant un sourire. Mais ce n'était pas tout...

Il l'aimait.

Jamais elle n'aurait imaginé qu'on puisse l'aimer. Ni qu'elle soit capable d'aimer en retour.

Et maintenant ils étaient là, le flic et le milliardaire, serrés l'un contre l'autre dans un fauteuil inclinable, dans un bureau, comme deux travailleurs fourbus.

C'était magnifique.

Elle souriait toujours lorsqu'il ouvrit ses beaux yeux bleus. Aussi limpides que du cristal.

— Bonjour, lieutenant.

— Je ne sais pas comment tu arrives à émerger du sommeil d'un coup, avec un cerveau en état de marche, et sans café.

— C'est horripilant, n'est-ce pas ?

— Oui...

Il était brûlant, splendide, et il était à elle. Elle l'aurait volontiers mangé comme un gâteau à la crème. Pourquoi pas ? Ce n'était pas une mauvaise idée...

Elle promena une main sur son torse, jusqu'à son ventre. Il était en érection, il l'attendait.

— Puisque tu es parfaitement réveillé, murmura-t-elle, j'ai un petit travail à te confier...

Il étouffa un gémissement, frissonna sous les doigts de sa femme.

— Je suis toujours prêt à servir de mon mieux la police... Oh, Eve !

Un peu plus tard, guillerette et en pleine forme, elle ressortait de la kitchenette avec deux mugs de café fumant. Connors, un petit sourire aux lèvres, se prélassait encore. Il caressait Galahad qui ronronnait sur ses genoux.

— Il me semble que, pour un expert consultant civil, tu as assez fainéanté.

— Mmm… fit-il en prenant sa tasse. Une nuit de sommeil, du sexe au réveil, du café. Ces temps-ci, tu prends ton rôle d'épouse très à cœur. Tu me maternes, Eve ?

— Si tu ne le veux pas, ce café, je le boirai. Et puis, si mon attitude ne te plaît pas, tant pis. Et ne me traite pas d'épouse, ça me vexe.

— J'accepte le café, merci infiniment. Je te suis reconnaissant de me dorloter. Et te vexer en te traitant d'épouse est l'un de mes péchés mignons.

— Bon, maintenant que ce point est réglé, bouge un peu tes jolies fesses et mettons-nous au boulot.

12

Elle appela d'abord l'inspecteur qui avait enquêté sur les homicides perpétrés en Cornouailles. Le sergent Fortique était jovial et ouvert. Il lui exposa volontiers les faits et lui révéla les noms des deux victimes, identifiées grâce à leurs empreintes et leur ADN.

En revanche, lui expliqua-t-il, découvrir l'identité du randonneur qui avait soi-disant trouvé les corps et alerté la police s'était avéré beaucoup plus difficile.

Il se chargerait volontiers, pour faire gagner du temps à Eve, d'interroger ce témoin à propos des deux garrots, deux longueurs de fil d'argent de soixante centimètres. Au besoin, affirma-t-il, il n'hésiterait pas à le mettre sur le gril pour lui extorquer des aveux.

Eve considéra que la police britannique était infiniment plus civilisée que les agents fédéraux américains. Du coup, elle lui communiqua la liste des achats que Yost avait effectués à Londres. Fortique et elle se quittèrent en excellents termes.

Elle appela ensuite la joaillerie où on lui brossa un portrait détaillé de Sylvester Yost. On se souvenait fort bien de cet homme raffiné, d'une exquise courtoisie et qui avait les poches bourrées de billets de banque.

Un maillon de plus dans la chaîne qui me mènera jusqu'à toi, Yost.

Enfin, elle contacta le New Savoy où l'on se montra beaucoup moins coopératif. On la balada un bon moment avant de lui passer la directrice.

Cette quinquagénaire avait un menton en galoche et des yeux d'un bleu layette surprenant, qui éclairait un visage émacié. Quoique d'une politesse irréprochable, elle était plus butée qu'une mule.

— Je crains de ne pouvoir accéder à votre demande, lieutenant Dallas. Le New Savoy a une règle d'or : préserver l'intimité de notre clientèle, ainsi que son confort. Cette politique ne souffre aucune entorse.

— Même quand vos clients violent et tuent ?

— Je suis navrée, je ne peux vous donner aucune information. Si vous étiez dans l'erreur, ce qui n'est pas impossible, je dérogerais à la règle du New Savoy et mettrais un client dans une position humiliante. Tant que vous n'avez pas les mandats nécessaires, notamment le mandat international qui m'oblige à vous livrer les renseignements que vous réclamez, j'ai les mains liées.

J'aimerais bien, moi, te lier les mains et puis te balancer comme un sac d'os par une fenêtre de ton fichu hôtel.

— Madame Clydesboro, si vous me forcez à réveiller mon commandant et un magistrat international à 5 h 30 du matin, ils seront de très mauvaise humeur.

— Je crains qu'il n'y ait pas d'autre solution. N'hésitez pas à me recontacter quand...

— Écoutez, madame, je...

— Un instant ! intervint Connors depuis le seuil de la pièce.

Il avait entendu la fin de ce dialogue de sourds et s'approcha de l'écran du communicateur.

— Madame Clydesboro.

Eve eut la satisfaction de voir pâlir son interlocutrice ; ses yeux bleu layette lui sortaient littéralement des orbites.

— Monsieur !

— Donnez au lieutenant Dallas toutes les informations qu'elle demande. Suis-je assez clair ?

— Oui, monsieur. Pardonnez-moi, monsieur. J'ignorais que vous aviez autorisé...

— Maintenant que vous êtes au courant, je compte sur vous, rétorqua-t-il d'un ton amène.

— Je suis à vos ordres, monsieur. Lieutenant Dallas, si vous pouviez me transmettre la description de l'homme qui aurait séjourné dans notre hôtel, je veillerais à ce que notre personnel vous le confirme.

— Je vous en envoie une photo, les dates auxquelles, selon nous, il était à Londres ainsi qu'une description écrite plus détaillée. Signalez à votre personnel que cet individu portait probablement un déguisement. Les cheveux, la couleur des yeux, certains traits du visage étaient peut-être différents. Il a dû réserver l'une de vos suites les plus luxueuses, il voyageait seul et avait vraisemblablement un véhicule.

— Vous recevrez notre réponse dans une heure.

— Parfait.

Eve coupa la communication, émit un reniflement de mépris.

— Espèce de vieille chauve-souris collet monté…

— Elle ne fait que son travail. Tu te heurteras aux mêmes obstacles dans tous les palaces londoniens. Tu veux que je te facilite un peu la tâche ?

Elle haussa les épaules.

— Pourquoi pas ? marmonna-t-elle, irritée. Et toi, tu en es où ?

— J'avance, mais il me faudra encore du temps pour te conduire jusqu'au pas de sa porte.

— Combien de temps ?

— Lieutenant, l'impatience n'accélérera pas le processus.

À cet instant, Mick apparut sur le seuil.

— Excusez-moi, je vous dérange ?

— Pas du tout, répondit Connors – cependant Eve remarqua qu'il appuyait sur une touche du clavier de l'ordinateur afin que l'écran s'obscurcisse. Tu viens de rentrer ? Tes… affaires ont dû bien marcher.

— J'avoue qu'elles ont marché du tonnerre, répliqua Mick avec un sourire joyeux. Je ne me trompe pas, c'est une odeur de café que je flaire ?

— Effectivement. Tu en veux ?

— Oh, oui ! Surtout si tu y mets une lichette de whisky.

Évitant de regarder Eve qu'il entendait presque grincer des dents, Connors se dirigea vers la kitchenette. Galahad, animé par l'espoir qu'on allait lui servir son petit déjeuner, le suivit à toute allure, la queue en point d'interrogation.

Mick se tourna vers Eve.

— Ce type n'est pas humain, il ne dort jamais. C'est une chance pour lui d'avoir trouvé une femme capable d'attaquer sa journée de travail avant l'aube.

— Pour quelqu'un qui n'a pas fermé l'œil de la nuit, vous aussi vous avez l'air frais comme un gardon.

— Certaines activités stimulent. Alors vous bossez chez vous de temps en temps ?

— Oui...

— Et je suppose que vous êtes pressée de vous y remettre. Ne vous inquiétez pas, je ne reste qu'une minute. Ne m'en veuillez pas de vous dire ça, mais c'est vraiment bizarre de voir Connors travailler main dans la main avec un flic.

— Très bizarre, oui.

Connors les rejoignit, tendit à Mick un mug de café généreusement additionné de whisky.

— Merci, mon vieux. Je vais l'emporter dans ma chambre et dormir comme un ange.

— Attends un instant... Eve, tu as les noms de ce couple de Cornouailles ?

— Ça ne concerne que la police.

— Mick pourrait les connaître. Eux et leurs ennemis.

Ce n'était pas idiot. Puisqu'ils avaient un escroc sous leur toit, autant en profiter.

— Britt et Joseph Hague.

Mick se plongea dans la contemplation de son café.

— Bien sûr, il est possible que j'aie entendu ces noms quelque part, au cours de mes voyages. Je ne sais pas, ajouta-t-il en décochant à Connors un regard acéré. Vraiment, je ne sais pas...

— Parce que vous avez fait des affaires avec eux ? lança Eve. Du genre que le service des douanes réprouve ?

— Je fais des affaires avec tellement de gens, rétorqua-t-il posément. Et je n'ai pas l'habitude d'en discuter avec les flics. Je suis surpris, Connors. Surpris et déçu que tu me demandes de moucharder des associés, des amis.

— Vos associés et amis sont morts, déclara Eve. Assassinés.

— Britt et Joe ?

Les yeux verts de Mick se voilèrent. Lentement, il se laissa tomber dans un fauteuil.

— Je n'étais pas au courant...

— On a retrouvé leurs corps en Cornouailles, lui expliqua Connors. Ils étaient morts depuis un certain temps, on a eu du mal à les identifier.

— Seigneur Dieu... C'était un couple adorable. Comment c'est arrivé ?

— Qui pouvait vouloir les éliminer ? interrogea Eve. Qui aurait déboursé une grosse somme pour ça ?

— Je ne sais vraiment pas. Ça marchait plus que bien pour eux. Ils écoulaient des alcools de première catégorie et des substances illicites à Londres, puis de là vers Paris, Athènes, Rome. Ils ont sans doute piétiné quelques plates-bandes au passage. Ils n'étaient dans le business que depuis deux ans, ils avaient une veine incroyable. Nom d'un chien, cette nouvelle me coupe les pattes...

Il avala une lampée de café.

— Tu n'as pas dû les connaître, dit-il à Connors. Ils n'étaient dans l'exportation que depuis peu, et seulement en Europe. Ils avaient un petit cottage, ils aimaient vivre à la campagne, Dieu sait pourquoi.

— À qui faisaient-ils de l'ombre ? insista Connors.

— Oh ! aux uns et aux autres ! Mais, dans la contrebande, avec toutes les marchandises qui ne demandent qu'à voyager, il y a toujours de la place pour un nouveau venu. Peut-être qu'ils agaçaient Francolini.

Ouais, celui-là, c'est un vicieux, et ils lui avaient piqué des marchés. Il ne réfléchirait pas des siècles avant d'envoyer un de ses hommes les zigouiller.

— Il n'emploierait pas un tueur à gages, rétorqua Connors qui se souvenait parfaitement du dénommé Francolini. Il est suffisamment bien entouré, il utiliserait un membre de son clan.

— Un tueur à gages ? Alors, tu as raison, Francolini n'est pas dans le coup. Lafarge, éventuellement. Ou Hornbecker, ça correspond davantage à son style. Mais, pour lâcher ses biffetons, il lui faudrait un bon motif.

— Franz Hornbecker, à Francfort, dit Connors à Eve. Quand j'exportais, moi aussi, c'était du menu fretin.

— Il a eu beaucoup de chance ces dernières années, il est monté en grade.

Mick soupira.

— Je ne sais pas quoi te dire de plus. Britt et Joe... je n'arrive pas à y croire. Vous me permettez de poser une question ? Pourquoi un flic de New York s'intéresse-t-il à deux contrebandiers anglais ?

— Il se pourrait que leur mort ait un lien avec l'enquête que nous menons actuellement.

— Si c'est le cas, j'espère que vous pincerez le salopard qui les a tués. J'ignore sur quoi ils travaillaient avant de mourir, mais je peux me renseigner. Discrètement.

— Toute information sera la bienvenue.

— Tant mieux.

Mick prit le chat qui se frottait contre ses jambes et se leva.

— Je vais me coucher. À propos, Connors... quand tu seras disponible, j'aimerais qu'on discute de cette affaire dont je t'ai parlé.

— Je demanderai à mon administrateur de l'étudier.

— Bon sang, écoute-moi ça. Un administrateur, dit Mick à Galahad, tout en se dirigeant vers le couloir. Tu ne trouves pas ça dingue, toi ?

— Une affaire ? marmonna Eve quand leur invité eut disparu.

— Légale, lieutenant. Des parfums. Je lui ai bien précisé que je refusais de mécontenter mon flic préféré. Bien, je vais passer quelques appels pour t'ouvrir la voie dans l'univers du luxe.

— Ce n'est pas un bip que j'entends ? dit-elle, pointant le doigt vers la pièce voisine.

Il tendit l'oreille, sourit.

— Ah, oui ! je pense que je te déposerai bientôt sur le perron de Yost !

Tous deux se précipitèrent dans le bureau de Connors, vers la console électronique.

— Affichage sur écran mural, commanda-t-il.

Une série de chiffres et de graphiques s'inscrivit sur le mur.

— Qu'est-ce que c'est ? Des coordonnées géographiques ?

— Exactement. Très intéressant… Ordinateur, affiche la carte de New York, écran deux. Oui… il a beaucoup bougé. Excellent camouflage, il est doué pour effacer ses traces, même dans un périmètre limité.

— C'est-à-dire ? grogna Eve qui n'y comprenait rien.

— Il va et il vient, une escapade à Long Island puis il retourne sur ses pas… Ordinateur, agrandissement de l'Upper West Side. Maintenant, calcul des probabilités. Ah, oui ! Voilà. Tu vois ? Il semblerait que Yost soit notre voisin.

— Il ne serait qu'à quatre pâtés de maisons. Quatre, je rêve…

— Mmm… Manifestement, nous ne nous promenons pas assez souvent dans le quartier.

— Tu es sûr de ce que tu affirmes ?

— À quatre-vingt-dix pour cent.

— Ça me suffit. Bon, il me faut la description de cet immeuble, l'agencement des lieux, la liste des occupants, le système de sécurité.

— Ce devrait être relativement simple. En fait, je pense que ce bâtiment m'appartient.

— Tu penses ?

— On a le droit d'oublier certains détails. Ordinateur, qui est le propriétaire de cet immeuble ?

— En cours... Ce bien immobilier appartient à Connors Industries qui en assure la gestion.

— Parfait... Laisse-moi consulter mes dossiers. Je te donne tes renseignements dans une minute.

— Un immeuble entier, c'est un détail, pour toi ? questionna-t-elle en le dévisageant d'un air ahuri.

— J'achète et je vends, par-ci, par-là, répondit-il avec un sourire angélique. On a le droit d'avoir un violon d'Ingres.

Sur quoi, il se mit au travail. Un instant après, il dévoilait à Eve la liste des occupants.

— Ça fait plaisir à voir, n'est-ce pas ? Aucun appartement vide. Je déteste ça.

— Élimine les familles, les couples et les femmes seules.

L'ordinateur s'exécuta aussitôt, et Eve réalisa avec un tressaillement de surprise que Connors l'avait programmé pour réagir à sa voix.

Il ne restait que dix noms sur la liste.

— Affiche les contrats de location.

Elle les parcourut, écarta les hommes de plus de soixante ans et ceux qui avaient moins de quarante ans. Il n'y avait maintenant plus que deux noms.

— Jacob Hawthorne, informaticien analyste, cinquante-trois ans, célibataire. Revenu annuel : environ deux millions de dollars. Il occupe le penthouse, n'est-ce pas ? Yost choisirait forcément le plus bel appartement.

— Naturellement.

— Ce Hawthorne est peut-être un peu vieux, mais il me plaît. Cherche-moi tout ce qu'on a sur ces deux types. Pour qu'on ait une certitude. J'appelle les renforts.

Deux heures plus tard, l'équipe était réunie autour d'Eve, dans son bureau de la résidence. Aux enquêteurs s'étaient joints vingt officiers de l'unité stratégique, et dix agents triés sur le volet. Tant pis si on l'accusait d'en faire trop, elle ne prendrait pas le risque que Yost leur échappe.

En attendant que le mandat de perquisition et d'arrestation lui parvienne, elle expliqua de nouveau comment ils procéderaient.

— L'immeuble compte cinquante-six appartements. Tous habités. N'oubliez pas que la protection des civils est notre priorité.

Les plans du bâtiment étaient affichés sur les écrans muraux.

— Notre cible occupe le dernier étage, poursuivit-elle en le désignant à l'aide d'un stylo-laser. Il n'y a pas d'autre logement à ce niveau. Tous les ascenseurs et les escaliers mécaniques seront bloqués. L'escalier de secours sera également inaccessible. Il ne faut pas lui laisser la possibilité de descendre et de prendre des otages. Cet appartement a quatre sorties. Deux hommes de l'équipe B seront postés devant chacune d'elles. L'équipe A s'occupera des sorties de l'immeuble. Dès que l'ordre sera donné, les agents entreront par ici et par là. Attention, notre homme ne doit pas être abattu. Réglez vos armes sur médium, pour le paralyser.

Détournant les yeux de l'écran, elle scruta les visages qui l'entouraient, jaugea les personnalités qu'ils reflétaient.

— Il s'agit d'un tueur professionnel, qui a échappé aux forces de police pendant des années. Il a probablement commis plus de quarante assassinats. Il est intelligent, rapide, et il est très dangereux. Notre premier objectif est de le piéger dans cet immeuble et de le capturer. Si nous échouons, ceux qui seront en deuxième ligne interviendront.

Elle pivota, afficha sur l'écran la photo de Yost.

— Voilà notre homme. Vous aurez tous des copies de ce cliché. Gardez à l'esprit que c'est un spécialiste du déguisement. Maintenant, le capitaine Feeney va vous expliquer le rôle de la DDE dans cette opération.

Feeney se moucha bruyamment puis se leva.

— Les caméras de surveillance de l'étage seront branchées sur la Base 1, de manière que nous puissions trafiquer les images. Il y a une demi-heure, nous avons vérifié que la cible était bien sur les lieux. Nous procéderons à une nouvelle vérification avant de passer à l'action. Si notre homme contrôle son moniteur, il ne verra qu'un couloir vide. Nous ne pouvons pas l'empêcher de regarder par la fenêtre, aussi tous les membres de l'équipe A et les agents ne bougeront pas de leur position avant d'en avoir reçu l'ordre. Je dirigerai la Base 1, avec le lieutenant Dallas qui assurera la coordination de l'ensemble. Tous les communicateurs seront réglés sur le Canal 3. Pas de bavardages inutiles ni de plaisanteries douteuses pendant les manœuvres. Il s'agit de faire du bon boulot et d'épingler cet individu.

Eve hocha la tête.

— L'inspecteur McNab et l'officier Peabody, ainsi que le lieutenant Marks et moi-même, nous passerons par cette entrée pour nous emparer de la cible. Tous nos mouvements seront communiqués à la Base 1 et à chaque chef de groupe. Des questions ?

Elle attendit, scrutant de nouveau les visages tournés vers elle. Des hommes et des femmes aguerris, qui connaissaient leur travail.

— À présent, allez vous mettre en tenue. Nous lancerons l'opération dès que nous aurons le mandat.

Mais pourquoi diable tardait-il tellement à arriver ? se demanda-t-elle, tandis que la pièce se vidait. Elle l'avait réclamé deux heures auparavant. Il lui faudrait rappeler le juge, lui secouer les puces.

Elle jeta un coup d'œil à Feeney. Il était plus gradé qu'elle et avait infiniment plus de tact. Il saurait prendre le juge dans le sens du poil.

— Feeney, ils nous font poireauter pour ce mandat. Tu veux bien essayer d'accélérer les choses ?

— La politique…

Dans d'autres circonstances, il aurait ronchonné,

mais là il s'approcha de la console électronique d'Eve pour passer l'appel. En attendant, elle pivota vers Connors.

— Merci de nous avoir aidés pour les plans du bâtiment et les caméras de surveillance. Tout devrait se passer très vite et sans difficulté.

Devrait… ce conditionnel était perturbant.

— En tant que propriétaire de l'immeuble, je peux exiger de vous accompagner.

— Tu dérailles ou quoi ? Continue sur ce ton et je change d'avis, je ne te laisse pas traîner avec Feeney à la Base 1. Je sais comment arrêter un suspect, Connors, alors ne m'enquiquine pas.

— Où est ta tenue de sécurité ?

— Peabody me la garde. C'est lourd, chaud, je ne la mettrai qu'au dernier moment.

Soudain, elle entendit Feeney rouscailler, et fronça les sourcils.

— Il y a un pépin, marmonna-t-elle.

Elle se précipitait vers la console, quand le commandant Whitney pénétra dans la pièce.

— Lieutenant, votre opération est annulée.

— Quoi ? Mais il est fait comme un rat, dans une heure il est en garde à vue.

— Putain de politique… grommela Feeney en foudroyant le communicateur des yeux.

— Exactement, rétorqua Whitney d'une voix froide, que démentait la lueur furibonde qui flambait dans son regard noir.

Lui-même était tellement révolté et frustré qu'il avait décidé de venir en personne informer Eve de la situation.

— Les fédéraux ont eu vent de l'opération, expliqua-t-il.

— Je m'en fiche éperdument !

Elle s'interrompit, serrant les dents pour se maîtriser.

— Commandant, cette opération est possible grâce à mes investigations, aux renseignements que j'ai obtenus. Le suspect a assassiné deux personnes dans un secteur qui relève de ma juridiction. Je suis responsable de l'enquête.

— Vous pensez que je n'ai pas insisté sur ces points, lieutenant ? Je viens de passer une demi-heure à insulter le directeur adjoint Sooner du FBI, à enguirlander deux juges et à menacer tous ceux que je pouvais avoir en ligne. Les fédéraux se sont débrouillés pour obtenir un mandat avant vous. Quand je découvrirai qui les a informés de votre projet, je vous garantis qu'il y aura de la casse. Il n'empêche que nous sommes sur la touche.

Eve se raidit, luttant contre l'envie folle d'assommer quelqu'un, de boxer quelque chose. Plus tard, se promit-elle.

— Ils ne nous ont pas grillés en respectant la procédure normale. Quand cette affaire sera terminée, je déposerai une plainte officielle.

— La politique n'a rien de reluisant, mais c'est mon boulot. Croyez-moi, je me chargerai de ça. Les agents Jacoby et Stowe s'imaginent peut-être que ce coup d'éclat propulsera leur carrière vers les sommets. Ils vont être désagréablement surpris.

— Veuillez excuser mes écarts de langage, commandant, mais je me fous de Jacoby et de Stowe comme de ma première culotte. À condition qu'ils épinglent Yost. Je veux le soumettre à un interrogatoire pour le meurtre de French et de Talbot. Je veux lui parler avant que les fédéraux ne concluent un marché quelconque avec lui.

— J'ai déjà commencé à baliser le terrain. J'ai quelques relations de poids, et le chef Tibble en a encore plus. Vous aurez votre interrogatoire, Dallas.

Elle se contenta d'opiner, craignant de ne plus se contrôler longtemps. Elle alla se camper devant la fenêtre, observa les flics qui attendaient en bas l'ordre de passer à l'attaque.

— Je préviens l'équipe, lui dit Feeney.

— Non, c'est à moi de le faire.

— Feeney, déclara Whitney lorsque Eve fut sortie. Mettez votre meilleur élément sur cette sale histoire. Il faut découvrir qui a vendu la mèche. Quelqu'un de chez nous, ou bien dans l'entourage du juge Beesley, a averti Jacoby que nous avions réclamé un mandat d'arrestation. Il me faut un nom.

— Je m'en occupe immédiatement.

Feeney coula un regard interrogateur en direction de Connors qui répondit par un discret hochement de tête.

Il se ferait un plaisir d'assister la DDE pour épingler le mouchard.

— Connors, enchaîna Whitney, feignant de ne pas avoir remarqué cet échange muet entre les deux hommes. Bien que cette opération ait tourné court, je vous remercie pour votre collaboration.

— Je vous en prie... Puis-je vous demander ce que vous savez sur ces deux agents fédéraux ?

— J'en saurai bientôt beaucoup plus. Ils n'imaginent pas comment nous réagissons quand on nous marche sur les pieds.

— Je me souviens que, quand vous êtes irrité, vous pouvez vous montrer féroce.

Un petit sourire mauvais joua sur les lèvres de Whitney.

— C'est vrai, et je ne m'en priverai pas. Mais je parlais de Dallas. Elle les écorchera vifs, et je compte faire le maximum pour qu'elle en ait la possibilité.

La sonnerie de son communicateur interrompit le commandant qui sortit dans le couloir.

Feeney arpentait le bureau, dressé sur ses ergots telle une mère poule défendant son poussin préféré.

— C'était son affaire, les fédéraux le savaient. En une semaine, elle avait réussi à localiser Yost. Une petite semaine, et elle allait lui mettre la main au collet ! Eux, ils l'ont cherché pendant des années. Évidemment, ils sont vexés comme des poux. C'est pour ça qu'ils lui ont coupé l'herbe sous les pieds, ces abrutis !

— Vraisemblablement. Feeney, certaines informations classifiées sur les agents Stowe et Jacoby vous seraient-elles utiles ? En supposant qu'elles vous parviennent inopinément, d'une source anonyme ?

Feeney stoppa net, dévisagea Connors.

— Elles pourraient être très utiles. Mais, bien sûr, mener une recherche sur des agents fédéraux sans autorisation officielle comporte des risques. C'est un délit.

— Vraiment ? En tant que citoyen respectueux de la loi, je suis heureux d'apprendre que ce genre d'indiscrétion est sévèrement puni.

Connors se posta devant la fenêtre.

— C'est dur pour elle, murmura-t-il. Affronter son équipe, leur annoncer que tout leur travail, leurs efforts acharnés comptent pour du beurre. Qu'on les a renvoyés dans les coulisses pour que les fédéraux remportent la victoire et la gloire.

— Elle n'a jamais porté son insigne de flic pour la gloire.

Connors tourna la tête vers Feeney. C'est l'homme qui lui a tout appris, songea-t-il. Celui qui l'a aidée à se construire, à devenir le policier qu'elle est aujourd'hui.

— Oui, naturellement, vous avez raison. Mais se dire qu'elle a fait son travail à fond, qu'elle a rendu justice aux morts, c'est essentiel pour elle. Vous n'ignorez pas à quel point les homicides de cette nature, qui comportent des violences sexuelles, sont pénibles pour Eve.

Feeney baissa le nez.

— Non, je ne l'ignore pas, marmonna-t-il.

— Cette nuit, elle a eu un cauchemar atroce, j'ai cru que je ne réussirai pas à l'apaiser. Pourtant, tous les deux, nous l'avons vue ce matin, solide comme un roc face à son équipe. Prête à assumer son rôle. Vous comprenez ce que ça lui coûte, et moi aussi. Ces imbéciles de fédéraux ne mesureront jamais son courage.

Connors pivota de nouveau, contemplant Eve qui remontait les marches du perron.

— Son inflexible, inébranlable courage. Le FBI se fiche bien des victimes. Pour eux, ce ne sont que des noms dans une banque de données. Pour elle, ce sont des êtres humains. Non, ils ne comprendront jamais ce qu'elle est, sa grandeur d'âme, sa sensibilité.

— Je suis d'accord, rétorqua Feeney qui poussa un soupir. Mais il y a autre chose à dire, et ce sera dit, parce que je le répéterai jusqu'à devenir aphone. Les fédéraux auront peut-être arrêté Yost, mais c'est Dallas qui l'aura coincé.

À cet instant, Whitney les rejoignit. Son visage semblait sculpté dans un bloc d'ébène.

— Personne n'arrêtera Yost. Il s'est envolé.

13

Feeney explosa. Ce fut une tirade incendiaire, meurtrière, débitée bizarrement avec des intonations irlandaises. Et ce fut cette violente et brillante diatribe qui accueillit Eve lorsqu'elle monta l'escalier pour regagner son bureau.

Elle comprit aussitôt que l'opération du FBI avait échoué.

— Non seulement ce sont des fumiers, mais en plus ils ont un pois chiche à la place du cerveau ! postillonnait Feeney. Bande de débiles carriéristes ! Quelqu'un a tuyauté Yost, il a filé et maintenant, pour le retrouver, tintin !

— Nous ne pouvons pas affirmer qu'on l'a renseigné ni que… commença Whitney.

— De la merde, Jack ! coupa Feeney, oubliant qu'il s'adressait à son supérieur. Il y a un mouchard, on a retardé notre intervention pour lui laisser le temps de déguerpir. On l'aurait eu, il serait entre nos mains à l'heure qu'il est !

— Alors il a filé, dit simplement Eve.

Phénomène étrange, la fureur de Feeney étouffait la sienne. Elle avait seulement l'impression d'être une coquille vide.

— Lorsque les fédéraux ont pénétré dans les lieux, Yost n'y était plus, déclara Whitney d'une voix posée, ne trahissant rien de la rage qui l'habitait.

— Ils ont contrôlé les caméras de surveillance ? Vérifié avec le portier ou les gardiens de l'immeuble s'il était bien dans l'appartement ?

— Je n'ai pas les détails. On m'a dit que le suspect avait pris la fuite et que l'opération s'était soldée par un échec.

Elle hocha la tête.

— J'aimerais en avoir confirmation, commandant.

— Moi aussi, rétorqua Whitney qui les dévisageait, elle et Feeney. Allons-y.

Les fédéraux n'étaient pas de bonne humeur. Une atmosphère chargée d'amertume et de mélancolie imprégnait le hall élégant de l'immeuble qu'habitait le tueur.

Eve s'attendait à ce qu'on leur mette des bâtons dans les roues, mais le grade de Whitney, son imposante stature et son regard réfrigérant leur ouvrirent la voie.

Comme Feeney écumait toujours, elle fit signe à McNab.

— Servez-vous de votre irrésistible charme pour soutirer quelques informations aux agents spécialistes de l'électronique. Ils ont dû visionner les vidéos de sécurité, ou ils le feront. Je veux savoir quand Yost a quitté les lieux, par où il est sorti, et ce qu'il emportait avec lui.

— Comptez sur moi, rétorqua-t-il en s'éloignant d'un pas nonchalant, les mains dans les poches de son pantalon framboise.

— Peabody, allez frapper aux portes, discrètement. Les voisins ont peut-être des choses à nous raconter. Si vous pouviez papoter avec un membre du personnel d'entretien ou un droïde gardien, ce serait bien.

Eve pénétra dans l'ascenseur, flanquée de Whitney et de Feeney. Tous trois se taisaient. Elle réfléchissait. Tout s'était passé très vite, Yost avait eu peu de temps pour réagir. Il avait donc des relations haut placées. Au FBI ? Au sein de la police new-yorkaise ? Sans doute les deux.

Bref, il avait filé. Mais il n'en avait pas encore terminé à New York. Par conséquent, il n'était pas loin. Dans un hôtel ? Possible. Elle avait cependant tendance à penser que Yost ou son commanditaire avaient une autre tanière. Où il se terrerait jusqu'à ce qu'il ait fini son travail.

Avec tout ce remue-ménage autour de lui, combien de temps attendrait-il avant de fondre sur sa prochaine victime ?

Plongée dans ses réflexions, elle précédait le commandant en sortant de l'ascenseur. Et elle se retrouva soudain nez à nez avec Jacoby.

Dardant sur elle un regard flamboyant, il se dandina d'un pied sur l'autre, tel un boxeur prêt pour le premier round.

— C'est une opération du FBI, articula-t-il.

Avant qu'elle puisse répondre, Whitney s'interposa.

— C'est un fiasco du FBI, monumental de surcroît. Voudriez-vous m'expliquer, agent Jacoby, comment vous et votre équipe avez réussi à perdre le suspect localisé par mes officiers ?

Jacoby savait que le couperet allait tomber. Il était déterminé à faire le maximum pour qu'il s'abatte sur les policiers new-yorkais et non sur lui.

— Cette opération fédérale est en cours depuis longtemps. Je n'ai pas à expliquer…

— En effet, l'interrompit Whitney, vous essayez de repérer Yost depuis des années. Le lieutenant Dallas y est parvenue en quelques jours. Vous avez profité de ses investigations méticuleuses, qui allaient aboutir, ensuite de quoi vous avez saboté son travail. Si vous croyez que vous n'aurez pas à vous justifier devant moi, devant mon lieutenant ainsi que devant votre hiérarchie, vous vous trompez lourdement.

Une demi-douzaine d'hommes et de femmes les entouraient, tous en tenue de combat avec dans le dos les lettres jaune vif : FBI. Whitney et Eve se frayèrent un chemin parmi eux et entrèrent dans le penthouse.

Les techniciens de l'identité judiciaire s'affairaient déjà à le dévaster. Ils ne trouveraient rien. Néanmoins, Eve avait enfin la possibilité de voir où et comment vivait Yost.

Dans l'opulence, songea-t-elle. Tapis et coussins moelleux, une baie vitrée qui occupait un mur entier et ouvrait sur une vaste terrasse en pierre dominant la ville et ornée de plantes savamment disposées dans des urnes vernissées.

Un décor raffiné... Des teintes pastel, des peintures dans des cadres dorés. Des meubles anciens, en bois. Elle avait une petite idée de la valeur de ces antiquités.

Sur une table basse du salon, aux pieds galbés et sculptés, des fleurs fraîches s'épanouissaient dans un vase en cristal. Sur un piédestal était posée une statue en marbre blanc, une femme nue à la chevelure luxuriante.

Des consoles électroniques étaient dissimulées dans des cabinets que les techniciens s'employaient à démonter.

Il ne travaillait pas dans son salon. Il s'amusait peut-être à pianoter sur ses joujoux, mais le travail sérieux, il le faisait ailleurs.

Elle tournait lentement sur elle-même, filmant l'espace grâce à sa mini-caméra. Connors serait sans doute en mesure de reconnaître les tableaux, la sculpture, les meubles.

Elle poursuivit son exploration. Une large porte cintrée permettait d'accéder à la salle à manger, éclairée par un gigantesque lustre. Le mobilier était moins gracieux que celui du salon, plus masculin. Et toujours des fleurs, au centre de la table. Des bougies blanches, fuselées, dans des chandeliers d'argent.

La cuisine, sur la droite, étincelait. Eve inspecta le réfrigérateur, énorme, ainsi que l'AutoChef. Une profusion d'aliments de premier choix, surtout de la viande rouge.

Les ustensiles étaient soigneusement rangés dans des tiroirs. Sur des étagères s'alignaient des bouteilles d'huile, des épices et tous les ingrédients nécessaires à un véritable cordon-bleu.

Tiens donc... pensa-t-elle, imaginant Yost à ses fourneaux, en train de mitonner quelque mets succulent. Tout en écoutant de la musique classique ou un opéra.

Avec, noué autour de sa taille, le tablier de boucher immaculé qu'elle avait trouvé accroché dans un étroit placard.

Il se préparait ses repas, en homme autonome et efficace qu'il était. Ou bien il dégustait un plat choisi dans la sélection qu'il avait programmée sur son AutoChef. Il mangeait dans de la vaisselle en porcelaine de Chine, allumait les bougies, et s'adonnait aux plaisirs de la table en solitaire.

Oui, un homme de goût, raffiné, et qui aimait tuer.

Elle revint sur ses pas, passa dans la pièce qu'il avait transformée en salle de gymnastique ultrasophistiquée, qui égalait presque celle de Connors. Les murs disparaissaient sous les miroirs, le parquet luisait. Il y avait là tous les appareils conçus pour maintenir un individu en pleine forme physique, ainsi qu'une piscine à remous pour décontracter ses muscles endoloris par l'effort.

Yost prenait grand soin de sa personne. Et, à en juger par tous ces miroirs, il était narcissique.

Elle inspecta ensuite la chambre. Là, il s'était fait plaisir. Couleurs sensuelles, tissus doux au toucher, lit monumental sous un dais de satin bleu, également pourvu d'un miroir.

Toujours le narcissisme.

La salle de bains était à la fois fonctionnelle et luxueuse. Eve y découvrit la foultitude de savonnettes, lotions, huiles et crèmes que Yost avait coutume de rafler dans les palaces internationaux où il séjournait.

Violer, tuer, c'est salissant. Or tu tiens à être frais comme une rose.

Tous les produits d'hygiène étaient rangés dans un haut placard, par catégories. Il en avait emporté certains avec lui.

Pas de gaspillage inutile.

La penderie, si l'on pouvait qualifier ainsi un espace de cette dimension, était un pur chef-d'œuvre d'organisation.

Il avait dû partir précipitamment. Pourtant, on ne voyait aucun signe de désordre. Des vêtements manquaient, certes, et plusieurs porte-perruques étaient à présent chauves.

Mais tout le reste était là. Des dizaines de costumes, disposés par couleurs, du bleu au noir en passant par le gris ; un nombre impressionnant de chemises claires. Des combinaisons, des tenues de sport, des peignoirs et des kimonos. Des cravates, des foulards, des ceinturons. Des montagnes de chaussures, dans des boîtes en plastique transparent numérotées.

Six d'entre elles étaient vides.

Le dressing comportait également une sorte de long comptoir immaculé surmonté d'un miroir à trois pans entouré d'ampoules rondes. Eve en ouvrit les tiroirs, filma le contenu.

Elle ressortit, foulant des tapis précieux, franchissant d'autres portes cintrées pour déboucher finalement dans le lieu qu'elle cherchait. Le bureau, où Karen Stowe et deux autres agents fédéraux s'occupaient de l'ordinateur de Yost.

— Il était pressé, soupirait Stowe, les mains sur les hanches, les yeux rivés sur l'écran. Il n'a pas pu tout emporter.

— Il a pris tout ce qu'il voulait, déclara Eve, immobile sur le seuil.

Stowe sursauta comme si elle avait entendu un coup de feu. Ses lèvres se pincèrent pour ne plus former qu'un mince trait.

— Si vous trouvez quelque chose, prévenez-moi, dit-elle à ses collègues.

Elle se dirigea vers Eve, l'invita d'un geste à la suivre dans le couloir.

— Il a fait ses valises, enchaîna Eve sans broncher, il y a mis ce qu'il jugeait nécessaire, notamment ses dossiers et ses disquettes. Sans doute avait-il plusieurs mini-portables, très pratiques pour voyager. Il ne lui a pas fallu beaucoup de temps pour tout préparer, il est extrêmement organisé. Selon moi, une demi-heure lui a suffi après que son informateur l'a averti de votre opération.

— Je ne tiens pas à en discuter ici.

— Moi, si. Mon équipe avait réussi à le localiser, pendant que la vôtre tournait en rond. Sans notre travail, vous n'auriez pas découvert son repaire.

— Si vous aviez coopéré…

— Comme vous l'avez fait ? riposta Eve. C'est vrai, vous êtes un modèle de coopération. À qui avez-vous graissé la patte pour savoir que j'avais réclamé un mandat ? Quelles faveurs avez-vous promises pour avoir la possibilité de tout bousiller ?

— Le FBI a la priorité sur la police locale.

— Foutaises, Stowe. C'est la justice qui a la priorité, et si j'avais obtenu ce mandat à temps, Sylvester Yost serait sous les verrous au lieu de préparer son prochain coup.

— Vous ne pouvez pas être aussi affirmative.

— Je suis, comme vous, certaine d'une chose : il a filé. Vous avez merdé, et il a décampé. Votre conscience ne vous chatouillera pas, quand on trouvera sa prochaine victime ?

Stowe ferma un instant les yeux, inspira.

— Je suggère de continuer cette conversation dans un endroit tranquille…

— Non.

— D'accord, rétorqua Stowe d'un ton sec, en fermant la porte afin que les agents qui étaient dans le bureau ne l'entendent pas. Vous êtes furibonde, et vous avez le droit de l'être. Mais je n'ai fait que mon travail. Quand Jacoby m'a informée de votre projet, il avait déjà mis la machine en route. J'avais une chance d'épingler Yost, je l'ai saisie. Vous auriez agi de la même façon.

— Vous ne me connaissez pas, ma grande. J'ai l'habitude de jouer à la loyale, je ne récolte pas ce que d'autres ont semé. Vous vouliez faire un coup d'éclat, à n'importe quel prix. Maintenant on est tous bredouilles, et quelqu'un va vraisemblablement mourir.

Eve s'interrompit, scrutant le visage de Stowe qui avait tressailli.

— Eh oui… c'est la réalité. Mais vous l'aviez compris toute seule, n'est-ce pas ? J'adorerais qu'on vous écorche vifs, Jacoby et vous. Pourtant ça ne me consolerait pas. Parce que quelqu'un va être tué.

Là-dessus, Eve se détourna. Stowe l'agrippa par la manche. Elle avait les larmes aux yeux.

— Vous avez raison, admit-elle d'une voix rauque. Sur toute la ligne.

— Je me fiche éperdument d'avoir raison. Ne me touchez pas, Stowe. Vous et l'abruti qui vous sert d'équipier, tenez-vous loin de moi, de mon équipe et de mon enquête. Sinon, je vous étripe.

Elle s'en fut à grands pas, décidée à quitter les lieux. Alors qu'elle atteignait le hall de l'appartement, Jacoby lui barra le passage.

— Vous avez utilisé cet appareil ? s'enquit-il.

— Écartez-vous de mon chemin.

— Vous n'êtes pas autorisée à filmer, déclara-t-il.

Il ébaucha le geste de s'emparer de la caméra d'Ève. Avec la rapidité d'un serpent venimeux, elle lui saisit le poignet qu'elle tordit brutalement, en enfonçant le pouce dans la veine où battait le pouls.

— Ne posez pas la main sur moi, articula-t-elle, ou je vous l'arrache et je vous la fais bouffer.

La douleur irradiait dans le bras de Jacoby, le paralysait. Il crispa son autre main, la menaça du poing.

— Vous agressez un agent fédéral !

— Ah, bon ? Je pensais agresser un crétin fédéral. Vous voulez boxer, Jacoby ? ajouta-t-elle, pointant un menton agressif. Ne vous gênez pas, faites donc. Devant vos petits copains. On verra bien qui se retrouvera au tapis.

— Lieutenant Dallas ?

— Oui, commandant, répondit-elle, sans cesser de défier du regard Jacoby dont les yeux s'embuaient.

— On requiert votre présence au Central pour finaliser la plainte officielle de nos services à l'encontre des agents Jacoby et Stowe. Lâchez cet imbécile, ajouta-t-il d'une voix suave, il n'en vaut pas la peine.

— Effectivement.

Elle pivota. Peut-être se sentait-il humilié ou peut-être était-il vraiment un imbécile intégral… en tout cas, Jacoby se jeta sur Eve. Elle n'eut pas l'ombre d'une hésitation. Elle lui assena un violent coup de coude au menton, entendit le claquement de ses dents. Il s'écroula comme une masse.

Une seconde, elle espéra qu'il s'était tranché la langue, mais il commençait déjà à se redresser. Elle s'apprêtait à l'estourbir pour de bon, cependant Whitney s'interposa.

— Je porte plainte, bafouilla Jacoby, la bouche en sang, en cherchant frénétiquement son communicateur.

— Je ne vous le conseille pas, agent Jacoby. Vous avez agressé mon lieutenant, alors qu'elle vous tournait le dos. Elle s'est simplement défendue. Tout est dûment enregistré.

Avec un sourire féroce, Whitney tapota la minicaméra qu'il portait à la ceinture.

— Continuez et je veillerai à ce que vous comparaissiez devant votre conseil de discipline sur-le-champ, avant même que votre langue ait fini de saigner. En attaquant mon lieutenant, c'est également moi et tout mon département que vous attaquez. Alors, si vous ne voulez pas que les vestiges de votre brillante carrière soient définitivement réduits en cendres, tenez-vous tranquille.

Sur quoi, impérial, Whitney fit signe à Eve de le suivre. Tandis qu'ils se dirigeaient vers l'ascenseur, Feeney, qui marchait au côté d'Eve, marmotta :

— Dommage que tu ne lui aies pas flanqué un bon coup de genou à l'entrejambe.

— Je me serais fatiguée inutilement, il n'a rien dans le pantalon.

Elle inspira à fond pour se calmer.

— Commandant, je vous présente mes excuses, j'ai…

— Ne gaspillez pas votre salive.

Whitney pénétra dans l'ascenseur, esquissa un sourire.

— Il faut que j'aille plus souvent sur le terrain. J'avais

oublié à quel point on s'amuse, parfois. Lieutenant, je veux votre analyse de tout ce que vous avez enregistré, le plus tôt possible. Faites un calcul de probabilités concernant sa présence éventuelle dans cette ville ou ses environs, et si le résultat est positif, voyez où il aurait pu se réfugier. Contactez...

Il s'interrompit, la dévisagea.

— Vous vous contrôlez admirablement, Dallas, vous ne me répondez pas que vous connaissez votre boulot.

— Cette idée ne me traverserait pas l'esprit, commandant, ironisa-t-elle – sa bagarre avec Jacoby l'avait mise de meilleure humeur.

— Oui, mais comme vous le connaissez sur le bout des doigts, je m'en tiendrai là.

Tous trois sortirent de l'ascenseur.

— J'ai une foule d'appels à passer, déclara Whitney. Un tas d'oreilles à tirer, conclut-il en s'éloignant.

— Il est remonté à bloc, commenta Feeney.

— Tu crois ?

— Oh, oui ! Tu ne l'as pas connu quand il bossait dans les rues. Jack est un animal à sang froid. À la fin de la journée, il aura mordu un paquet de gens, et tout ça sans crier gare. Bon... je vais récupérer McNab. Tu apportes ce que tu as enregistré au Central ?

— D'accord.

Elle cherchait son communicateur pour joindre Peabody, lorsque celle-ci émergea d'un ascenseur, de l'autre côté du hall.

— Peabody, vous venez avec moi.

Eve attendit qu'elles aient quitté l'immeuble et regagné leur véhicule pour interroger son assistante.

— Vous avez réussi à glaner quelques infos ?

— Il ne copinait pas avec les voisins. Distant, mais très courtois. Toujours impeccablement habillé. Toujours seul. J'ai parlé avec une dizaine de personnes, et deux gardiens. Personne ne l'a jamais vu accompagné. Néanmoins, il avait un domestique droïde. Un des gardiens m'a dit que les fédéraux avaient embarqué ce qu'il en restait. D'après lui, le droïde paraissait s'être autodétruit.

— Pour couvrir les traces de son maître.

— Une femme du quinzième étage, du genre grande mondaine, m'a expliqué qu'elle avait parfois échangé quelques mots avec lui, et qu'elle l'avait souvent croisé à l'Opéra. Vous aviez raison. D'après elle, il était abonné. Il avait une loge à droite de la scène. Il était toujours seul.

— Il ne prendra plus le risque de se montrer, même s'il est fan. Il sait qu'on l'a déniché dans cet immeuble, qu'on a interrogé les voisins. Il se privera de ses passions, du moins pendant un certain temps.

— Je suis allée plusieurs fois à l'Opéra avec Charles. J'ai essayé de me souvenir de cette loge, mais je n'ai aucune image qui me revienne. Je pourrais demander à Charles. C'est un habitué, il a peut-être remarqué Yost.

— Posez-lui la question, sans lui donner de détails. Nous avons déjà suffisamment de civils impliqués dans cette affaire.

— D'accord. Dites... vous n'avez pas un petit creux, vous ? s'enquit Peabody en coulant un regard gourmand vers un glissa-gril installé sur le trottoir.

— Il n'est même pas midi et vous avez faim ? Comment est-ce possible ?

— Je suis normale, moi. Vous, je parie que vous n'avez même pas pris de petit déjeuner. Sauter le repas le plus essentiel de la journée, ça rend irascible, amorphe, ça affecte gravement les facultés intellectuelles, ça...

— Oh, bonté divine !

Eve freina brutalement, fusilla son assistante des yeux.

— Vous avez exactement une minute, pas une seconde de plus.

— Ça me suffit.

Peabody sortit de la voiture à la vitesse de l'éclair, brandit son insigne pour écarter les gêneurs, rafla les frites au soja que son estomac réclamait à grands cris et réintégra le véhicule. Avec un sourire éblouissant, elle tendit un paquet de frites à Eve qui le coinça entre ses genoux.

— Je croyais que vous n'aviez pas faim.

— Alors, pourquoi vous m'avez acheté ces trucs-là ?

— Par pure politesse, répliqua dignement Peabody qui avait espéré avaler les deux paquets – elle n'était pas du style à gâcher la nourriture. Je suppose que vous avez également soif ?

— Oui, merci, répondit Eve en lui prenant le tube de Pepsi. Transférez tout ce que j'ai enregistré sur mon disque dur, rédigez votre rapport et appelez Charles Monroe.

— Bien, lieutenant.

— Vous êtes plus calée que moi en colifichets, tous ces machins de nanas. Analysez les images du dressing-room de Yost, surtout de la coiffeuse. Si ça dépasse vos compétences, je m'adresserai à Mavis. Elle est incollable.

— Les produits de luxe dépassent mes compétences. Mais je peux sans doute reconnaître les marques.

— Faites une copie de cette partie de l'enregistrement. Je contacterai Mavis.

Elle termina ses frites dans les couloirs du Central, après quoi elle s'enferma dans son bureau. Elle avait une chose à faire avant de s'atteler à la paperasse, et elle ne tenait pas à ce que des oreilles indiscrètes l'entendent.

Par précaution, elle utilisa son communicateur personnel.

Connors répondit tout de suite.

— Salut, lieutenant. Comment ça s'est passé ?

— J'ai donné quelques gnons à Jacoby et je ne risque pas d'écoper d'un blâme, c'est toujours ça de gagné.

— J'espère que tu as filmé la scène. J'adorerais voir ce spectacle.

— Justement, c'est parce que j'ai filmé que je me suis retrouvée dans l'obligation de l'assommer et que, maintenant, je t'appelle. J'ai...

Elle n'acheva pas sa phrase – derrière le visage de Connors, elle venait de reconnaître le décor.

— Je t'ai pourtant bien dit que je t'interdisais de me procurer des informations avec ton matériel illicite.

— Au risque de te décevoir, je ne travaille pas que pour toi.

— Écoute…

— J'ai d'autres occupations, figure-toi. Et j'ai l'intention de te communiquer uniquement des renseignements obtenus tout à fait légalement.

Il les transmettrait d'abord à Feeney qui leur redonnerait une virginité.

— À ce propos, tu as reçu la réponse du New Savoy. Yost y a bien séjourné. Je t'ai envoyé le rapport. Que puis-je encore faire pour toi ?

Elle le scruta d'un air soupçonneux.

— Tu ne serais pas en train de mentir ?

— Au sujet de Yost et de son séjour à Londres ?

— Au sujet de ce que tu fabriques en ce moment même dans cette pièce, espèce de petit futé.

— Si je mentais, je te répondrais par un autre mensonge. Tu vas donc devoir me croire sur parole, n'est-ce pas ?

Il lui sourit.

— J'aimerais passer ma journée à bavarder avec toi, ma chérie, malheureusement… Que veux-tu au juste ?

— D'accord, marmotta-t-elle. J'ai filmé l'appartement de Yost. Très raffiné, tu apprécierais. Je pourrais décortiquer tout ça, mais je me suis dit que si tu y jetais un œil, tu irais plus vite que moi. Peintures, sculptures, antiquités. Tu serais capable de déterminer s'ils sont authentiques en visionnant les images ?

— Probablement, toutefois je ne te le garantis pas. Une bonne copie ne se repère pas si facilement, il faut l'examiner de près.

— À mon avis, il n'est pas du genre à se satisfaire d'une bonne copie. Dans ce domaine, il est très vaniteux, il me rappelle quelqu'un que je connais.

— Tu insultes ton expert consultant civil.

— Je me venge comme je peux. Bref, tu arriveras peut-être à trouver l'origine de ces splendeurs.

— Transmets-moi tout ça.

— J'apprécie ton aide.

— J'espère bien. Ciao, lieutenant !

Il coupa la communication, se carra dans son fauteuil et reporta son attention sur les données affichées sur l'écran mural.

Jacoby, James, agent spécial.

La date et le lieu de naissance, les informations sur la famille n'avaient pas grand intérêt. Néanmoins, Connors nota que Jacoby n'avait pas brillé dans ses études. Il était resté dans la moyenne. Il avait des problèmes relationnels, c'était son point faible, son atout majeur étant son esprit d'analyse.

Il avait péniblement atteint le niveau minimum requis pour la formation du FBI, mais avait excellé dans le maniement des armes, l'électronique et la stratégie.

D'après son profil psychologique, il avait des rapports épineux avec la hiérarchie, une tendance à ignorer ou à contourner le règlement, et beaucoup de mal à travailler en équipe.

Il avait reçu un blâme pour insubordination à trois reprises, et avait fait l'objet d'une enquête interne – on le suspectait d'avoir dissimulé des preuves.

Il était célibataire, hétérosexuel, et semblait préférer les services des prostituées aux relations sentimentales.

Son casier judiciaire était vierge, il n'avait jamais commis d'infraction, même à la période de l'adolescence. On ne lui connaissait aucun vice. Connors secoua la tête. Il ne mettait pas en doute le dossier du FBI. En principe, le Bureau était aussi précis et exhaustif que lui.

Un homme sans aucun vice était un individu dangereux ou tragiquement ennuyeux.

Jacoby s'habillait dans des magasins bon marché, vivait dans un modeste appartement et n'avait pas d'amis intimes.

Un vrai phénomène, songea Connors qui lança une recherche sur les dossiers qu'avait traités Jacoby.

Parallèlement, il afficha sur l'écran les données concernant Karen Stowe.

Elle était l'élément fort du tandem, la plus intelligente. Titulaire de deux diplômes, obtenus avec mention, en criminologie et informatique. Elle avait été recrutée dès sa sortie de l'université et avait suivi la formation du FBI pour terminer cinquième de sa promotion.

C'était une femme motivée, concentrée sur ses objectifs, passionnée, qui avait tendance à s'engloutir dans le travail, à prendre des risques physiques. Elle respectait les règles, mais était capable de les contourner si elle l'estimait nécessaire. Elle avait une faiblesse : elle manquait souvent d'objectivité, s'impliquait de façon trop personnelle dans une affaire.

Elle ressemblait tellement à Eve, sur ce point, que Connors s'étonnait qu'elles ne se soient pas encore battues comme des harpies.

Son ambition, sa ténacité et son talent lui faisaient gravir les échelons l'un après l'autre. Elle avait demandé avec insistance qu'on la mette sur cette mission. Intéressant, pensa Connors.

Elle avait eu quatre amants. Le premier au lycée. Le deuxième quand elle était en troisième année à l'université. Lors de sa première année de formation au FBI, elle avait fréquenté un homme pendant plus de six mois.

Elle avait un petit cercle d'amis, faisait de l'aquarelle à ses moments perdus. Elle n'avait pas reçu le moindre blâme ni avertissement.

Il lança une recherche sur les dossiers qu'elle avait traités, puis entreprit d'éplucher ceux de Jacoby.

Une heure après, il s'arrêta un instant pour boire un café et remarqua que l'un des voyants lumineux de sa console clignotait. Ah ! le lieutenant m'a transmis son film !

Il s'apprêtait à mettre de côté les dossiers de Stowe, pour se distraire un peu, mais alors qu'il les sauvegardait avant de fermer le fichier, un détail attira son attention.

Une requête déposée six mois avant qu'on ne l'affecte à cette enquête sur Yost. Pourquoi l'agent spécial Karen Stowe avait-elle demandé à connaître les tenants et les aboutissants d'un crime perpétré à Paris ?

Yost était en tête des suspects, cependant on n'avait aucune preuve. Une dénommée Winifred C. Cates, âgée de trente-six ans, rédactrice et assistante à l'ambassade américaine à Paris, avait été violée et étranglée sans mobile apparent. Ce *modus operandi* avait orienté les soupçons vers Yost.

— Ce n'était peut-être pas lui qui t'intéressait tellement, marmonna Connors, mais plutôt la victime. Ordinateur, recherche le dossier personnel de Winifred C. Cates.

— En cours...

Connors sirota son café, tout en écoutant le bourdonnement affairé de la machine.

— Winifred Carole Cates, métisse, née le 5 février 2029, à Savannah, Géorgie. Fille unique de Marlo Barrons et de John Cates, divorcés. Portrait affiché sur l'écran. Description physique ?

— Non, continue.

— Études primaires à domicile. Études secondaires au lycée Moss-Riley, prix d'excellence en littérature et sciences politiques. Diplômée de l'Université américaine...

— Stop. Recoupe les données concernant le cursus universitaire de Cates et de Stowe.

— En cours... Les deux sujets ont poursuivi leurs études supérieures à l'Université américaine, à la même période. Elles étaient dans le même département, toutes deux ont obtenu leur diplôme avec mention. Cates première de sa promotion, Stowe deuxième.

— Stop. Tu la connaissais bien, n'est-ce pas ? murmura Connors. Pour toi, ce n'est pas une affaire comme les autres. C'est une histoire personnelle.

14

Les yeux baissés, Peabody se hâtait dans le couloir pour rejoindre son box quand elle percuta McNab.

— Te voilà, dit-il avec le sourire heureux d'un tout petit garçon qui vient de retrouver son nounours égaré.

— Oui, et justement je te cherchais. Il paraît que le FBI va tenir une conférence de presse. Ils font pression pour que Dallas y soit. Ils veulent lui tendre un traquenard.

— D'ici qu'elle y tombe, il coulera de l'eau sous les ponts.

Il y avait derrière McNab une porte ouvrant sur un cagibi où l'on entreposait des produits d'entretien. Comme il était du genre à saisir toutes les bonnes occasions, il s'empressa d'en tourner la poignée.

— Je ne sais pas si Whitney l'obligera à y assister, poursuivit-elle, mais si c'est le cas, j'estime qu'on devrait tous être là.

Il hocha la tête, tout en l'entraînant dans le local exigu.

— Tu n'auras qu'à me prévenir. En attendant…

Il la plaqua contre le mur, lui mordilla le cou.

— McNab, bon sang, arrête… protesta-t-elle sans conviction.

— Oui, oui…

D'une main, il verrouilla la porte, de l'autre il entreprit de déboutonner la veste d'uniforme de sa compagne.

— Mmm… tu es tellement féminine… qu'est-ce que je peux faire, moi ?

— Exactement ce que tu fais, répliqua-t-elle avec un soupir de plaisir.

Elle lui dégrafa la ceinture de son pantalon. Après tout, elle pouvait bien consacrer quelques minutes à un collègue…

Le pénis de McNab se dressait déjà, telle une colonne de pierre.

Il frémit tout entier sous les caresses si douces et si habiles de Peabody. Elle le rendait fou. Il l'étreignit sauvagement, l'embrassa à pleine bouche.

À cet instant, le communicateur de Peabody sonna.

— Ne réponds pas… bredouilla-t-il en s'acharnant sur le pantalon de la jeune femme tant il était impatient de la prendre, de la posséder.

Elle haletait, ses genoux flageolaient, mais son sens du devoir l'emporta. Pour que son interlocuteur ne voie pas ses joues cramoisies et ses seins dénudés, elle bloqua la fonction vidéo de son appareil.

— Peabody, articula-t-elle péniblement.

— Bonjour, Delia… Tu sembles essoufflée, c'est très sexy.

— Charles…

Elle secoua la tête pour dissiper l'ivresse qui lui embrumait le cerveau, sans remarquer l'éclair glacé qui fulgurait dans le regard de McNab.

— Merci de me rappeler si vite.

— Pour moi, tes désirs sont des ordres.

Elle eut un sourire un peu idiot. Il était toujours si gentil.

— Je sais que tu es occupé, mais je me suis dit que tu pourrais peut-être m'aider, me donner un renseignement.

— Je t'écoute.

Furibond, McNab se détourna pour contempler les bidons de désinfectant alignés sur les étagères. Comment supportait-elle ce type, sa voix mielleuse ? Il était occupé… tu parles ! Occupé à empocher une grosse poignée de billets après avoir expédié au septième ciel une mondaine qui s'ennuyait dans la vie parce qu'elle avait trop d'argent !

— Je travaille sur une enquête, je cherche à confirmer l'identité d'un suspect. Un homme, un quinquagénaire. Amateur d'opéra. Il est abonné au Met, il a la loge à droite de la scène.

— La loge à droite de la scène... Oui, je vois de qui il s'agit. Il ne manque jamais une première et il est toujours seul.

— C'est bien lui. Tu peux le décrire ?

— Grand, corpulent. Il a davantage l'allure d'un joueur de football américain que d'un amateur d'opéra. Le visage et la tête glabres. Ses smokings sont faits sur mesure. Très élégant. À l'entracte, il reste dans sa loge. Une fois, j'étais avec une de mes clientes qui l'a reconnu.

— Elle l'a reconnu ?

— Oui, elle me l'a montré et elle m'a expliqué que c'était un entrepreneur. Ce qui ne signifie pas grand-chose.

— Elle t'a dit son nom ?

— Sans doute. Attends que je réfléchisse... Roles, c'est ça. Martin K. Roles. J'en suis à peu près sûr.

— Et elle, quel est son nom ?

— Delia... rétorqua-t-il d'un ton peiné. Cette question est très embarrassante pour moi, tu ne l'ignores pas.

— D'accord, j'ai une autre idée. Pourrais-tu la contacter et lui demander mine de rien comment elle connaît cet homme ? Ce serait formidable.

— Compte sur moi. Je suggère de prendre un verre ensemble, et je te donnerai les informations que j'aurai obtenues. J'ai un rendez-vous à 10 heures, ce qui nous laisse du temps. Retrouvons-nous au Palace, au Royal Bar, vers 20 heures.

Le Royal Bar, pensa-t-elle. C'était tellement chic et raffiné, on y servait des olives grosses comme des œufs de pigeon dans de jolies coupelles en argent. Et ce lieu était fréquenté par une foule de célébrités qui venaient là boire une coupe de champagne.

Elle mettrait sa longue robe bleue qui lui moulait les hanches.

— Ce serait avec plaisir, seulement je ne sais pas si j'aurai terminé ma journée de travail.

— Les flics se tuent à la tâche. Tu me manques.

— C'est vrai ? susurra-t-elle. Toi aussi, tu me manques.

— Écoute, voilà ce que je te propose. Je me tiens à ta disposition et, si tu as un moment libre entre 18 heures et 21 heures, tu me rejoins.

— Génial. Je te rappelle. Merci, Charles.

— De rien. À plus tard, beauté.

Elle coupa la communication, ravie. Charles avait le don de lui regonfler l'ego.

— Il nous fournira peut-être une bonne piste. S'il peut…

— Tu me prends pour qui ? l'interrompit brutalement McNab.

Elle sursauta. Il était rare que McNab parle sur ce ton dur. Elle le dévisagea avec stupéfaction : ses yeux verts étincelaient, pareils à des éclats de verre.

— Pardon ? bredouilla-t-elle.

— Pour qui tu me prends ? cracha-t-il. Tu étais dans mes bras, prête à me laisser te faire l'amour. Et l'instant d'après, tu flirtes avec un prostitué et tu lui donnes rendez-vous…

— Pardon ? répéta-t-elle, ahurie.

Son cerveau ne parvenait pas à enregistrer les mots que McNab lui lançait à la figure. Toutefois le sens général de cette diatribe ne lui échappait pas.

— Je ne flirtais pas, espèce d'imbécile.

Ou si peu, rectifia-t-elle *in petto*, envahie par une bouffée de culpabilité qu'elle s'empressa d'étouffer.

— Je m'acquittais d'une tâche que m'a confiée mon lieutenant. Et ça ne te regarde pas.

— Ah, oui ?

Il l'agrippa par les épaules, la plaqua de nouveau contre le mur. Mais il ne jouait plus.

— Quelle mouche te pique ? Lâche-moi ou je t'assomme.

Normalement, elle aurait mis sa menace à exécution. Mais là… elle était dépassée par les événements.

— Tu veux savoir quelle mouche me pique ? explosa-t-il. J'en ai assez que tu sortes de mon lit pour courir dans celui de Monroe, ça me flanque la nausée !

— Que… quoi ? bafouilla-t-elle.

— Si tu crois que je vais continuer à jouer les roues de secours, tu te trompes, Peabody.

Elle se sentit rougir, puis pâlir. C'était lui qui se trompait. Sa relation avec Charles était purement platonique. Mais pas question de le dire maintenant, plutôt se laisser hacher menu.

— Je considère ça comme une insulte. Lâche-moi, salaud !

Elle le repoussa, en vain.

— Qu'est-ce que tu éprouverais si une nana m'appelait pendant que je suis en train de te caresser ? Comment tu réagirais ?

Elle n'en savait rien, jamais elle ne s'était posé la question. Par conséquent, elle passa à l'attaque ; c'était, disait-on, la meilleure défense.

— Tu fais ce qui te plaît, McNab, quand ça te chante. Et je te conseille d'arrêter ce cirque. On travaille ensemble, on couche ensemble, mais on n'est pas mariés. Tu n'as aucun droit de m'aboyer dessus parce que je discute avec un informateur. Et si j'ai envie de faire la danse du ventre, nue comme un ver, quand j'ai Charles en ligne, ça ne te concerne pas !

Encore qu'elle n'ait jamais été nue comme un ver devant Charles. Mais le problème n'était pas là.

— C'est ce que tu veux ? rétorqua-t-il d'une voix assourdie.

La douleur s'insinuait à présent en lui. Comme il ne pouvait pas se permettre de trahir sa vulnérabilité, il opina, recula d'un pas.

— Ça me convient parfaitement, dit-il.

— Tant mieux.

— Oui, tant mieux.

Il batailla contre la porte, jura entre ses dents – ah,

oui ! il l'avait verrouillée –, réussit enfin à l'ouvrir et la claqua derrière lui.

Peabody reboutonna sa veste d'uniforme, ravala une espèce de gémissement. Oh, non ! Elle n'allait pas fondre en larmes dans ce cagibi. Elle n'allait pas pleurer à cause de ce crétin de McNab !

Eve achevait son rapport, complété par son calcul de probabilités, lorsque Nadine Furst entra dans son bureau.

La première réaction d'Eve fut de maudire le ciel. La deuxième de masquer l'écran de son ordinateur avant que la journaliste n'y jette un coup d'œil.

— Qu'est-ce que vous voulez ? grogna-t-elle.

— Quel plaisir de vous voir ! Vous avez l'air en forme. Merci, je prendrai volontiers un café.

Comme si elle était chez elle, Nadine s'approcha de l'AutoChef et commanda deux tasses.

Elle était ravissante, avec ses cheveux blond vénitien dont la coupe flattait son visage de renarde. Elle arborait aujourd'hui un tailleur rouge coquelicot qui mettait admirablement en valeur ses formes féminines et ses jambes splendides.

Elle prenait grand soin de son apparence, son métier l'exigeait – elle était l'une des journalistes les plus en vue de la ville. Mais Nadine possédait d'autres atouts : une intelligence aiguë et un flair redoutable qui lui permettait de renifler une bonne histoire même si elle était enfouie sous des tonnes de déchets sans intérêt.

— Je suis un peu débordée, Nadine. On se verra plus tard.

— Oui, vous ne m'étonnez pas.

Nadine, imperturbable, posa une tasse devant Eve et s'installa dans le fauteuil inconfortable réservé aux visiteurs, qui grinça sinistrement sous son poids.

— Dans une heure, le FBI donne une conférence de presse à propos de ce lamentable fiasco.

— Alors pourquoi vous ne vous y précipitez pas ?

— Oh, j'y serai ! répliqua Nadine avec un sourire de chat qui vient de croquer un canari. On m'avait soufflé à l'oreille que vous y seriez aussi. Et puis on m'a dit que vous n'y seriez pas. Que, de plus, la conférence de presse antérieurement prévue avec la police de New York était annulée. Donc… des commentaires, lieutenant Dallas ?

— Aucun.

Eve avait passé vingt minutes avec Whitney pour peaufiner leur stratégie à ce sujet.

— Il s'agissait d'une opération fédérale, nos services n'étaient pas concernés.

— Pourtant vous vous trouviez ensuite sur les lieux. On me l'a également susurré à l'oreille. Vous avez une explication ?

— Je passais dans le quartier.

— Allons, Dallas. Nous sommes en tête à tête, vous et moi. Pas de caméra, pas de micro. Donnez-moi un petit tuyau.

— Vous le dénicherez toute seule, je vous fais confiance. Nadine, franchement je suis débordée.

— Oui, je m'en doute. Deux crimes. Même *modus operandi*, par conséquent un seul assassin. Puisque vous êtes tellement occupée par cette affaire, et je ne parle pas de l'événement mondain auquel vous devrez assister – la vente Magda Lane –, pour quelle raison vous penchez-vous sur une opération fédérale qui a échoué ?

— Je ne me penche pas.

— En effet, je rectifie : vous êtes dedans jusqu'au cou.

Satisfaite de ce trait d'humour, Nadine avala une gorgée de café.

— Quel est le lien entre votre enquête et l'opération du FBI ?

— Pourquoi vous ne posez pas la question aux agents spéciaux Jacoby et Stowe ? rétorqua Eve qui, elle, buvait du petit-lait. Je vous suggère de leur demander pourquoi ils ont réquisitionné tout un bataillon, aux frais du contribuable, pour pénétrer dans un immeuble privé, et cela sans avoir vérifié au préalable que leur cible s'y trouvait ? Vous pourriez aussi leur demander s'ils se sentent à l'aise dans leurs baskets, maintenant que ladite cible a pris le large.

— Bien, bien... Je n'obtiendrai peut-être pas de réponse, mais du moins j'ai des questions pertinentes. Ils vous ont écrasé les orteils ?

— Entre vous et moi, ils ont saboté mon enquête et ils ont tout bousillé.

— Pourtant ils sont encore vivants. Vous me décevez.

— Attendez que la conférence de presse soit terminée, vous oublierez votre déception. Ils pisseront le sang.

— Ah ! je vais vous servir d'instrument ! J'en suis enchantée.

Nadine finit son café, contempla sa tasse.

— Puisque je suis si aimable et coopérative, j'ai droit à une faveur, n'est-ce pas ?

— Je vous ai donné le maximum, n'en espérez pas davantage.

— C'est pour la vente aux enchères. Mon passe de journaliste me permettra d'y assister, mais pas d'y participer. Or je suis fan de Magda Lane, Dallas. Vous pourriez me procurer un ticket d'entrée ?

— Ce n'est que ça ? rétorqua Eve en haussant les épaules. Oui, je devrais arriver à vous en avoir un.

D'un air implorant, Nadine leva deux doigts.

— Vous en voulez deux ?

— Ce serait beaucoup plus amusant si je pouvais venir avec un ami. Soyez sympa.

— Bon... on verra ça.

— Merci.

Nadine se leva, vive et gracieuse.

— Sur ces bonnes paroles, je cours au siège du FBI. Allumez votre télévision, pour les regarder *pisser le sang*.

Nadine sortait quand Peabody franchit le seuil du bureau.

— Salut, Peabody ! lança la journaliste, distraite.
— Je ne pourrai peut-être pas suivre la conférence de presse, déclara Eve à son assistante. N'oubliez pas de l'enregistrer.
— Bien, lieutenant. Alors vous n'êtes pas obligée d'y aller ?
— Non. Les fédéraux se débrouilleront sans moi. Je veux un briefing avec toute l'équipe. À 16 heures, si ça convient à Feeney et McNab. Réservez une salle de réunion.
Peabody pinça les lèvres, hocha la tête.
— Bien, lieutenant. J'ai contacté Charles Monroe.
Malgré ses préoccupations, Eve perçut la tension de son assistante.
— Vous avez un problème ?
— Non, lieutenant. Charles m'a confirmé que Yost était un abonné du Met. Il ne manquait jamais une première. Une cliente de Charles l'a reconnu. Elle lui a dit qu'il s'appelait Martin K. Roles et qu'il était entrepreneur.
— Un nouveau pseudonyme. Parfait. Je vais chercher de ce côté. Quel est le nom de la cliente ?
— Charles a refusé de me donner cette information. Par contre, il a accepté de la contacter pour lui demander comment elle a rencontré ce Roles. Si...
Peabody s'interrompit, toussota ; elle avait la gorge nouée.
— Si le renseignement est incomplet, ou s'il ne nous satisfait pas, j'insisterai.
— D'accord.
Eve, qui dévisageait son assistante, sentit son estomac se crisper. Il y avait des larmes dans les yeux de Peabody.
— Qu'est-ce que vous avez ?
— Rien, lieutenant.
— Vous allez vous mettre à pleurer. Vous savez pourtant que j'ai horreur de ça, surtout pendant les heures de travail.

— Je ne pleure pas, balbutia Peabody. Je… je ne me sens pas très bien, c'est tout. Lieutenant, vous pourriez me dispenser du briefing ?

— Vous mangez trop de frites au soja, décréta Eve, soulagée. Si vous êtes malade, filez à l'infirmerie. Allongez-vous une demi-heure.

Elle consultait sa montre quand elle entendit un petit sanglot étouffé. Elle comprit aussitôt.

— Oh, non… Vous vous êtes disputée avec McNab, n'est-ce pas ?

— Je vous serais reconnaissante de ne pas prononcer son nom en ma présence, rétorqua Peabody, dignement mais d'une voix qui chevrotait.

— Je savais que ça arriverait. Je le savais ! martela Eve.

— Il a dit que j'étais…

— Non ! s'exclama Eve en agitant les bras comme pour détourner un missile. Non, non ! Vous gardez ça pour vous. Je n'écoute pas, je ne veux pas être au courant, je ne veux même pas y penser ! Ici, on est chez les flics. Et vous êtes un flic !

Eve parlait à toute vitesse, dans l'espoir de tarir ces larmes qui débordaient des yeux noirs de Peabody.

— Oui, lieutenant.

— Oh, bon sang…

Eve pressa les mains de chaque côté de son crâne, pour que son cerveau reste en place.

— Résumons-nous. Vous foncez à l'infirmerie, vous ingurgitez une pilule quelconque. Vous vous allongez. Ensuite vous vous secouez et vous rappliquez dare-dare au briefing. Je l'organiserai et vous y assisterez comme un flic que vous êtes. Vous vous occuperez de vos petites affaires personnelles après le service.

— Oui, lieutenant.

Peabody renifla, tourna les talons.

— Et je ne veux plus vous entendre renifler. Vous tenez à ce qu'il vous voie avec la figure toute bouffie ?

Peabody se raidit, redressa les épaules. Elle s'essuya le nez.

— Non. Ça non, pas question.

La division de détection électronique se trouvait dans une autre aile du Central. Les sols y étaient d'une propreté immaculée, les couloirs larges et peints en rouge pour stimuler les méninges. Dans les box où s'affairaient des flics élégamment vêtus ou en tenue plus décontractée, on voyait les meilleurs équipements que le budget de la police new-yorkaise permettait d'acquérir.

Le ronflement des machines, ponctué de bips, ne s'interrompait jamais. Sur les écrans muraux défilaient sans trêve images et banques de données.

Il y avait également trois salles holographiques prévues pour des simulations. Certains n'hésitaient pas, cependant, à les utiliser pour assouvir des fantasmes, s'accorder un interlude romantique ou une petite sieste.

Connors examina d'un coup d'œil le matériel, de bonne qualité, mais qui serait démodé dans six mois. Il était bien placé pour le savoir, puisque l'un de ses services de recherche venait de réaliser un nouveau prototype d'ordinateur au laser qui éclipserait tout ce qu'offrait actuellement le marché.

Il prit mentalement note de confier à l'un de ses directeurs de marketing le soin de contacter la police new-yorkaise.

Il s'avança dans le dédale de box à trois parois, et finit par dénicher McNab. Le jeune inspecteur était vautré dans son fauteuil, la mine morose.

— Ian ?

Celui-ci sursauta, se cogna le genou contre le rebord de sa table, marmotta un juron et leva les yeux.

— Ça alors... qu'est-ce que vous faites ici ?

— J'aimerais voir Feeney un instant, si c'est possible.

— Bien sûr, il est dans son bureau. Par là, et ensuite à droite, expliqua McNab en lui montrant la direction du doigt. En général, il laisse sa porte ouverte.

— Parfait. Vous avez un problème ?

McNab haussa ses épaules osseuses.

— Les femmes... grommela-t-il.

— Ah...

— Ouais...

— Des soucis avec Peabody, peut-être ?

— Plus maintenant. Je ressors mes peintures de guerre. Dès ce soir, j'ai rendez-vous avec une rousse qui a des seins magnifiques, tout ce qu'il y a de naturel, et un penchant pour le cuir noir.

— Je vois.

Compatissant, Connors lui tapota amicalement le bras.

— Je suis désolé.

— Il n'y a pas de quoi, rétorqua McNab avec un entrain qui sonnait atrocement faux. Ma rousse a une sœur. À trois, on devrait bien s'amuser.

Le communicateur de McNab l'interrompit.

— Excusez-moi, j'ai du boulot.

— Je vous laisse.

Connors gagna le petit couloir menant au bureau de Feeney. La porte était effectivement ouverte, et le capitaine, tout en fourrageant dans ses cheveux, étudiait les données qui fulguraient comme des éclairs sur trois écrans muraux.

Sentant une présence sur le seuil, il leva une main, commanda :

— Copie, enregistrement et recoupement avec le fichier AB-286.

Puis il tourna les yeux vers Connors.

— Désolé de vous déranger, dit celui-ci.

— Ne vous excusez pas. De toute façon, il faudra un moment avant d'avoir les résultats.

— À cause de vous ou de votre équipement ? demanda Connors avec un sourire.

— Les deux. Je fais une recherche sur les commanditaires potentiels de Yost pour chaque victime. On trouvera peut-être un début de fil conducteur pour lui remettre la main dessus.

Feeney plongea les doigts dans son sachet d'amandes grillées, soupira.

— À force de fixer ces écrans, j'ai la vue qui baisse.

— Vous avez un bon équipement, commenta Connors.

— Il m'a fallu six semaines pour les convaincre de me débloquer le budget. Je suis le chef de la DDE, et je dois supplier pour avoir du matériel convenable. C'est une honte.

— D'autant que, dans six mois, ce sera complètement dépassé.

Feeney émit un grognement.

— Je connais votre 60 TM et le 75 TMS. Enfin... je les ai seulement vus chez vous.

— Qu'est-ce que vous diriez d'un 100 TM, avec cinq cents fonctions simultanées ?

— Ça n'existe pas. Aucun système n'est assez puissant, aucun laser ne peut atteindre cette vitesse d'exécution.

— Détrompez-vous.

Feeney pâlit, pressa une main sur son cœur.

— Ne me faites pas des blagues pareilles, mon vieux. Je suis trop émotif.

— Ça vous plairait de tester un de ces prototypes pour moi ? De le programmer, de me donner votre opinion ?

— Qu'est-ce que vous voulez au juste ?

— Que vous interveniez, lorsque Connors Industries négociera un contrat avec la police new-yorkaise et, ensuite, les autres polices du pays.

— Si votre machine fait ce que vous dites, je pèserai de tout mon poids dans la négociation. Je la verrai bientôt ?

— Dans la semaine. Je vous avertirai.

Connors pivota.

— Vous êtes venu seulement pour ça ? s'enquit Feeney.

— Oui, et pour embrasser ma femme avant de m'en aller. J'ai des rendez-vous. Bonne chasse, capitaine.

Ce dernier secoua la tête et, revigoré par la perspective de manipuler un 100 TM, se remit au travail.

Ce fut alors qu'il aperçut un disque posé sur sa table, qui n'y était pas avant l'arrivée de Connors.

Il était peut-être fatigué, mais pas à ce point-là.

Avec un petit rire, il glissa le disque dans le lecteur. Il avait hâte de découvrir ce que l'Irlandais avait adroitement refilé à un autre Irlandais qui, lui aussi, ne manquait pas d'adresse.

Dans une ravissante demeure à deux étages, Sylvester Yost écoutait le finale d'*Aïda*, tout en dégustant des pâtes au basilic accompagnées d'un délicieux vin blanc.

Il buvait rarement du vin au déjeuner, par sagesse, mais aujourd'hui il estimait l'avoir bien mérité. Il avait regardé ces empotés du FBI, leur avait souri, à l'abri derrière les vitres teintées d'une longue limousine noire. Quelques minutes avant qu'ils n'investissent l'immeuble.

Il ne recherchait pas les péripéties de ce genre, cependant elles pimentaient la routine.

Pourtant il était mécontent. Et il avait donc débouché cette bouteille de vin pour recouvrer sa sérénité.

Il baissa le volume sonore de la musique, puis appela comme prévu son correspondant. Tous deux eurent soin de bloquer la fonction vidéo de leur communicateur; leurs voix étaient également déformées.

Ils prenaient toutes ces précautions afin qu'on ne risque pas de les localiser.

— Je suis installé, déclara Yost.

— Parfait. J'espère que vous ne manquez de rien.

— Pour l'instant, ça me convient. Toutefois, cette matinée me coûte très cher. Mes objets d'art valent plusieurs millions de dollars, et je suis obligé de racheter une grande partie de ma garde-robe.

— J'en ai conscience. Je crois que nous pourrons récupérer la majorité de vos possessions, il faut patienter un peu. Si nous n'y parvenions pas, je vous rembourserais la moitié de vos pertes. Pas davantage.

Yost aurait pu discuter, mais il se targuait d'être honnête en affaires. Si on l'avait repéré et s'il avait dû abandonner ses trésors, il en était en partie responsable. Même s'il lui restait à définir où et quand il avait commis des erreurs.

— Vous m'avez averti à temps, ce matin, et votre pied-à-terre n'est pas trop inconfortable, par conséquent j'accepte vos conditions. Je continue comme prévu ?

— Absolument. Dès demain.

— C'est vous qui prenez cette décision. À ce stade, néanmoins, je me sens tenu de vous dire que j'ai l'intention de me débarrasser du lieutenant Dallas à ma manière. Elle est une gêne pour moi et, en outre, elle progresse trop vite dans son enquête.

— Je ne vous paie pas pour Dallas.

— Certes. Ce sera un bonus.

— Je vous ai expliqué dès le départ pourquoi elle ne figurait pas sur notre liste. Éliminez-la, et Connors ne cessera jamais de vous traquer. Faites en sorte de l'occuper ailleurs jusqu'à ce que le travail soit achevé.

— Je vous le répète : Dallas, c'est mon affaire. Je la réglerai à mon heure et à ma façon. Vous ne me rémunérez pas pour ça, donc vous n'êtes pas concerné.

Yost crispa le poing sur la nappe immaculée, se mit à marteler doucement la table, en cadence.

— Réfléchissez : si elle meurt, Connors en sera bouleversé, ce qui vous facilitera énormément la tâche.

— Elle ne fait pas partie de vos cibles !

— Je ne l'ignore pas.

Yost continuait à frapper sur la table, de plus en plus fort. Au bout d'un instant, il se figea, rouvrit la main. Décidément, il n'était pas aussi calme qu'il le croyait, et ça l'ennuyait. Une colère terrible grondait en lui. Il n'avait pas éprouvé une telle émotion depuis si longtemps qu'il en avait oublié le goût amer.

Le goût de la peur.

— La prochaine cible sera liquidée demain. Et quand je me serai débarrassé du lieutenant, n'ayez aucune inquiétude : Connors ne nous retrouvera pas, ni l'un ni l'autre. Je compte le tuer. Mais pour ça, vous paierez.

— Si vous réussissez à l'éliminer en temps voulu, vous aurez votre salaire. Il me semble avoir toujours versé les sommes stipulées dans un contrat.

— Eh bien, si j'étais vous, je prendrais d'ores et déjà les dispositions nécessaires pour transférer les fonds !

Yost coupa brutalement la communication, se leva et se mit à arpenter la pièce. Quand sa rage se fut quelque peu apaisée, il monta à l'étage, dans l'élégant bureau où il avait installé ses ordinateurs portables.

Il s'assit, inspira profondément pour s'éclaircir les idées, et entreprit d'étudier toutes les informations qu'il possédait sur Eve Dallas.

15

Connors rencontra Eve dans un couloir, devant un distributeur. Elle était manifestement en plein conflit avec la machine.

— Je t'ai filé des pièces, espèce de saleté ! pestait-elle en boxant le récalcitrant appareil.

— Tout acte de vandalisme, toute tentative de dégradation du matériel municipal constitue un délit...

Cette voix électronique et chantante allait faire exploser Eve, pensa Connors.

— D'accord. Je ne vais pas tenter de t'abîmer. Je vais le faire !

Elle s'apprêtait à assener au distributeur l'un de ses redoutables coups de pied qui vous expédiaient au tapis en moins d'une seconde, Connors était bien placé pour le savoir. Il s'interposa.

— Laisse-moi faire, lieutenant.

— Surtout ne donne pas de fric à ce salaud de voleur ! rétorqua Eve d'une voix sifflante.

Il inséra tranquillement une pièce dans la fente.

— Tu veux une barre chocolatée, je suppose. Tu as déjeuné ?

— Oui, oui. Tu es conscient que ce bandit va continuer à escroquer tout le monde, si tu l'encourages ?

— Eve chérie, c'est un distributeur. Ce n'est pas une créature pensante.

— Tu n'as jamais entendu parler de l'intelligence artificielle ?

— Une machine qui crache des barres chocolatées n'en est pas pourvue, je t'assure.

Il appuya sur une touche.

—Vous avez sélectionné la barre Royal Dream. Poids : cent grammes. Lipides : trois grammes. Calories : soixante-huit. Ingrédients : soja, édulcorants, arôme chocolaté.

—Un vrai délice, murmura Connors en saisissant la friandise.

—Ce produit n'a aucune valeur nutritionnelle et peut provoquer des accès de nervosité chez certains sujets. Bon appétit!

—Boucle-la, sale voleur! rouspéta Eve en déchirant le papier. On a encore razzié mon AutoChef. Il me restait deux barres de vrai chocolat, on me les a piquées. Je finirai bien par attraper les coupables et je leur arracherai la peau. En prenant tout mon temps. Qu'est-ce que tu fabriques ici?

—Je t'adore. De toute mon âme.

Ce fut plus fort que lui, il lui prit le visage et l'embrassa.

—Mon Dieu, comment ai-je pu vivre sans toi?

—Arrête, marmonna Eve en scrutant le couloir de crainte qu'on ne les observe – si on les voyait, on se paierait sa tête pendant une semaine. Viens dans mon bureau.

—Avec plaisir.

Il la suivit, ferma la porte et enlaça Eve pour lui donner un long baiser passionné.

—Je suis de service, murmura-t-elle en se laissant aller contre lui.

—Je sais. Juste une minute...

Un jour peut-être il ne s'étonnerait plus de l'aimer si fort, d'avoir tellement besoin d'elle, de la désirer aussi follement. Mais pour l'instant il en était sidéré, ébloui.

Il l'embrassa encore, promena ses mains sur elle.

—Mmm... ça devrait me permettre de tenir quelques heures.

Elle poussa un long soupir tremblant.

—Dis donc... tu me fais plus de bien que du faux chocolat.

— Eve chérie, tu me flattes.

— Bon, fin de la récréation, j'ai une réunion qui m'attend. Pourquoi tu es venu ?

— Pour te payer une friandise infecte. Au fait, tu sais que Peabody et McNab ont eu une querelle d'amoureux ?

— Je déteste cette expression. Il s'est passé quelque chose, comme je l'avais prévu. Et c'est ta faute, parce que tu as conseillé à McNab de se jeter à l'eau et de la mettre dans son lit. J'ai expédié Peabody à l'infirmerie pour qu'on lui donne un calmant.

— Tu as discuté avec elle ?

— Ah, non ! Et je ne veux pas de ses confidences !

— Eve...

Cette note réprobatrice dans la voix de son mari la hérissa.

— Ici, on est à la brigade criminelle. On s'occupe d'homicides, on est chargés de faire respecter la loi, de rétablir l'ordre. Comment je suis censée réagir quand elle se présente devant moi avec des yeux pleins de larmes ?

— Tu l'écoutes, rétorqua-t-il simplement.

— Oh, s'il te plaît !

— Quoi qu'il en soit, poursuivit-il, amusé par son air outré, je suis venu te prévenir que je dîne avec Magda et sa petite cour. Elle voulait que tu sois là, mais je lui ai expliqué que tu étais prise. Je ne rentrerai pas tard.

Elle réprima une grimace de dépit.

— Dis-moi où vous avez rendez-vous et à quelle heure. Si j'arrive à me libérer, je vous rejoindrai.

— Je ne te l'impose pas.

— Oui, c'est justement pour ça que j'essaierai.

— Dernier étage du New York, 20 h 30.

— Si je ne suis pas là à 21 h 15, dînez sans moi.

— D'accord... Y a-t-il des éléments nouveaux que je devrais connaître en tant qu'expert consultant civil ?

— Pas grand-chose, mais tu peux assister au briefing.

— Impossible malheureusement, on m'attend ailleurs. Tu n'auras qu'à me *briefer* ce soir.

Il lui prit la main, lui baisa tendrement les doigts.

— Évite de boxer une autre créature inanimée, tu risques de te briser les os.

— Ha, ha !

Il sortit du bureau et, comme personne ne l'épiait, Eve se campa sur le seuil pour le regarder s'éloigner. Il est magnifique, songea-t-elle en grignotant sa barre chocolatée. Il a des fesses somptueuses.

Sur quoi, elle rassembla les dossiers et les disquettes dont elle avait besoin, puis se dirigea vers la salle de réunion pour préparer le briefing.

Elle avait à peine commencé quand Peabody apparut.

— Laissez, lieutenant, je vais le faire.

Elle avait les yeux secs et se tenait droite comme un piquet.

Soulagée, Eve faillit lui demander si elle se sentait mieux, puis se ravisa : la question était trop dangereuse et risquait de déclencher ces confidences qu'il fallait à tout prix éviter.

Elle garda donc le silence, pendant que Peabody sauvegardait les données sur disque dur.

— J'ai aussi l'enregistrement de la conférence de presse, lieutenant. Vous voulez que je vous le copie ?

— Non, j'emporterai la vidéo chez moi, histoire de m'offrir un petit plaisir. Vous avez suivi la conférence ?

— Oui. Ils ont tourné autour du pot, puis Nadine les a interrogés sur leur intervention. Une question du genre : Vous avez investi l'immeuble sans avoir vérifié que la cible s'y trouvait ? Jacoby a tenté de se dérober : « Nous ne pouvons pas entrer dans les détails, bla-bla-bla… » Alors elle les a de nouveau épinglés. Votre cible, connue pour être un tueur professionnel, se balade à présent dans la nature, malgré une opération complexe et coûteuse élaborée par le FBI. Qu'en pensez-vous, agent spécial Jacoby ?

— Cette chère Nadine…

— Oui, elle a demandé ça d'un ton très poli, plein de sollicitude. Avant que Jacoby se soit remis du coup, les autres journalistes ont empoigné le marteau piqueur. Résultat, nos brillants collègues n'ont eu qu'une solution : abréger la conférence.

— Un point pour les médias. Zéro pour les fédéraux.

— Ils ne sont même pas à zéro. Mais ce n'est sans doute pas très juste de reprocher à tout le FBI la crétinerie de deux agents.

— Peut-être, n'empêche que ça me réconforte.

À cet instant, la porte s'ouvrit à la volée. Feeney entra, un bizarre sourire aux lèvres. Il brandissait une disquette.

— J'ai des informations, claironna-t-il. De premier ordre. Si les fédéraux essaient de nous écarter encore de l'enquête, on a une arme pour les contrer. L'agent spécial Stowe connaissait personnellement une des victimes.

— Comment ça ?

— Elles étaient à l'université ensemble, dans le même département, elles étaient membres des mêmes clubs. Et elles ont partagé un appartement pendant trois mois, avant le départ de la victime pour l'étranger.

— Elles étaient copines ? Comment ça a pu m'échapper ?

— Parce que Stowe a omis de mentionner ce détail dans son dossier. Elle l'a soigneusement enterré.

Eve, ravie, regarda Feeney insérer le disque dans le lecteur. Brusquement, elle se figea.

— Comment tu as obtenu ces informations ?

Il savait qu'elle poserait cette question. C'était précisément pour cette raison qu'il avait copié les données sur son propre matériel.

— Une source anonyme.

Elle plissa les paupières. Connors !

— Tu t'es subitement déniché un indic capable d'accéder aux fichiers du FBI et aux dossiers personnels de ses agents ?

— J'en ai bien l'impression, répondit-il, jovial. J'avoue que c'est un mystère. Figure-toi que ce disque est arrivé sur mon bureau comme par magie. Rien ne nous interdit d'utiliser des renseignements provenant d'une source anonyme. *A priori*, il y a une taupe au FBI qui nous fait une fleur.

Elle aurait pu insister, le mettre sur le gril. Ce serait inutile, Feeney n'admettrait jamais que cette fleur provenait de Connors.

— Bon, voyons voir ça... marmonna-t-elle.

À ce moment, McNab entra d'un pas traînant dans la salle.

— Vous êtes en retard, McNab.

— Désolé, lieutenant, j'ai été retenu.

Il s'assit, sans adresser un regard à Peabody qui fit de même. Résultat, la température ambiante se refroidit considérablement. Eve et Feeney échangèrent un coup d'œil accablé.

— Nous avons un nouveau pseudonyme pour Yost, commença Eve, désignant le tableau où étaient affichés les divers portraits du tueur, ses noms, et les photos de ses victimes. J'ai fait une petite recherche. Martin K. Roles... Vous noterez qu'il a bien peaufiné ce personnage. Papiers en règle, compte bancaire, résidence... Seulement voilà, l'adresse est fausse. Martin K. Roles paie des impôts, il est affilié à la sécurité sociale et il a un passeport. À mon avis, c'est l'identité qu'il s'est choisie pour sa retraite. Il veille à ce qu'elle soit normale, au-dessus de tout soupçon, pour ne pas risquer d'attirer l'attention de CompuGuard ou de la police.

— S'il est doué en informatique, ce qui semble être le cas, il a certainement trafiqué des données ici et là pour que ça colle, intervint McNab.

— Je suis d'accord. Et il ne se doute pas que nous avons trouvé ça. Par conséquent, nous allons nous concentrer sur ce Martin K. Roles en faisant très attention à ne pas nous trahir. Toutes les recherches sur ce pseudonyme seront effectuées en Code 3. M. Roles possède forcément une résidence. Localisez-la.

— Je me mettrai là-dessus tout de suite après le briefing, dit McNab. De mon côté, j'ai essayé d'établir des liens entre les victimes, pour voir qui pouvait avoir intérêt à les supprimer et engager un tueur à gages. Je n'ai rien de solide pour l'instant.

— Contrairement à nos petits camarades du FBI, nous ne bougerons pas avant d'avoir bien balisé le terrain. Un type aussi expérimenté et efficace que Yost ne laisse rien au hasard. Nous devons éviter à tout prix qu'il abandonne son personnage de Roles pour prendre un autre pseudonyme. Ne l'effarouchons pas. Et maintenant, je cède la parole au capitaine Feeney qui a un cadeau pour nous.

Feeney se leva, se frotta les mains, et commanda à l'ordinateur d'afficher sur l'écran les informations que Connors lui avait transmises en douce.

McNab sauta sur son siège.

— Ça, c'est du croustillant !

Peabody braqua sur lui des yeux pareils à des mitraillettes. Le jeune inspecteur fut si content qu'elle l'ait regardé la première qu'il faillit lui sourire.

— Comment vous avez eu ça ? demanda-t-il à Feeney.

Celui-ci baissa le nez.

— Par une source anonyme. Un membre du FBI, je suppose.

— Ben voyons, et le soleil se lève à l'ouest, marmotta Eve entre ses dents. Toujours est-il qu'à présent nous détenons ce renseignement. C'est un outil. Pas une bombe, ajouta-t-elle, scrutant les visages de ses collaborateurs – elle y lut du désappointement. Feeney, j'aimerais avoir un entretien en tête à tête avec Stowe. Elle a des états de service irréprochables. Or si ces informations sont bien la preuve qu'elle a menti et falsifié son dossier, elle écopera d'un blâme. On l'écartera de cette enquête pour la mettre, au moins provisoirement, dans un placard quelconque. Ça, elle ne le veut pas. Elle en a tellement peu envie que, selon moi, elle sera prête à négocier.

— Du moment que tu l'accules contre le mur, je te laisse le plaisir de lui parler. Vous noterez que notre cher ami Jacoby n'a pas spécialement brillé dans ses études. D'après son profil, il a une intelligence moyenne, il est très orgueilleux, ambitieux, et il a du mal à se plier à l'autorité. Additionnez toutes ces caractéristiques, et vous obtenez un individu dangereux. Je demanderais volontiers à Mira ce qu'elle pense de lui.

— Puisque ces éléments viennent de toi, tu n'as qu'à la contacter. Passons au résultat du calcul de probabilités... Nous pouvons considérer, vous le constatez, que le tueur terminera son travail. Quatre-vingt-dix-huit pour cent de chances. Il a une réputation à tenir. Il s'attaquera à sa prochaine cible, et il s'efforcera de le faire dans les délais prévus par son contrat. Je crois qu'il agira d'ici vingt-quatre heures. Il se trouve toujours dans cette ville ou ses environs immédiats. Par conséquent, sa future victime est dans le même périmètre. Malheureusement, nous n'avons aucun moyen de la protéger.

Eve fixa son regard sur l'écran.

— Donc nous n'avons qu'une solution : travailler et attendre. La réunion est terminée. Si nous n'avons rien de nouveau d'ici une heure, rentrez chez vous et reposez-vous.

— Moi, ça m'étonnerait que je me repose beaucoup. J'ai un rendez-vous, déclara McNab.

Il avait rongé son frein pendant toute la discussion, impatient de dégoupiller cette grenade et de la balancer à la figure de Peabody. Il lui fallut fournir un effort considérable pour ne pas se tourner vers elle, pour voir comment elle réagissait.

Mais le tressaillement de Peabody, la lueur de souffrance puis de colère dans ses yeux n'échappèrent pas à Eve.

Flûte.

— Nous en sommes tous ravis pour vous, McNab, dit-elle d'un ton sec. On se retrouve ici demain matin à 8 heures.

McNab se redressa, quelque peu ébranlé, et se dirigea vers la porte. Avec un soupir à fendre l'âme, Feeney lui emboîta le pas, se rapprocha et lui assena une claque, du plat de la main, sur le côté de la tête.

— Aïe... Mais qu'est-ce qui vous prend ?

— Vous le savez très bien.

— C'est d'une injustice ! Elle fait la bamboula avec une espèce de prostitué, personne ne dit rien. Moi, j'ai un simple rendez-vous, et on me flanque un coup de poing, de quoi assommer un bœuf !

Feeney, qui savait reconnaître la souffrance quand il l'avait sous les yeux, enfonça l'index dans la poitrine maigrichonne de McNab.

— Je ne parle pas de ça.

— Moi non plus.

Les épaules voûtées, McNab s'éloigna en jurant comme un charretier.

— Peabody, lança Eve pour couper le sifflet à son assistante, copiez et classez tous les fichiers, et réservez cette salle pour demain.

— Oui, lieutenant.

La jeune femme déglutit péniblement, bruyamment.

— Vérifiez si Monroe a d'autres renseignements sur Roles. Ensuite, restez dans votre box jusqu'à ce que je vous appelle.

— Oui, lieutenant.

Eve attendit que Peabody ait rassemblé ses affaires et quitté la pièce, tel un droïde discipliné.

— C'est infernal, maugréa-t-elle. Et l'autre qui dit : écoute-la. Il est marrant, lui.

S'efforçant de ne plus penser à son assistante, elle s'assit pour contacter Stowe au siège du FBI.

— Il faut que je vous parle, lui déclara-t-elle. Ce soir, en tête à tête.

— Je suis occupée, et je ne vois pas l'intérêt de parler avec vous, ni ce soir ni à un autre moment. Me prendriez-vous pour une idiote ? Vous pensez que je n'ai pas compris qui avait tuyauté cette journaliste ?

— Elle est parfaitement capable de se débrouiller toute seule, figurez-vous.

Eve marqua une pause.

— Winifred C. Cates, dit-elle simplement.

Stowe blêmit.

— Eh bien quoi ? rétorqua-t-elle avec un sang-froid assez admirable. C'est l'une des victimes que l'on attribue à Yost.

— Ce soir, Stowe. Sauf si vous tenez à ce que j'entre dans les détails, au risque que notre conversation soit écoutée.

— Je ne peux pas me libérer avant 19 heures.

— 19 h 30 au Blue Squirrel. Je suis sûre qu'un agent fédéral aussi futé que vous trouvera l'adresse sans difficulté.

Stowe se rapprocha de l'écran de son communicateur.

— Vous serez seule ? chuchota-t-elle.

— Oui. Ne me faites pas poireauter.

Eve raccrocha, consulta sa montre, traîna autant qu'elle le put. Puis, comme si elle allait affronter une armée de chirurgiens équipés de bistouris au laser, elle alla récupérer sa veste dans son bureau et se dirigea vers le box de Peabody.

— Vous avez eu Charles ?

— Oui, lieutenant. Sa cliente a rencontré le soi-disant Roles chez Sotheby's, l'hiver dernier, lors d'une vente. Il a enchéri pour un tableau qu'elle convoitait et qu'il a emporté. Un paysage de Masterfield. Il l'aurait payé deux millions quatre cent mille dollars.

— Sotheby's... Ils ferment à 17 heures, on les appellera demain. Bon, venez avec moi. Elle avait autre chose à raconter, cette bonne femme ?

— Charles m'a dit qu'elle lui avait décrit Roles comme un homme extrêmement courtois quoique distant, un grand amateur d'art. Elle a cherché à se faire inviter chez lui, pour revoir le tableau, mais il n'a pas mordu à l'hameçon. Pourtant, d'après Charles, elle est vraiment belle et très riche. La plupart des types auraient sauté sur l'aubaine, alors elle en a conclu qu'il était homo. Elle a quand même essayé de bavarder avec lui, de savoir quel club il fréquentait, quel cercle mondain, et cetera... Il s'est dérobé et il l'a plantée là.

— Si elle est tellement belle, pourquoi a-t-elle besoin des services d'un prostitué ?

— Sans doute parce que Charles est superbe et qu'elle n'a pas envie de s'attacher.

Elles avaient atteint le parking.

— Les femmes fréquentent les compagnons licenciés pour de nombreuses raisons. Pas toujours pour le sexe, ajouta Peabody avec un soupir.

— Ouais... Bon, demain on s'occupera de Sotheby's.

Je mettrai aussi Connors sur cette piste, se dit Eve.

— D'accord, lieutenant. Et maintenant, où allons-nous ?

— À vous de décider. Vous avez envie de vous soûler ?

— Pardon ?

— Il n'y a pas très longtemps, je me suis fâchée avec Connors. Je me suis soûlée, ça m'a fait beaucoup de bien.

Des larmes de chagrin et de gratitude brillèrent dans les yeux de Peabody.

— Je préférerais une énorme glace, balbutia-t-elle.

— Excellente idée, je suis partante.

Eve contempla l'énorme pyramide de crème glacée avec un mélange de gourmandise et d'écœurement. Si elle ingurgitait tout ça, elle ne couperait pas à une crise de foie carabinée.

Ce qu'il fallait faire pour une amie...

— OK, crachez ce que vous avez sur le cœur, dit-elle en plongeant sa cuillère dans la coupe.

— Pardon ?

— Racontez-moi ce qui s'est passé.

Peabody la dévisagea d'un air ahuri.

— Vous voulez que je vous raconte ?

— Non, je ne le veux pas. Je vous le demande parce que, paraît-il, l'amitié fonctionne comme ça. Donc je vous écoute.

— C'est vraiment... gentil de votre part, bredouilla Peabody en s'attaquant à son banana split. On était dans un des cagibis où l'on range les produits d'entretien, on s'amusait un peu, et...

Eve leva une main, avala ce qu'elle avait dans la bouche.

— Excusez-moi... Vous vous livriez avec l'inspecteur McNab à des activités... sexuelles pendant les heures de service, et dans les locaux du département ?

Peabody prit la mouche.

— Si vous commencez à me réciter le règlement, je m'arrête. De toute façon, on n'en était pas encore arrivés au stade où... On s'amusait.

— Oh ! alors, c'est tout à fait différent ! Les flics ont effectivement l'habitude de s'amuser dans les cagibis au milieu des produits d'entretien. Enfin quoi, Peabody...

Eve enfourna une autre cuillerée de glace, inspira à fond.

— D'accord, je me tais. Continuez.

— Je ne sais pas ce qu'il y a entre nous. C'est primitif, viscéral.

— De mieux en mieux.

C'était dit d'un ton tellement douloureux que Peabody ne put s'empêcher d'esquisser un pâle sourire.

— La première fois, c'était dans un ascenseur.

— Peabody, je fais des efforts. Vous êtes vraiment obligée de tout me raconter depuis le début, en détail ? Ça me perturbe.

— Et moi donc... Je vous rassure, je ne pense pas continuellement à faire l'amour avec lui, pourtant... on se retrouve face à face et, c'est plus fort que nous, on se jette l'un sur l'autre. Bref, on était en train de...

— Dans le cagibi.

— Oui, et voilà que j'ai un appel de Charles. À propos de l'enquête. Je lui ai parlé un petit moment et, quand j'ai raccroché, McNab est devenu odieux. Il s'est mis à hurler : pour qui tu me prends ? Il a dit des horreurs sur Charles, qui essayait seulement de me rendre service. Là-dessus, il m'a agrippée...

— Il vous a frappée ?

— Oui. Enfin non, pas vraiment. Mais il aurait pu le faire. Vous savez ce qu'il m'a dit ? s'exclama Peabody en agitant furieusement sa cuillère. Vous le savez ?

— Je n'étais pas dans le cagibi, je vous le rappelle.

— Il a dit qu'il en avait marre de passer après un prostitué, de jouer les roues de secours ! Que je courais de son lit à celui de Charles et qu'il en avait ras le bol !

— Je croyais que vous ne couchiez pas avec Charles.

— Effectivement, mais le problème n'est pas là.

Eve n'était pas de cet avis, cependant elle rétorqua :

— McNab est un crétin.

— Absolument !

— Je suppose que vous ne lui avez pas signalé que vous ne couchiez pas avec Charles ?

— Bien sûr que non.

Eve hocha la tête.

— J'aurais agi comme vous, j'aurais été trop humiliée. Qu'est-ce que vous lui avez répondu ?

— Qu'on ne s'était pas juré fidélité, qu'on était libres d'avoir d'autres relations. Et ensuite, ce salaud a filé rancard à une bimbo !

— Quel porc !

— Je ne lui adresserai plus jamais la parole.

— Vous travaillez ensemble.

— Oui, bon... je ne lui parlerai plus en dehors du bureau. Et j'espère qu'il attrapera une maladie vénérienne.

— Ce serait marrant, marmonna Eve.

Elles se concentrèrent un instant sur leurs glaces qui fondaient à vue d'œil. Eve rassembla son courage : le plus pénible était à venir.

— Vous savez, Peabody, je ne suis pas une spécialiste des histoires sentimentales...

— Comment vous pouvez dire une chose pareille ? Vous et Connors, vous êtes le couple parfait.

— Non, personne n'est parfait. On se donne du mal pour que ça marche. En réalité, il s'en donne plus que moi, mais je commence à m'améliorer. Il est le seul homme avec qui j'ai eu une véritable relation.

Peabody écarquilla les yeux.

— Sans blague ?

Aïe, je m'aventure sur des sables mouvants, songea Eve.

— Là aussi, je préfère ne pas entrer dans les détails. Tout ça pour vous expliquer que je ne m'y connais pas beaucoup. Mais si je prends du recul pour analyser la situation, il me semble que nous avons trois acteurs en présence. Vous, McNab et Charles.

Avec sa cuillère, elle traça un triangle dans le reste de sa crème glacée.

— Eh bien, j'en conclus que McNab est jaloux !

— Noon... ce n'est qu'un salaud.

— Je ne vous contredirai pas. Néanmoins... Peabody, vous sortez avec Charles, n'est-ce pas ?

— En quelque sorte.

— Et vous couchez avec McNab.

— Ça, c'est terminé.

— McNab est persuadé que vous avez aussi des rapports sexuels avec Charles. Non, ne m'interrompez pas. Il se trompe, et il a tort de ne pas vous poser franchement la question. Et même si vous couchiez avec Charles, vous êtes libre, évidemment.

Elle posa sa cuillère sur le sommet du triangle.

— Vous êtes là. Et il y a deux hommes. Vous vous amusez avec celui-ci dans le cagibi, quand l'autre vous appelle.

— Je lui ai répondu en tant que flic.

— Je parierais que votre tenue laissait à désirer, que vous étiez quelque peu débraillée. McNab était surexcité, et tout à coup voilà que vous papotez avec son rival. Connaissant Charles, il ne s'est pas borné à vous communiquer le renseignement que vous lui aviez demandé. Il a flirté. Alors McNab a vu rouge. C'est un crétin, je vous l'accorde. Un porc doublé d'un crétin. Tout le prouve. Néanmoins, même les porcs ont des sentiments.

Peabody en resta bouche bée.

— Vous pensez que c'est ma faute.

— Non, c'est Connors le coupable.

Comme son assistante la dévisageait, déconcertée, Eve enchaîna :

— Peu importe. Écoutez… quand on noue une relation intime avec un collègue, ça crée des problèmes. J'estime qu'il n'a pas le droit de vous dire qui vous pouvez ou non fréquenter. Mais je considère également que vous n'auriez peut-être pas dû lui mettre Charles sous le nez. Il me semble que tous les deux, vous vous êtes pris les pieds dans le tapis.

Peabody réfléchit un instant.

— Lui plus que moi.

— Absolument.

— C'est lui qui a couru se trouver une rousse. S'il espère que je vais piquer une crise, il est encore plus bête qu'il n'en a l'air.

— Vous avez tout compris.

— Merci, Dallas. Je me sens beaucoup mieux.

Eve contempla sa coupe vide, pressa une main sur son estomac.

— J'aimerais bien pouvoir en dire autant…

16

Eve se félicitait d'avoir fixé le rendez-vous au Blue Squirrel ; au moins, elle ne serait pas tentée de boire ou de grignoter quoi que ce soit.

Le terme club était bien élogieux pour un établissement dont on pouvait seulement dire que la musique y était assourdissante et que les mets inscrits au menu n'avaient encore tué personne.

On ignorait cependant si certains n'avaient pas atterri à l'hôpital en sortant d'ici.

Pourtant, en ce début de soirée, la salle était déjà bondée de gens qui aimaient vivre dangereusement. Les deux musiciens qui constituaient l'orchestre, en combinaison fluo et auréolés d'une chevelure bleue, braillaient qu'ils avaient besoin d'amour.

Et les clients répondaient par des hurlements non moins sauvages.

C'était justement pour ça que le Squirrel plaisait bien à Eve.

Comme elle voulait s'installer dans un coin à peu près tranquille, elle se fraya un chemin dans la foule. La table qu'elle convoitait était occupée par un couple qui s'embrassait férocement. Eve interrompit leurs ébats en leur fourrant sa plaque de police sous le nez. Du pouce, elle leur fit signe de décamper.

Elle remarqua que ses voisins de gauche rempochaient précipitamment leurs sachets de drogue et prenaient un air innocent.

Elle s'assit, balaya la salle des yeux. Lorsqu'elle était célibataire, elle venait de temps à autre ici, le plus souvent pour écouter Mavis. À présent, Dieu merci, son amie se produisait sur des scènes plus prestigieuses. Elle était l'une des chanteuses les plus en vue du moment.

— Hé, ma belle, ça te dirait qu'on fasse connaissance ?

Eve leva les yeux, détailla des pieds à la tête le type dégingandé qui se tenait devant elle et lui souriait de toutes ses dents.

Elle ressortit sa plaque, la posa sur la table.

— Dégage.

Il tourna les talons comme s'il avait le diable aux trousses. Satisfaite, elle poussa un soupir et écouta avec plaisir les vociférations du public.

Elle consultait sa montre lorsque Stowe apparut.

— Vous êtes en retard.

— Je n'ai pas pu me libérer avant. Vous annoncez la couleur ? ajouta Stowe, montrant l'insigne sur la table.

— Ici, ce n'est pas inutile, ça éloigne les enquiquineurs.

Stowe jeta un regard circulaire. Elle avait ôté sa cravate et même déboutonné le col de sa chemise, nota Eve. La tenue décontractée, selon les normes des fédéraux.

— Vous choisissez des lieux surprenants pour vos rendez-vous. On peut boire quelque chose sans prendre trop de risques ?

— L'alcool tue les microbes. Leur Zoner est acceptable.

Stowe en commanda un au robot fixé sur le bord de leur table.

— Comment avez-vous découvert la vérité à propos de Winifred ?

— Je ne suis pas là pour répondre à vos questions, mais pour vous en poser. D'abord, persuadez-moi de ne rien révéler à vos supérieurs, histoire de vous évacuer, Jacoby et vous.

— Pourquoi vous ne l'avez pas déjà fait ?

— Encore une question, vous êtes incorrigible.

Stowe pinça les lèvres, ravalant sans doute une réplique cinglante. Eve admira sa maîtrise de soi.

— J'en conclus que vous avez un marché à proposer.

— Concluez ce que vous voulez. Nous ne passerons pas à la première étape tant que vous ne m'aurez pas convaincue de ne pas avertir Washington et le directeur adjoint du FBI.

Stowe saisit le verre que le robot faisait glisser sur la table, examina d'un œil dubitatif le breuvage bleu pâle.

— J'ai l'esprit de compétition chevillé au corps, déclara-t-elle. Quand je suis entrée à l'université, j'avais un objectif : sortir première de ma promotion. Winifred Cates était le seul obstacle sur ma route. Je l'ai étudiée à fond – je faisais tout à fond –, j'ai cherché à repérer ses défauts, ses points faibles. Elle était jolie, chaleureuse, populaire et très brillante. Je la haïssais.

Elle s'interrompit, but une gorgée de Zoner et manqua s'étrangler.

— Seigneur Dieu ! hoqueta-t-elle. Ce truc est autorisé par la loi ?

— C'est limite.

Prudente, Stowe reposa son verre.

— Elle essayait de m'approcher, amicalement, mais chaque fois je la repoussais. Je n'allais pas fraterniser avec l'ennemi. La première année, nous avons été au coude à coude. J'ai passé l'été à bûcher comme si ma vie en dépendait. Ensuite j'ai appris qu'elle avait passé le sien à se dorer sur la plage et à travailler à mi-temps pour le sénateur de son État, comme interprète. Elle était extraordinairement douée pour les langues. Bien sûr, j'en ai été abominablement vexée. Bref, le début de notre deuxième année s'est déroulé dans la même atmosphère, et puis l'un de nos professeurs nous a mises toutes les deux sur le même projet. Il n'était plus question de rivaliser, je devais travailler avec elle.

Stowe baissa les yeux.

— Je ne sais pas comment expliquer ça. Elle était tout ce que je n'étais pas. Une jeune femme irrésistible. Ouverte, drôle, tendre. Ô mon Dieu…

Le chagrin, violent et intact, submergea Stowe qui se mordit les lèvres. Elle but une autre gorgée d'alcool, ne grimaça même pas.

— Elle m'a transformée. Ça non plus, je ne sais pas comment l'expliquer. Elle m'a appris la simplicité, la légèreté. Je pouvais parler de tout avec elle, ou ne rien dire. Elle a représenté le tournant de mon existence. Elle était ma meilleure amie.

Stowe plongea son regard dans celui d'Eve.

— Ma meilleure amie. Vous comprenez ce que ça signifie ?

— Oui, je comprends.

Stowe poussa un soupir.

— Après le diplôme, elle est partie travailler à Paris. Je lui ai rendu visite plusieurs fois. Elle avait un appartement ravissant, elle connaissait tous les occupants de l'immeuble. Elle avait un chien avec des poils partout qu'elle avait baptisé Jacques, et une bonne dizaine de soupirants qui lui faisaient la cour. Elle menait la grande vie, elle adorait son travail. La politique la passionnait. Chaque fois que ses activités professionnelles la conduisaient à Washington, on ne se quittait plus. On passait souvent des mois sans se voir mais, dès qu'on se retrouvait, c'était comme si on s'était séparées la veille. Toutes les deux, on se consacrait à la carrière qu'on avait choisie, on allait de l'avant. Tout était parfait. Environ une semaine avant… avant la fin, elle m'a appelée. J'étais en mission, je n'ai eu son message que quelques jours après. Elle disait seulement qu'il y avait quelque chose de bizarre dont elle voulait discuter avec moi. Elle semblait en colère, préoccupée. Elle me demandait de ne pas la contacter à son travail, ni sur le communicateur de son domicile. Elle me donnait un numéro de portable, que je ne connaissais pas. Ça m'a étonnée mais pas vraiment inquiétée. Comme il était très tard, j'ai décidé de la rappeler le lendemain, et je me suis couchée. Seigneur… je me suis couchée et j'ai dormi comme une bûche.

Stowe reprit son verre, avala une grande lampée de Zoner.

— Le lendemain matin, il y a eu un pépin avec l'enquête sur laquelle je travaillais. J'ai dû repartir, et je n'ai pas pris le temps de joindre Winnie. Pendant vingt-quatre heures, j'ai même complètement oublié son message. Quand j'ai composé le numéro qu'elle m'avait donné, je n'ai pas eu de réponse. Et je n'ai pas insisté. J'étais débordée, je me suis dit que je la contacterai plus tard. Malheureusement, je n'en ai jamais eu la possibilité.

— Elle était déjà morte.

— Oui. On l'a retrouvée violée et assassinée au bord d'une route. Elle était morte deux jours après que j'avais eu son message. Pendant ces deux jours, j'aurais peut-être pu l'aider. Mais je ne l'ai pas rappelée. Winnie, elle, m'aurait rappelée. Pour elle, je serais passée avant son boulot.

— Donc vous avez demandé qu'on vous transmette le dossier, en dissimulant que vous la connaissiez.

— C'est le genre de chose que le FBI ne tolère pas. Ils ne m'auraient jamais mise sur l'affaire Yost s'ils avaient su pourquoi je voulais l'épingler.

— Votre équipier est au courant ?

— Jacoby est la dernière personne à qui je me confierais. Qu'est-ce que vous comptez faire ?

Eve la dévisagea.

— Moi aussi, j'ai une amie. Avant elle, j'ignorais ce que c'était, avoir une amie. Si quelqu'un lui faisait du mal, je le traquerais sans relâche, par tous les moyens.

— Oui… balbutia Stowe qui se hâta de détourner les yeux. Oui…

— Je comprends ce que vous ressentez, poursuivit Eve, mais je ne vous donne pas l'absolution pour autant. Votre équipier est un abruti, une vraie calamité. Il me semble que ce n'est pas votre cas. Je crois que vous êtes assez intelligente pour admettre que, si vous n'aviez pas mis vos grands pieds dans le plat, ce salaud de Yost serait à présent derrière les barreaux.

Stowe, avec une souffrance visible, s'obligea à affronter de nouveau le regard d'Eve.

— Je le sais. Et je suis aussi fautive que Jacoby. Je voulais tellement être la première à l'arrêter que j'ai pris le risque de le laisser filer. Je ne commettrai pas deux fois la même erreur.

— Alors montrez-moi vos cartes. Votre amie travaillait à l'ambassade. Qu'avez-vous découvert là-bas ?

— Rien ou à peu près. Ici, ce n'est pas facile de creuser des tunnels sous les remparts de la politique, du protocole. Mais dans un pays étranger, c'est encore plus compliqué... Au départ, les autorités françaises ont considéré qu'il s'agissait d'un crime passionnel. Je vous l'ai dit, beaucoup d'hommes gravitaient autour d'elle. Moi aussi, j'ai suivi cette piste, en vain. Quand les Français ont étudié de plus près les meurtres similaires, ils sont tombés sur Yost. Seulement voilà, ils ont conclu qu'on avait affaire à un imitateur.

— Pour quelle raison ?

— Primo, il n'y avait pas la moindre zone d'ombre dans la vie de Winnie. Rien qui puisse justifier qu'on paie un tueur à gages pour l'éliminer. De plus, aucun des hommes qu'elle fréquentait n'avait les moyens de s'offrir les services de Yost, et même s'ils avaient réussi à se procurer cet argent, ce n'était pas leur style. Et Winnie n'était pas du genre à faire souffrir ses amants au point qu'ils veuillent se venger, la tuer. Quand elle m'a appelée, elle était troublée, elle ne voulait pas que je la contacte à son bureau. Par conséquent, j'ai essayé de fureter de ce côté.

— Résultat ?

— J'ai trouvé une piste relativement intéressante : elle avait été affectée comme interprète auprès du fils de l'ambassadeur, dans des négociations diplomatiques avec les Allemands et les Américains concernant un projet interplanétaire. Un nouveau réseau de communication. Ça impliquait beaucoup de réunions, de déplacements. Pendant les trois semaines qui ont précédé sa mort, elle s'est presque exclusivement consacrée à ce travail. J'ai réussi à obtenir les noms des principaux acteurs, mais quand j'ai tenté d'approfondir mes recherches, je me suis heurtée à des murs infranchissables. Ce sont des personnalités influentes, riches et très protégées. J'ai été forcée de reculer. Si j'avais poussé le bouchon plus loin, je n'aurais eu aucune chance de participer à l'enquête sur Yost.

— Donnez-moi ces noms.

— Je vous le répète, les barrières sont infranchissables.

— Contentez-vous de me donner ces informations, je m'occupe des barrières.

Haussant les épaules, Stowe sortit un mémo électronique de son sac et y inscrivit les noms.

— Jacoby fait une fixette sur vous, déclara-t-elle. Vous étiez déjà son obsession favorite avant même le début de cette histoire. S'il peut avoir Yost et, au passage, vous démolir professionnellement, il sera aux anges.

— Je tremble de peur, rétorqua Eve avec un sourire féroce.

— Il a des relations, des informateurs haut placés. Vous ne devriez pas le prendre à la légère.

— Je ne prends jamais les parasites à la légère. Maintenant, voilà ce que nous allons faire. Vous me transmettrez les données que vous avez sur mon ordinateur personnel, chez moi. Dès ce soir.

— Non, mais vous…

— Absolument toutes vos données, coupa Eve. Sinon, je vous écrabouille. Vous me tiendrez au courant de tous vos mouvements, des moindres progrès de vos investigations.

— Et moi qui commençais à croire que vous vouliez uniquement arrêter Yost, riposta Stowe, ulcérée. Au bout du compte, c'est la soif de gloire qui vous anime.

— Laissez-moi terminer, dit Eve d'un ton plus doux. Soyez honnête avec moi et, si je le retrouve la première, je vous préviendrai. Je ferai en sorte que vous soyez là pour lui passer les menottes.

Les lèvres de Stowe frémirent, ses yeux se voilèrent.

— Winnie vous aurait beaucoup appréciée, murmura-t-elle.

Elle tendit la main à Eve.

— Marché conclu.

Eve s'engouffra dans sa voiture, consulta sa montre. Il était presque 21 heures, elle n'avait plus le temps de foncer à la maison pour enfiler des vêtements appropriés à un dîner mondain.

Elle avait donc deux solutions. Rentrer directement, prendre une douche brûlante et attendre les renseignements de Stowe – ça, ce serait vraiment chouette...

Ou bien aller en tenue de travail au New York, avec ses tables argentées et son extraordinaire vue panoramique sur la ville, papoter avec une bande de gens à qui elle n'avait rien à dire, et compter les minutes.

Elle hésita longuement. Puis, avec un soupir à fendre l'âme, elle se sacrifia.

Pour se remonter le moral, elle appela Mavis.

Elle entendit d'abord une vraie cacophonie avant que le visage de son amie n'apparaisse sur l'écran. Un nouveau tatouage ornait la tempe gauche de Mavis. Ça ressemblait vaguement à un cancrelat.

— Salut, Dallas ! Tu es dans ta voiture ? Reste en ligne, tu vas être épatée !

— Mavis...

L'écran s'obscurcit. Quelques secondes après, son amie réapparut, du moins partiellement, sur le siège à côté d'Eve.

— Bonté divine !

— C'est dingue, non ? Je suis dans la salle holographique au studio d'enregistrement. On bricole des effets spéciaux.

Mavis se regarda, s'aperçut que son postérieur était dans le siège et non dessus. Elle éclata de rire.

— Dis donc, j'ai perdu mon derrière !

— Et la plupart de tes vêtements, me semble-t-il.

Mavis Freestone était toute menue, et son designer – qui était aussi son amant – avait manifestement économisé le tissu en lui concevant cette toilette qui se composait de trois étoiles d'un rose ardent. Elles étaient placées aux endroits stratégiques et reliées par de fines chaînettes d'argent.

— Ça en jette, non? J'ai une autre étoile sur les fesses, mais évidemment tu ne peux pas la voir, je suis assise dessus. Tu m'as appelée pile au bon moment, on faisait une pause. Alors, quoi de neuf? Tu vas où comme ça?

— À un dîner organisé par Connors. J'ai un service à te demander.

— Je t'écoute.

— J'ai filmé un tas de trucs à se tartiner sur la peau, d'ornements pour le corps, tout ça… De première qualité. Tu pourrais visionner la vidéo et me dire d'où ça provient? Parce que leur propriétaire va être obligé de les remplacer.

— C'est pour une enquête? J'adore jouer les détectives.

— J'ai seulement besoin de savoir où ça s'achète.

— D'accord, mais tu aurais dû demander à Trina. Elle sait tout sur les produits de beauté. Et comme elle en vend, elle connaît tous les grossistes et les détaillants.

Eve grimaça. Elle avait effectivement pensé à Trina, cependant…

— Mavis, cet aveu me coûte et si jamais tu répètes ça à quelqu'un, je t'étrangle, mais… Trina me fait peur.

— Alors là, tu me sidères.

— Si je la contacte, elle me détaillera de la tête aux pieds, elle me dira que je suis mal coiffée, elle me flanquera des mixtures dégoûtantes sur la figure… et même sur les seins!

— Elle a une nouvelle crème au kiwi qui est délicieuse.

— Super.

— En plus, je suis d'accord avec elle : il faut te couper les cheveux. Tu recommences à te négliger. Je parie que tu ne t'es pas fait manucurer depuis la dernière fois qu'on s'est vues.

— Lâche-moi les baskets. Sois sympa.

— Bon, je n'insiste pas, soupira Mavis. Envoie-moi ta vidéo. Et j'inviterai Trina chez moi pour avoir son avis. Ou pour confirmer le mien.

— Merci. Tu auras le film ce soir. C'est urgent.

— Je te rappelle demain. Une amie, ça passe avant tout.

Eve songea à Stowe et Winnie ; elle regretta de ne pas pouvoir toucher Mavis, sentir sa chaleur.

— Mavis…

— Oui ?

— Je t'adore.

Les yeux de Mavis pétillèrent, un sourire illumina son visage.

— Moi aussi. Bye !

Et, en un éclair, Mavis disparut.

Connors avait préféré à la salle à manger privée du New York l'atmosphère moins guindée du restaurant panoramique. Leur table était tout près du mur de verre circulaire, le toit avait été ouvert pour que les dîneurs profitent de l'air printanier.

De temps à autre, des trams qui transportaient des touristes s'approchaient, plus près que ne l'autorisaient les règlements municipaux. On distinguait alors les caméras des passagers qui filmaient les privilégiés attablés dans le restaurant. S'ils s'attardaient, un hélicoptère de la sécurité aérienne se chargeait de les chasser.

La salle, au soixante-dixième étage du building, tournait lentement sur elle-même. Deux musiciens jouaient en sourdine.

Connors avait choisi ce lieu car il ne s'attendait pas à ce qu'Eve les rejoigne.

Elle était sujette au vertige.

Il avait de nouveau réuni les invités qui avaient dîné chez lui quelques jours auparavant, y compris Mick. Son vieux copain était enchanté et distrayait les convives en racontant mille anecdotes et tout autant de mensonges. Il avait bu beaucoup de vin, mais

Michael Connelly, en Irlandais qui se respectait, tenait bien l'alcool.

— Jamais vous ne me ferez croire que vous avez sauté par-dessus bord et traversé la Manche à la nage ! s'exclama Magda en riant. C'était en février, vous l'avez dit. Vous auriez été transformé en glaçon.

— C'est pourtant la vérité, ma chère. Je redoutais tellement que mes associés s'aperçoivent que je leur avais faussé compagnie, et qu'ils me plantent un harpon dans le derrière... ça m'a réchauffé le sang jusqu'à ce que j'atteigne le rivage, sain et sauf quoique passablement trempé. Connors, tu te souviens du jour – on n'avait pas encore l'âge de se raser – où l'on a délesté un bateau en route pour Dublin de sa cargaison de whisky prohibé ?

— Ta mémoire est bien meilleure que la mienne, répondit Connors – qui se rappelait néanmoins parfaitement cet épisode.

— Ah ! j'oublie sans arrêt qu'il est devenu un bon citoyen ! dit Mick en adressant un clin d'œil à Magda. Et regardez par là-bas... voilà la responsable de sa métamorphose qui arrive.

Eve traversait la salle – en bottes, veste de cuir, son insigne à la main – escortée par le maître d'hôtel affolé.

— Madame, gémissait-il, je vous en prie...

— Lieutenant, rectifia-t-elle d'un ton sec, déployant des efforts considérables pour ne pas penser qu'elle était tout en haut d'une tour, dans le vide. Écartez-vous de mon chemin avant que je vous arrête.

— Mon Dieu, Connors... soupira Magda qui contemplait Eve. Elle est magnifique.

— Oui, n'est-ce pas ?

Il se leva.

— Anton, déclara-t-il d'un ton suave pour attirer l'attention du maître d'hôtel. Veuillez apporter une chaise supplémentaire pour mon épouse.

— Vo... votre épouse ? bafouilla le dénommé Anton qui, malgré son teint olivâtre, devint pâle comme un linge. Oui, monsieur. Tout de suite.

Eve s'avança vers la table, se focalisa sur les visages des invités pour ne pas voir le ciel, la ville en contrebas.

— Je suis en retard, excusez-moi.

Après avoir salué les convives et chassé le serveur en disant qu'elle piocherait dans l'assiette de Connors, elle réussit à s'installer aussi loin que possible du mur vitré. Elle se retrouva donc entre le fils de Magda, Vince, et Carlton Mince. Elle allait s'ennuyer à mourir pendant toute la soirée.

— Je suppose que vous étiez en train de travailler, déclara Vince. Personnellement, la psychologie des criminels m'a toujours fasciné. Vous pouvez nous parler de celui sur lequel vous enquêtez actuellement ?

— Il fait très bien son boulot.

— Vous aussi, sinon vous ne seriez pas où vous êtes. Vous avez des… pistes ?

— Vince, intervint Magda en souriant. Je doute qu'Eve ait envie de parler de son travail en dînant.

— Pardon. Je le répète, le crime m'a toujours intéressé. De loin, bien sûr. Et comme, à présent, je suis impliqué dans le dispositif de sécurité pour l'exposition et la vente, ça redouble ma curiosité.

Eve prit le verre de vin qu'un serveur avait cérémonieusement déposé devant elle.

— Vous savez, c'est simple. On traque le suspect jusqu'à ce qu'on l'attrape, ensuite on le met dans une cellule et on espère que les juges ne l'en feront pas sortir.

— Ça, ce doit être frustrant, commenta Carlton en piquant avec sa fourchette un coquillage à la chair laiteuse. Moi, je le ressentirais comme un échec. Ça se produit souvent ?

— Ça arrive.

On apporta à Eve une assiette de crevettes roses grillées. Son péché mignon. Elle regarda Connors qui esquissa un sourire.

Il avait le don d'accomplir ainsi des petits miracles qui vous réconciliaient avec la vie.

— Vous avez un excellent système de sécurité, compte

tenu des circonstances, déclara-t-elle. Mais j'aurais préféré que vous optiez pour un événement moins spectaculaire.

Carlton opina vigoureusement.

— J'ai essayé de les convaincre, lieutenant. Mes arguments n'ont pas été entendus. Quand je pense à ce que coûtent la sécurité et les assurances, ça me coupe l'appétit.

— Vieil avare, rétorqua affectueusement Magda. Je voulais du spectaculaire. Le décor somptueux du Palace, l'exposition ouverte au public... Sinon, nous n'aurions pas eu le soutien des médias, pour la vente et surtout pour la Fondation.

— Et c'est une sacrée exposition, dit Mick. Je suis allé y faire un tour aujourd'hui.

— Oh ! vous auriez dû me prévenir ! Je vous aurais servi de guide.

— Je ne voulais pas vous déranger.

— Eh bien, vous avez eu tort ! J'espère que vous avez prévu de rester pour la vente ?

— Pour vous dire la vérité, je devais partir, mais après vous avoir rencontrée et admiré vos trésors, je me suis résolu à rester... et à enchérir.

Tout en écoutant ses invités bavarder, Connors fit signe au sommelier d'apporter une autre bouteille de vin. À cet instant, il sentit un pied menu frôler sa cheville de façon suggestive. Il ne broncha pas.

Ce n'était pas Eve, il connaissait trop son corps. D'ailleurs, même si elle l'avait voulu – or ce n'était pas son genre –, elle n'aurait pas pu lui faire du pied sous la table. D'un coup d'œil discret, il capta le petit sourire gourmand de Liza Trent.

Mais l'éclat qui brillait dans ses yeux ne lui était pas destiné. Elle en avait après Mick, simplement elle s'était trompée de cheville.

Intéressant, songea-t-il, amusé. Mais voilà qu'elle insistait, ses orteils nus s'insinuaient adroitement sous le revers de son pantalon...

— Liza, dit-il.

Il eut la satisfaction un brin perverse de la voir sursauter. Il la dévisagea tranquillement. Dissimulant sa gêne, elle retira prestement son pied.

— Tout va bien ? s'enquit-il aimablement.

— À merveille, merci.

Connors attendit d'être dans la limousine avec Mick, en route pour la maison. Il prit une cigarette, en offrit une à son ami. Ils fumèrent un moment en silence.

— Tu te rappelles la fois où l'on a récupéré ce chargement de cigarettes pour le revendre dans les rues ? On avait quoi… dix ans ?

Avec un petit rire, Mick étendit les jambes.

— Ce jour-là, on en a fumé à nous tous presque un carton entier – toi, moi, Brian Kelly et Jack Bodine. Ce pauvre Jack, Dieu ait son âme, en a été malade comme un chien. Le reste, on l'avait fourgué à Six-Doigts Logan pour un bon prix.

— Je m'en souviens. Et quelques années après on a retrouvé Logan noyé. On lui avait coupé tous ses doigts, y compris celui qu'il avait en supplément.

— Ouais, c'est vrai…

— Mick, tu espères coucher avec la compagne de Vince Lane ?

— Qu'est-ce que tu racontes ? rétorqua Mick d'un air choqué. Enfin quoi, je la connais à peine et…

Il s'interrompit, secoua la tête en riant.

— Avec toi, essayer de mentir, c'est gaspiller sa salive. Comment tu as deviné ?

— Elle m'a gratifié d'un charmant petit massage, en croyant qu'il s'agissait de ta cheville. Elle a le pied agile, mais elle vise mal.

— Les femmes sont incapables de discrétion. Pour ne rien te cacher, je l'ai croisée aujourd'hui dans ton hôtel en allant voir l'exposition. De fil en aiguille, on s'est retrouvés dans sa suite.

— Tu chasses sur des terres qui ne t'appartiennent pas. Et tu serais aimable de refréner tes ardeurs jusqu'à ce que la vente soit terminée.

— C'est bien la première fois que tu joues les pères la pudeur. Mais bref… je me tiendrai tranquille, en souvenir du bon vieux temps.

— Merci.

— Oh, de rien ! Une femme n'est qu'une femme, après tout. Je m'étonne que tu ne te sois pas intéressé d'un peu plus près à Liza Trent. C'est une bonne affaire.

— Je suis marié.

Mick s'esclaffa.

— Et alors, depuis quand ça empêche un homme de papillonner à droite et à gauche ? Ça ne fait de mal à personne.

Connors regarda les grilles de sa résidence s'ouvrir sans bruit.

— Je me rappelle une discussion que nous avons eue un soir tous ensemble. Nous nous demandions ce que nous voulions le plus au monde, ce dont nous avions le plus besoin. Tu t'en souviens, Mick ?

— Oui, le tord-boyaux nous rendait philosophes. Moi, j'ai dit qu'il me faudrait un tas de fric, parce que ça me permettrait d'acheter tout le reste. Shawn, si ma mémoire ne me trompe pas, rêvait d'avoir un pénis aussi gros que celui d'un éléphant…

Mick tourna la tête pour scruter son ami.

— Maintenant que j'y réfléchis, il me semble que tu n'avais pas répondu à la question.

— Effectivement. Je n'arrivais pas à me décider entre la liberté, la fortune, le pouvoir… et passer une semaine sans subir les coups de mon père. Mais à présent, je sais ce qui m'est indispensable. Eve. Elle est ma femme, et elle est tout pour moi.

17

Eve, qui était arrivée à la maison la première, essaya de rattraper le temps perdu en se précipitant dans son bureau. Elle transmit d'abord la vidéo à Mavis.

Puis elle parcourut les dossiers qui lui étaient parvenus pendant son absence.

Le profil psychologique de Stowe était exact, songea-t-elle. La jeune femme était efficace et consciencieuse. Si les données officielles n'avaient rien de fracassant, les notes personnelles de Stowe étaient en revanche d'un grand intérêt.

Elle avait manifestement adopté la tactique de Feeney et établi des recoupements entre les amis, les familles et les relations professionnelles des victimes. Tous ces individus avaient été interrogés, certains d'entre eux avaient même subi un interrogatoire approfondi dans les locaux du FBI.

En vain.

Un petit sourire mauvais étira les lèvres d'Eve. Apparemment, Interpol avait mis des bâtons dans les roues du FBI qui, à son tour, glissait des peaux de banane sous les pieds d'Eve. L'éternelle guerre des polices...

— Et Yost en profite pour passer entre les mailles du filet...

Elle se carra dans son fauteuil, pensive. Il sait comment le système fonctionne. Il connaît tous les rouages, les chasses gardées, la politique.

Il tablait là-dessus.

Il accomplissait son travail ici, filait ailleurs pour exécuter un autre contrat ou s'octroyer d'agréables vacances en attendant que les choses se calment. Il partait à Paris, revenait à New York, allait à l'Opéra, faisait du shopping, admirait le panorama depuis la terrasse de son penthouse pendant que les flics français tournaient en rond.

Elle leva les yeux en entendant Connors entrer.

— C'est peut-être un pilote.

— Mmm ?

— Dépendre en permanence des transports publics, même de première classe, ce n'est pas prudent. Il y a des retards, des problèmes techniques, des annulations... Pourquoi prendre ce risque ? Un avion ou une navette privés. Les deux, éventuellement. Oui, je vais mettre McNab sur cette piste. Avec un peu de chance... Où est le chat ?

— Il m'a quitté pour Mick. Ils sont copains comme cochons.

Il s'approcha d'elle par-derrière, l'enlaça et lui mordilla la nuque.

— Veux-tu que je te dise de quoi tu avais l'air dans ce restaurant ?

— D'un flic. Excuse-moi, je n'ai pas eu le temps de me changer.

— Tu avais l'air d'un flic très sexy. Merci d'être venue.

— Tu as une dette envers moi.

— Absolument.

— J'ai peut-être une idée à te suggérer pour t'en acquitter.

— Ma chérie, ce sera un plaisir pour moi, dit-il en l'étreignant.

— Non, pas de cette manière. Quoique tu sois très doué dans ce domaine.

— Oh... merci.

Elle le repoussa doucement, avant qu'il ne lui mette la tête à l'envers, et se percha sur le bureau.

— Après le briefing, j'ai eu deux entretiens. Le premier avec Peabody.

— C'est gentil de ta part.

— Non, ce n'était pas de la gentillesse. Quand elle pleure comme une fontaine, je ne peux pas compter sur elle. Ne prends pas ce sourire idiot, s'il te plaît. Ça m'énerve. McNab lui a fichu un coup en annonçant qu'il avait un rendez-vous galant ce soir.

— Une ruse qui manque cruellement d'originalité.

— N'empêche qu'elle a atteint son but. Peabody était dans tous ses états. Alors je l'ai gavée de crème glacée et je l'ai laissée vider son sac. Il faut que je te raconte ça…

— J'aurai droit à une glace ?

— Si je vois quoi que ce soit qui ressemble à une glace, je vomis.

Sur quoi, elle lui relata par le menu sa conversation avec Peabody, pour être sûre de ne pas avoir commis d'impair. Il avait beaucoup plus de talent qu'elle pour offrir aux âmes éplorées une épaule secourable.

— McNab est jaloux de Monroe, décréta-t-il. Ça se comprend.

— La jalousie, c'est vraiment mesquin.

— Et très humain. À ce stade, je dirais que ses sentiments pour elle sont plus forts que ceux de Peabody pour lui. Donc, il est frustré, ajouta Connors en effleurant la joue d'Eve. Je suis passé par là.

— Tu as obtenu ce que tu voulais, non ? Enfin bref, j'espère que cette histoire n'ira pas plus loin et qu'ils recommenceront à être comme chien et chat, au lieu de folâtrer dans les cagibis.

— Ton romantisme te perdra, ma chérie.

— Je préfère ne pas dire que… que je te l'avais bien dit.

Il éclata de rire.

— Tu trouves ça drôle ? rouspéta-t-elle. On mène une enquête difficile, et ces deux crétins boudent et en oublient leur boulot. Ce sont des flics, nom d'une pipe !

— Des flics, en effet, pas des droïdes.

— D'accord… grogna-t-elle en agitant les mains. N'empêche qu'ils ont intérêt à se tenir à carreau. Mais passons. Whitney m'a obtenu quelques informations supplémentaires sur Mollie Newman.

— La jeune fille mineure avec qui le juge s'amusait…

— C'était sa nièce par alliance. Une gamine gentille et influençable qui avait de bonnes notes au lycée et voulait devenir avocate. Le juge avait promis de la pistonner.

— Tu comptes lui parler ?

— Ça n'en vaut pas la peine. Yost est l'as du déguisement, donc même si elle l'a vu, ça ne nous avancera pas beaucoup. Je serais surprise qu'il l'ait touchée, ce n'est pas son style.

— Il n'était pas payé pour ça.

— Exactement. Le rapport médical la concernant indique qu'elle a subi des violences sexuelles et absorbé des substances illégales. À mon avis, c'est le juge qui lui a fait prendre de l'Exotica et qui a abusé d'elle, Yost l'a assommée avec un sédatif pour qu'elle ne le dérange pas pendant qu'il travaillait. Donc, à moins de repérer un lien entre sa mère et Yost, je n'embêterai pas cette gamine. Elle en a assez supporté.

Et personne ne le comprend mieux que toi, songea Connors.

— Tu as raison.

— Là-dessus, figure-toi que Feeney a débarqué au briefing avec en poche des tuyaux de premier ordre, piqués dans les dossiers personnels, top secret, de Jacoby et Stowe.

S'ils avaient joué au poker, Eve en aurait été pour ses frais : l'expression de Connors ne reflétait qu'un intérêt poli.

— Ah, oui ?

— Arrête de me prendre pour une idiote, s'il te plaît. C'est toi qui as fait le coup, tu as laissé tes empreintes partout.

— Mon cher lieutenant, je te l'ai déjà dit : je ne laisse jamais d'empreintes.

— Et moi, je t'ai dit que je t'interdisais d'enfreindre le règlement pour m'obtenir des informations.

— J'ai suivi tes directives.

— Non, tu as utilisé Feeney.

— Il s'en est plaint ?

Comme elle grinçait des dents, il esquissa un sourire.

— Apparemment pas. J'en déduis que ces renseignements, émanant d'une source anonyme, se sont avérés utiles.

Elle lui tira la langue, bondit sur ses pieds et se mit à arpenter la pièce. Puis elle capitula et lui raconta son entretien avec Karen Stowe.

— Perdre une amie est toujours terrible, murmura-t-il. Surtout quand on a le sentiment qu'on aurait pu intervenir pour éviter ça.

Il avait traversé cette épreuve, elle le savait, et lui étreignit l'épaule.

— Ruminer ses remords ne sert à rien...

— Pourtant tu l'aides à tourner la page, comme tu m'as aidé. Que veux-tu que je fasse ?

— Elle m'a donné les noms de trois individus. Il faut que j'en sache plus sur eux, sans remuer la vase. Il s'agit de ne pas alerter leur garde rapprochée, ce qui sera sans doute une tâche délicate. Ce n'est pas illégal, à condition de ne pas fouiner dans des dossiers classifiés. Ça, je refuse. Une recherche discrète, voilà ce que je souhaite. Pour que les fédéraux ne s'en mêlent pas.

— Si tu te penches un peu trop, officiellement, sur l'affaire Winifred, Jacoby risque de se lancer aussi sur cette piste. Ce qui mettrait Stowe en danger.

— Exactement. Tu arriveras à te débrouiller sans enfreindre la loi ?

— Oui, mais je devrai peut-être la contourner un peu. Rien de grave, je te rassure. Si je me faisais prendre la main dans le sac, on me donnerait une tape sur les doigts et je passerais pour un maladroit.

— Il n'est pas question de réclamer un nouveau mandat. Nous n'avons pas encore identifié la taupe.

— Donne-moi ces trois noms.

Elle lui tendit son mémo.

— Tiens donc... Il se trouve que je connais ces messieurs, donc nous n'aurons sans doute pas à creuser trop profondément.

— Tu les connais ?

— Hinrick, l'Allemand, oui... Il me semble que Naples, l'Américain, réside à Londres, du moins la majeure partie de l'année. Je connais aussi de réputation le fils de l'ambassadeur, Gerade. Diplomate, un mari et un père dévoué à sa famille, doublé d'un haut fonctionnaire irréprochable. Son père a déboursé énormément d'argent pour que cette façade ne présente aucune lézarde.

— Et qu'y a-t-il sous cette façade ?

— D'après ce que j'ai entendu dire, un jeune homme trop gâté, plutôt détestable, doté d'un tempérament bouillant. Il aurait un fort penchant pour les orgies et les substances illicites. Il a subi plusieurs cures de désintoxication, à la demande de son père. Sans résultat.

— Comment sais-tu tout ça ?

— Il vit au-dessus de ses moyens – le sexe et la drogue coûtent très cher. Il fait en sorte que des objets de valeur, dans les demeures auxquelles il a accès, puissent... comment dire... changer de mains.

— Il t'a rendu ce service-là ?

— Non... Je me suis toujours organisé seul, lorsque j'avais ces déplorables activités. J'ai simplement aidé un autre associé pour le transport. Ça ne date pas d'hier, lieutenant, j'imagine qu'il y a prescription.

— Heureusement... Avant d'être tuée, Winifred Cates travaillait comme interprète auprès de ces types-là, pour un projet de station multinationale de communication.

Connors réfléchit un instant.

— Non... j'aurais eu vent de cette affaire, surtout si elle concernait les communications.

— C'est ton ego qui parle ou tu énonces une réalité ?

— Les deux coïncident, Eve chérie, rétorqua-t-il en lui tapotant le bras. Sur ce point, tu peux me croire sur parole. Cette fameuse station n'est qu'un paravent. Naples réussit bien dans ce domaine, mais c'est avant tout un truand. Contrebande, drogue, trafics en tout genre. Hinrick se diversifie davantage, néanmoins la contrebande est également l'un de ses passe-temps favoris.

— Et tu dis que Naples vit maintenant en Angleterre. Ces contrebandiers qui ont été tués en pleine campagne… les Hague. Ils lui cherchaient peut-être des poux dans la tête.

— Oui, répliqua-t-il après un silence. C'est possible.

— Ça ne nous offre pas une trame très solide pour construire un scénario : Winifred aurait vu quelque chose qu'il ne fallait pas voir, qui l'aurait poussée à contacter son amie du FBI. Pour lui demander de l'aide. Résultat, on aurait engagé Yost pour la liquider. Comme on a embauché Yost pour éliminer un couple de contrebandiers indépendants qui commençaient à occuper trop de terrain. Si nous parvenons à relier un de ces hommes, ou les trois, à l'une des victimes, ça nous permettra de nous rapprocher de Yost.

Elle s'interrompit, les sourcils froncés.

— Pourquoi aucune de leurs activités criminelles n'est-elle tombée sous les yeux des fédéraux ?

Connors réprima un sourire.

— Certains d'entre nous, lieutenant, savent se montrer prudents.

— Ils sont aussi doués que toi ? Non, non… oublie cette question. Personne ne t'arrive à la cheville. Bon, lequel des trois est le plus susceptible d'avoir payé Yost pour se débarrasser de Winifred ?

— Je n'ai pas assez d'éléments sur Gerade. S'il faut choisir entre Naples et Hinrick, je dirais Naples. Hinrick est un gentleman. Il aurait trouvé un autre moyen de traiter avec elle. La tuer lui aurait paru trop grossier.

— Je suis enchantée d'apprendre que j'ai peut-être affaire à un criminel raffiné.

Tandis que Connors menait ses recherches dans son bureau, Eve s'installa dans le sien pour comparer les dossiers de Stowe avec les siens, étudier les probabilités et tous les recoupements possibles.

Yost ne patienterait pas longtemps, or elle n'avait pas le moindre indice sur sa prochaine cible ni sur l'identité derrière laquelle il s'abritait en ce moment même.

Quelqu'un va mourir, sans doute d'ici quelques heures.

Et elle ne pouvait rien faire pour empêcher ça.

Elle se replongea dans les fichiers des victimes. Darlene French. Une jeune femme ordinaire, qui aurait dû avoir un avenir tout simple.

Assassinée au Palace.

Liée à Connors.

Jonah Talbot. Un homme brillant, en pleine ascension.

Assassiné chez lui, dans une maison dont il était locataire.

Lié à Connors.

Tous deux travaillaient pour lui, ils étaient morts dans un lieu qui lui appartenait. French était une inconnue pour Connors, une employée parmi tant d'autres. Talbot en revanche était presque un ami.

La troisième victime lui serait encore plus proche.

Yost s'en prendrait-il à Eve ? Elle préférerait ça, cependant elle en doutait. S'il continuait à suivre le schéma, le tueur à gages attaquerait un autre collaborateur de Connors, qu'il connaissait très bien.

Caro, son administratrice ? Eve y avait déjà pensé et fait mettre sous surveillance cette femme d'une efficacité remarquable.

Malheureusement, elle ne pouvait pas protéger chaque membre de l'équipe new-yorkaise de Connors.

Et si Yost frappait ailleurs, dans l'un des innombrables sièges sociaux, domaines et organismes que

Connors possédait d'un bout à l'autre de la terre et des autres planètes... la liste des cibles potentielles était infinie.

Un ordinateur ne pourrait même pas la digérer.

Pourtant, elle s'acharnait à établir des passerelles dans la masse des éléments que Connors lui avait fournis. Elle en récolta d'abord une méchante migraine. Comment cet homme pouvait-il détenir autant de possessions ? Pourquoi un être humain éprouvait-il le besoin d'amasser toutes ces richesses ? Et comment diable ne se perdait-il pas dans ce dédale ?

Elle balaya ces questions. Ce n'était pas le moment de philosopher. Du coup, le découragement la submergea. Si Connors lui-même ne pouvait pas définir des cibles probables, comment y parviendrait-elle ?

Pour s'éclaircir les idées, elle alla se servir du café dans la kitchenette.

Une vengeance personnelle. Si c'était bien le mobile, alors pourquoi ne pas s'en prendre carrément à Connors ? Ou à ses intimes ?

Le business. Quels étaient les projets les plus importants de Connors ?

Tout en se massant les tempes, elle étudia de nouveau les dossiers qu'il lui avait communiqués. À première vue, il jonglait avec des dizaines d'affaires. De quoi donner le tournis.

Olympus. Son cher bébé, songea-t-elle. Une fantaisie qui lui tenait à cœur, malgré les difficultés que cela impliquait. Il avait décidé de bâtir un monde sur Olympus : hôtels, casinos, résidences, parcs. D'un luxe éblouissant, naturellement.

Des résidences... Pour les vacanciers, les retraités. Des villas, des manoirs, des penthouses, des suites dignes d'un souverain. L'idéal pour celui qui avait les moyens de s'offrir tout ce qu'il désirait.

Comme Yost, par exemple.

Elle se dirigea vers le bureau de Connors, s'immobilisa sur le seuil.

Il était à sa console, tel un commandant au gouvernail de son navire. Il avait tiré ses cheveux noirs en arrière, en un catogan qui frôlait sa nuque. Ses yeux étaient d'un bleu étincelant et froid, comme toujours quand les rouages de son cerveau fonctionnaient à plein régime.

Il avait ôté sa veste de smoking, déboutonné son col de chemise, retroussé ses manches. Eve sentit son cœur chavirer.

Elle aurait pu le contempler ainsi pendant des heures, émerveillée, sidérée qu'un homme pareil lui appartienne.

Quelqu'un lui veut du mal.

Il leva la tête. Il avait perçu son odeur, sa présence. Comme toujours. Leurs regards s'accrochèrent l'un à l'autre, se murmurèrent des milliers de mots d'amour dans un silence absolu.

— Eve, t'inquiéter pour moi ne t'aidera pas à accomplir ton travail.

— Qui a dit que je m'inquiétais ?

Sans bouger de son fauteuil, il tendit le bras. Elle s'approcha, prit sa main et la serra de toutes ses forces.

— Quand je t'ai rencontré, déclara-t-elle d'un ton hésitant, je ne voulais pas de toi dans ma vie. C'était trop compliqué. Chaque fois que je te regardais, ou que j'entendais ta voix, ou même que je pensais à toi, je ne savais plus où j'en étais.

— Et maintenant ?

— Maintenant ? Tu es toute ma vie.

Elle lâcha sa main.

— Bon, assez de sentimentalisme. Olympus.

— Oui ?

— Tu y vends des biens immobiliers. Des grandes baraques, des appartements hyperchics, et cetera.

— La description qu'en donne mon service marketing est plus fleurie, mais en gros, c'est bien ça. Ah... enchaîna-t-il, devinant la pensée d'Eve. Sylvester Yost pourrait apprécier les avantages d'une confortable résidence, loin de notre bonne vieille Terre.

— Tu devrais vérifier. Au cours des deux dernières années, la fréquence des contrats qu'il a acceptés a augmenté de douze pour cent. Et s'il avait décidé de se constituer une tirelire pour sa retraite ? À mon avis, il s'installerait là-bas sous le nom de Roles. Ça ne nous mène pas très loin, mais c'est un maillon de plus. Et les maillons finissent par former une chaîne.

Elle se percha sur le bord de la console, face à Connors.

— Pour cette affaire d'Olympus, tu as des partenaires internationaux. Des investisseurs. L'un d'eux serait-il agacé que tu aies la plus grosse part du gâteau ?

— Il y a parfois des frictions, mais... non. Le projet avance sans anicroche ni retard. C'est moi qui assume largement le risque sur le plan financier, par conséquent j'empocherai une large partie des bénéfices. Le consortium est satisfait. Les retours sur investissement dépassent déjà les prévisions.

— D'accord... Voilà comment je vois les choses. S'il s'agit de business, il faut chercher ici, à New York. À mon avis, si ce business avait pour cadre... mettons, l'Australie, les cibles seraient en Australie. Pour t'attirer là-bas.

— Oui, je pense que tu n'as pas tort.

— La première victime a été tuée dans ton hôtel, alors que tout le monde te savait présent sur les lieux. Le deuxième meurtre s'est déroulé dans une maison dont tu es propriétaire, or tu étais en ville, tu travaillais non loin de là. Dis-moi quel lien existe entre Darlene French et Jonah Talbot.

— Je l'ignore.

— Moi aussi... Darlene French était femme de chambre au Palace. Tu n'avais pas de contacts personnels avec elle ?

— Non.

— Qui l'a embauchée ?

— Elle a dû poser sa candidature au service des ressources humaines, et ensuite être engagée par Hilo.

— Tu ne supervises pas les embauches et les licenciements ?

— Je n'en ai pas le temps.

— Mais c'est ton hôtel, ton organisation.

— J'ai des directeurs, des chefs de service, répliqua-t-il avec un brin d'impatience. Ces directeurs ont une certaine autonomie. Mon organisation, lieutenant, est conçue pour fonctionner harmonieusement, en utilisant les compétences de chacun, pour que…

— Talbot avait-il des tâches à accomplir en rapport avec le Palace ?

— Aucune.

Il savait ce qu'elle était en train de faire, elle l'interrogeait habilement, comme s'il était un témoin, lui coupait la parole afin qu'il réponde sans réfléchir.

— Il n'a même jamais dormi au Palace, ajouta-t-il. J'ai vérifié. Il a sans doute eu des auteurs qui y ont séjourné, il y a déjeuné ou dîné avec eux. Mais ce n'est pas suffisant pour constituer un maillon de ta fameuse chaîne.

— Il y donnait peut-être des réceptions professionnelles. Il en avait peut-être prévu une prochainement.

— Non. Il aurait pu assister à une manifestation de ce genre. Mais en général c'est le service de presse de la maison d'édition qui se charge d'organiser ces événements. À ma connaissance, il n'y a rien de prévu pour l'instant. L'exposition et la vente aux enchères de Magda dureront tout le mois.

— D'accord. Avait-il un rapport quelconque avec ça ?

— La maison d'édition n'est pas concernée. Jonah achetait et publiait des manuscrits. Ses fonctions n'avaient aucun lien avec l'hôtel et…

Il n'acheva pas sa phrase, se leva.

— Je suis un imbécile, marmonna-t-il. Les manuscrits. Le mois prochain, nous publions une nouvelle biographie de Magda. Ainsi qu'un catalogue de tous les objets mis en vente – leur histoire, leur signification. Jonah était forcément impliqué là-dedans. Je crois que c'est l'un de ses auteurs qui a écrit la biographie. Jonah a donc travaillé sur le texte.

— Magda… voilà un maillon solide. Il se pourrait que ce soit elle, la cible, et non toi.

— Ou nous deux. Et la vente aux enchères.

— Réfléchissons. Magda Lane séjourne au Palace. Ton hôtel. Où se déroulera un événement majeur de sa carrière qui aurait pu avoir pour cadre l'une de ses résidences personnelles ou une salle de ventes traditionnelle. Qui a eu cette idée ?

— Magda. En tout cas, c'est ce qu'elle m'a dit quand elle m'a contacté. Elle cherchait à appâter les médias. Et, effectivement, ça marche.

— De quand date ce projet ?

— Elle me l'a soumis voici plus d'un an. Organiser une manifestation de cette ampleur prend du temps.

— Tout le temps nécessaire pour quelqu'un qui voudrait causer des ennuis à Magda, ou à toi, ou à vous deux.

La mort de Winifred Case, à Paris, datait de huit mois. Les contrebandiers de Cornouailles avaient été tués deux mois après.

— De plus, ta maison d'édition va sortir deux publications. Ensuite ? La sécurité. De qui es-tu le plus proche dans l'équipe de sécurité pour l'hôtel et la vente ? Creuse, il me faut des noms. Et ton service de presse, de publicité, de… bon sang, qui encore joue un rôle dans ce chambardement ?

— Je vais étudier ça à fond.

— Du côté de Magda, nous avons son fils, le conseiller financier et son épouse. Il doit y avoir d'autres personnes.

— Je m'en occupe aussi.

— On commence par là, on fait le maximum pour les protéger. Mais, si on se base sur le schéma, les victimes travaillent pour toi. Donc, tes collaborateurs ont la priorité.

Il hocha la tête, s'affairant déjà à consulter ses fichiers.

— Connors… que t'arriverait-il, à toi, si la vente était un fiasco ou s'il en résultait un scandale quelconque ?

— Ça dépend. Si c'est un désastre financier, je perdrai de l'argent.

— Combien ?

— Mmm… Les gains devraient friser le milliard de dollars. Outre la location de l'hôtel et le coût de la sécurité, j'ai dix pour cent du total. Mais j'en ferai don à la Fondation de Magda, par conséquent l'argent n'est pas un problème.

— Parle pour toi, marmotta-t-elle.

Il haussa les épaules.

— Je te communiquerai tous les noms. J'ai l'intention de prendre en charge la protection de mon personnel et de Magda.

— Ça ne me dérange pas.

Elle le dévisageait et ne voyait donc pas les données qui s'affichaient déjà sur l'écran mural.

— Connors… ces objets que tu évalues à un milliard de dollars et qui sont exposés dans ton hôtel… combien rapporteraient-ils à un receleur ?

Il avait une longueur d'avance sur elle. Ou plutôt son esprit remontait le temps pour le ramener à son passé. Oui, ce serait une affaire extrêmement juteuse.

— Un peu moins de la moitié, répondit-il.

— Cinq cents millions, c'est une somme rondelette.

— On pourrait l'arrondir encore en s'adressant à des collectionneurs. Mais le système de sécurité est quasiment infaillible. Tu l'as contrôlé toi-même.

— Oui, en effet. Comment tu t'y prendrais, toi, pour faire ton coup ?

Il transféra les données sur l'ordinateur d'Eve, lança une recherche sur les propriétés immobilières d'Olympus.

— J'aurais au moins un homme dans chaque secteur stratégique, voire deux. Plus un mouchard dans mon équipe, et un autre dans l'entourage de Magda. Il me faudrait les plans du système, les codes. Bref, six personnes en tout. Dix, ce serait mieux. J'en aurais deux sur place, au Palace, dans le personnel ou la clientèle. J'utiliserais un véhicule de l'hôtel, un camion de livraison. Je ne serais pas trop gourmand pour que l'opération se déroule en moins d'une demi-heure. Vingt minutes, ce serait parfait. Donc j'aurais repéré au préalable les pièces les plus précieuses. Celles pour lesquelles j'aurais des acheteurs.

Il se redressa, alla se servir un cognac.

— J'organiserais une diversion, mais pas dans l'hôtel. Là, tout ce qui sortirait de l'ordinaire déclencherait automatiquement un branle-bas de combat. Non, ça se passerait dans l'un des immeubles voisins ou dans le parc. Une petite explosion, un accident de voiture spectaculaire. Pour attirer les gens dehors, faire intervenir les flics. Avec la police dans les parages, on se sent en sûreté. Oui, il faudrait des flics.

Seigneur, écoutez-le, songea Eve.

— À quel moment agirais-tu ?

— La veille de la vente, évidemment. Tout est fin prêt, les stars et les personnalités sont déjà dans l'hôtel. Le personnel les bichonne, leur demande des autographes, tout le monde est surexcité. C'est le meilleur moment.

— Tu réussirais ?

Il braqua sur elle des yeux d'un bleu intense.

— Si je le voulais, sans aucun doute. Voilà pourquoi je ne crois pas qu'un autre y parvienne : j'ai envisagé toutes les éventualités et pris les dispositions nécessaires.

— Mais peut-être que quelqu'un connaît assez bien ta façon de fonctionner pour avoir prévu ça. Par conséquent, ce quelqu'un a cherché à te distraire. Qu'as-tu fait ces jours-ci ? Tu ne passes pas ton temps à contrôler la sécurité de ton hôtel, à superviser ton équipe.

— En effet, rétorqua-t-il posément. Cependant, même si je n'y accorde pas toute mon attention, le système tourne impeccablement.

— Qui, à ton avis, serait capable de le déjouer ?

— Ils ne sont pas nombreux. J'étais le meilleur.

— Bravo, félicitations. Qui ?

Il se rassit, tapota ses genoux.

— Et si tu venais là ? Je suis sûr que ça m'aiderait à réfléchir.

— De quoi j'ai l'air, hein ? De la petite bimbo secrétaire ?

— Non, rassure-toi, encore que ce pourrait être amusant. Je serais le patron autoritaire, qui trompe honteusement sa malheureuse épouse. Et toi, tu pousserais des cris de souris effarouchée...

— Très drôle. Alors... qui ?

— Je me souviens de deux types qui auraient pu réussir un coup pareil. Ils sont morts. Il en reste peut-être un ou deux autres. Je vérifierai.

— Je veux des noms.

Le regard de Connors se durcit.

— Je ne suis pas un indic, lieutenant, même pour toi. Je creuserai la question. Si l'un des individus auxquels je pense me paraît impliqué, je te le dirai.

Furieuse, elle s'avança vers lui.

— Il y a des vies en jeu, je te conseille d'oublier le code de l'honneur des voyous !

— Inutile de me rappeler que des vies sont en jeu, je ne le sais que trop. Mais il fut un temps où je n'avais que ce code de l'honneur, certes discutable, pour guide. Je te donnerai dès que possible les renseignements que tu demandes. Pour l'instant, je t'affirme que Gerade serait incapable de monter une opération aussi complexe et périlleuse. Il n'a pas l'étoffe d'un truand, même de piètre envergure. Naples, en revanche, a du talent. C'est un trafiquant de premier ordre, il a un formidable réseau de relations, une infrastructure très performante pour l'exportation de marchandises illégales. Et lui n'a pas le moindre sens de l'honneur. En ce qui concerne un éventuel lien avec Yost, je miserais sur lui.

Eve ravala une réplique cinglante. Elle devait avant tout arrêter un tueur, et non épingler un truand.

— D'accord, je vais me pencher sur ce monsieur.

— Demain matin. Tu as besoin de repos, tu as la migraine.

— Pas du tout, rétorqua-t-elle sans conviction. Enfin… à peine.

Plus vif que l'éclair, il tendit la jambe, déséquilibra Eve et l'assit sur ses genoux. Elle essaya de lui donner un coup de coude, mais il lui bloquait les bras.

Elle ferma un instant les yeux, humant son odeur qui l'enveloppait, la grisait déjà.

— Tu remarqueras que je ne pousse pas des cris de souris effarouchée…

— Tu me frustres.

— Tant mieux…

La minute d'après, sans avoir compris comment, elle était couchée par terre. Connors pesait sur elle de tout son poids et l'embrassait passionnément.

— Tu sais combien de lits nous avons dans cette maison ? bredouilla-t-elle, haletante.

— Tu veux que j'aille les compter ?

— On s'en fiche… murmura-t-elle en dénouant le cordonnet de cuir qui retenait les cheveux soyeux de son mari.

18

— Dominic J. Naples, déclara Eve à son équipe réunie pour le briefing matinal. Cinquante-six ans, marié, deux enfants. Il est domicilié à Londres, mais il a des résidences à Rome, en Sardaigne, à Los Angeles, Washington, Rio, ainsi que sur les rives de la Caspienne et la planète Delta.

Elle contempla sur l'écran le portrait d'un homme séduisant, aux yeux noirs, aux traits ciselés et aux cheveux bruns impeccablement coiffés.

— Le Groupe Naples, dont il est le P-DG, travaille essentiellement dans les communications, à l'échelle interplanétaire. Ce monsieur est réputé pour ses œuvres caritatives, surtout dans le domaine de l'éducation, et il a de solides relations politiques.

Eve afficha une deuxième image sur une moitié de l'écran.

— Son fils, Dominic II, est chargé des affaires concernant Delta sur le territoire américain. On dit qu'il ambitionne d'assumer des fonctions plus importantes. Il se trouve que ce Dominic II est également un vieux copain de Michel Gerade, le fils de l'ambassadeur en France.

Elle appuya sur une touche pour faire apparaître le portrait d'un homme aux boucles blondes, à la bouche lippue, et doté – selon elle – d'un menton qui trahissait un caractère veule.

— Officiellement, Naples est irréprochable. Dans le passé, on s'est interrogé à son sujet, certaines rumeurs ont couru, on a mené quelques enquêtes superficielles sur les activités de son organisation. On n'a rien découvert qui puisse entacher sa réputation. D'après mon informateur, cependant, Naples a été et est toujours impliqué dans des activités criminelles. Contrebande, fraude électronique, vol, racket, et probablement meurtre. C'est notre suspect numéro un en ce qui concerne Yost.

Les images sur l'écran s'effacèrent pour céder la place à un nouveau trio.

— Ces trois hommes – Naples, Hinrick et Gerade – se sont rencontrés à Paris, il y a huit mois, soi-disant pour élaborer une station interplanétaire de communication. Hinrick est un truand prospère, et quoique son dossier soit plus douteux que celui de Naples, on peut le mettre de côté. Winifred Cates servait d'interprète à ces individus lorsqu'ils se réunissaient pour négocier. Leur projet n'a jamais abouti, la jeune femme a été tuée. On n'a pas retrouvé son assassin et l'on estime qu'elle est l'une des victimes de Yost.

Eve afficha deux autres photos.

— Britt et Joseph Hague, contrebandiers. Assassinés il y a six mois par Yost, puisque les autorités locales ont récupéré hier deux garrots en fil d'argent. Leurs corps ont été découverts en Cornouailles. Or Yost a passé quelques jours à Londres avant leur mort. Et Naples réside maintenant le plus souvent dans la capitale anglaise. Les Hague, à ce qu'on raconte, auraient piétiné les platebandes d'une organisation plus puissante. Il semblerait qu'on les ait éliminés pour décourager d'éventuels concurrents qui auraient eu la tentation de les imiter.

Eve avala une gorgée de café. Elle n'avait dormi que trois heures et ressentait le besoin de se donner un coup de fouet.

— Il y a trois ans, à Paris, une entraîneuse a été molestée, violée et étranglée avec un fil d'argent. Monique Rue... précisa-t-elle, tandis que le portrait s'inscrivait sur l'écran. Vingt-cinq ans, célibataire, métisse. Retrouvée dans une ruelle non loin du club où elle travaillait. D'après ses amis et ses collègues, elle avait une liaison avec Michel Gerade. Le statut de maîtresse ne la satisfaisait plus. Gerade, le copain de Dominic II, protégé par l'immunité diplomatique, s'est borné à faire une déposition écrite par l'intermédiaire d'un avocat.

Eve brandit la copie de la déposition.

— Je résume... Mlle Rue et lui avaient des relations amicales. Il admirait son talent. Ils n'avaient pas de rapports sexuels.

Elle jeta le document sur la table.

— Les policiers français savaient pertinemment que c'était du pipeau, mais ils avaient les mains liées. D'autant plus que Gerade s'abritait derrière un alibi en béton : il était en vacances avec son épouse, sur la Riviera, au moment du meurtre de Monique Rue. Aucune connexion n'a pu être établie entre Yost et Gerade.

— Jusqu'à maintenant, marmonna Feeney.

— Enfin nous avons Nigel Luca, qui a un dossier long comme le bras. Sa spécialité, c'était le trafic d'armes. Il y a huit ans, M. Luca a été roué de coups, violé et retrouvé avec un fil d'argent autour du cou dans un bouge de Séoul. Toujours d'après mon informateur, à cette époque, Luca était employé par Dominic J. Naples. Il s'en était probablement mis plein les poches, à son habitude.

— On dirait que Yost est le joujou préféré de Naples, commenta Feeney. Comment on va le coincer ?

— Il nous en faudra beaucoup plus avant de demander l'extradition. Ce type est remarquablement bien protégé. Je peux transmettre tous ces éléments à Interpol, au BII, et je le ferai.

— Tu crois qu'ils ne sont pas au courant de certaines choses ?

— Si, mais ils gardent jalousement leurs renseignements. Je pense aussi qu'ils n'ont pas noué tous les fils. Donc on s'en chargera. Et en attendant, on creuse. Je veux que la DDE planche là-dessus et me déniche tout ce qui pourrait relier Naples à notre tueur. Mon instinct me dit que Michel Gerade est le maillon faible, malheureusement il nous est impossible de toucher à ce petit salopard. Ni à Dominic II. Mais les fils ne me paraissent pas aussi intelligents et prudents que les pères. Tôt ou tard, ils commettront l'erreur fatale. Bon, continuons…

Elle afficha le graphique qu'elle avait peaufiné pendant la nuit.

— Le Palace. Darlene French. Connors. Magda Lane. Jonah Talbot. Encore Connors. Talbot mettait au point la publication de deux ouvrages sur Magda Lane et sa collection. Une collection exposée au Palace et dont la vente rapportera probablement plus d'un milliard de dollars. Naples a derrière lui un gigantesque réseau de communication. Hinrick est un trafiquant renommé pour avoir une infrastructure de transport des plus performantes. Gerade, pour moi, se distingue surtout par sa cupidité.

— En principe, les types de cet acabit sont à surveiller de près, intervint Feeney.

— D'accord avec toi. J'émets une hypothèse : et si l'affaire dont discutaient ces trois personnages à Paris était un plan pour faucher les objets qui seront mis aux enchères ? Winifred voit ou entend quelque chose. C'était une jeune femme intelligente. Elle essaie de contacter son amie du FBI, mais on la tue avant qu'elle puisse lui parler.

— Pourquoi engager Yost pour liquider des figurants à New York, au risque de renforcer le système de sécurité ?

McNab croisa les jambes ; c'était la première phrase qu'il prononçait depuis le début de la réunion. De l'autre côté de la salle, Peabody était claquemurée dans un silence chargé de rancœur.

— Pour nous pousser à rechercher un tueur. Pas un voleur. Une employée est brutalement assassinée dans une chambre d'hôtel, tout le personnel est bouleversé. L'assassin échappe aux vigiles qui en sont frustrés. Du coup, on consacre moins d'attention et d'énergie à la vente. Là-dessus, nouveau meurtre. Sur quoi se focalise l'enquête ? Sur Connors. Nous avons présumé que quelqu'un cherchait à se venger de lui. Mais si ce n'était pas le véritable mobile ? Du moins pas seulement. S'il s'agissait tout bonnement d'argent ?

— Ce n'est pas impossible, rétorqua Feeney avec une moue. Mais pourquoi mêler Gerade à cette histoire ? Je ne vois pas ce qu'il apporte.

Un petit sourire mauvais étira les lèvres d'Eve qui prit un autre graphique – celui-ci, elle l'avait terminé à 3 heures du matin.

— Vous le reconnaissez ? C'est le camarade de Dominic II et de Gerade. Vincent Lane, le fils de Magda. Ils avaient une vingtaine d'années quand ils ont commencé à traîner ensemble.

— Le fumier, grogna Feeney en abattant son poing sur l'épaule de McNab, sans doute pour l'arracher à son mutisme. La petite ordure…

— Oui, moi aussi, ça m'a fait sursauter, dit Eve qui s'efforçait de ne pas remarquer que le jeune inspecteur et Peabody s'évertuaient à s'ignorer. Lane a donné un coup de main à Dominic II et va souvent en visite sur Delta. Dominic II et Gerade ont investi dans la société de production de Lane, qui n'a pas survécu longtemps. Je crois que nous avons là notre fil d'Ariane. Pour un vol de cette ampleur, aussi compliqué, il faut un homme dans la place. Vince Lane est le compère idéal.

— Il va voler sa propre mère, déclara Peabody, outrée. Et tuer pour ça ?

— C'est un raté, répondit Eve. Il a monté et mis en chantier une succession de projets mirifiques qui ont tous échoué. Il a claqué le capital dont il disposait. Il a emprunté de l'argent à Magda pour rembourser des prêts et, je suppose, d'autres dettes moins avouables. Pendant ces deux dernières années, cependant, il a travaillé pour sa maman comme un gentil garçon. Elle lui verse un salaire ridicule, il est fauché. Carlton Mince, le conseiller financier, gère ses dépenses. J'ai l'intention d'avoir un entretien avec lui et Lane. Je vais y aller sur la pointe des pieds. Je ne voudrais pas que Lane dise à quiconque, y compris à Magda, que je l'ai dans le collimateur.

L'entrée de Whitney – à qui elle avait adressé un rapport complet en début de matinée – l'interrompit. Il jeta un coup d'œil à l'écran, s'assit.

— Poursuivez, lieutenant.

— Bien, commandant. Peabody et moi passerons voir Mince et Lane à l'hôtel. Feeney, j'aimerais que tu fasses jouer tes relations. Il est probable que les agences internationales d'investigation ont déjà toutes ces informations sur Naples. Mais elles en ont peut-être plus. Dans ce cas, même si ce ne sont que des hypothèses, débrouille-toi pour les persuader de nous les transmettre. McNab, vous rendrez visite au responsable de la sécurité du Palace. Connors l'aura déjà averti, mais vous prendrez le relais. Vous serez son chien de garde jusqu'à ce que la vente soit terminée. On vous remettra le dossier de chaque membre de l'équipe de sécurité. Liez connaissance avec ces gens, devenez leur copain. Je veux que nous soyons informés des moindres détails, sans omission. Si un vigile a une rage de dents, je tiens à le savoir. C'est bien clair ?

— Oui, lieutenant.

Eve marqua une pause, pour reprendre sa respiration.

— Commandant ?

— Oui, lieutenant ? rétorqua-t-il avec un imperceptible sourire.

— Je souhaiterais que vous utilisiez votre influence auprès du FBI et de Washington. Il faut que j'aie les coudées franches, or Jacoby ne me lâchera pas, sauf si...

Elle hésita.

— Si je suis libre de mes mouvements et si on m'accorde l'aide dont j'aurai besoin pour arrêter Sylvester Yost, je suis prête à abandonner le gibier aux fédéraux.

— Quoi ! s'exclama Feeney qui bondit de son siège, rouge de colère. Qu'est-ce que tu racontes ? Il n'en est pas question, tu m'entends ? Tu t'es décarcassée, tu as fait tout le boulot, tu as même failli attraper ce type. Et tu l'aurais eu, si ces débiles du FBI n'avaient pas lamentablement foiré. Tu ne dors plus à cause de cette affaire, tu as des cernes qui t'arrivent au menton !

— Feeney...

— Tu te tais, gronda-t-il, agitant un index menaçant. Tu diriges peut-être l'enquête, mais je suis plus gradé que toi. Tu crois que je vais te laisser offrir ce cadeau aux fédéraux ? Ah, non ! Tu sais ce que cette arrestation pourrait représenter pour toi ? Toutes les polices du monde et d'ailleurs courent après ce salopard depuis vingt-cinq ans. Tu le coinces, tu le mets derrière les barreaux, tu es bombardée capitaine. Et surtout ne me dis pas que tu t'en fiches !

Eve se mordit les lèvres, partagée entre l'émotion et l'embarras. Une chose était sûre, néanmoins : elle devait mettre les points sur les *i*.

— C'est Yost que je veux. Ton informateur anonyme nous a balisé le terrain, ajouta-t-elle en le regardant droit dans les yeux pour lui signifier qu'elle savait pertinemment de qui il s'agissait. Sans ça, je n'aurais pas eu la piste Winifred, en tout cas pas aussi vite. Et donc je n'aurais pas pu obliger Stowe à me communiquer les éléments qu'elle avait sur cette triade parisienne. L'agent Stowe a, comme moi, dépensé beaucoup d'énergie pour cette enquête. La mort de son amie l'a désespérée. Elle m'a donné des renseignements précieux. Je lui ai promis qu'elle passerait les menottes à Yost. C'est le marché que j'ai conclu avec elle, Feeney, et je tiendrai parole.

— Tu es complètement idiote, rouspéta Feeney. Commandant...

Whitney l'interrompit d'un geste.

— Inutile de faire appel à moi, quoique je sois largement de votre avis. Cette équipe est sous les ordres du lieutenant Dallas. Vous pouvez compter sur moi, lieutenant, j'utiliserai mon *influence*, comme vous dites.

— Merci, commandant.

À cet instant, le communicateur d'Eve sonna.

— Excusez-moi... marmonna-t-elle en s'écartant pour répondre.

— Jack, chuchota Feeney. C'est à elle d'arrêter Yost, elle le mérite.

— Dans l'immédiat, nous ne le tenons pas encore. On verra. Quoi qu'il advienne, le département est tout à fait conscient du travail que Dallas et vous tous avez...

Whitney n'acheva pas sa phrase. Eve tempêtait :

— Comment ça, vous l'avez perdu ? Comment on peut perdre un bonhomme squelettique, moche comme un pou et qui a l'air d'avoir avalé un manche de parapluie ?

Cela s'expliquait, quand le bonhomme en question avait des yeux derrière la tête. Summerset avait survécu à la Guerre urbaine, travaillé dans la rue, organisé toutes sortes de trafics et d'escroqueries. Même si cette époque était depuis longtemps révolue, il possédait encore la faculté de flairer un flic à des kilomètres.

Et de s'apercevoir qu'il était filé. Semer la police était pour lui une question de principe, un jeu d'enfant qui lui avait procuré une intense satisfaction. Sans doute était-ce Eve qui lui avait collé ses collègues aux basques, peut-être avec l'accord de Connors, mais il n'était pas pour autant obligé de le supporter.

Car, s'il menait désormais une existence paisible, il avait gardé ses réflexes. Considérer qu'il ne pouvait pas se défendre tout seul était insultant.

Il avait l'intention, puisque c'était sa demi-journée de congé, de flâner dans Madison Avenue, de faire un peu de shopping, éventuellement de s'offrir un déjeuner diététique à la terrasse d'un de ses bistrots favoris puis, si l'envie le prenait, de visiter une galerie d'art avant de rentrer.

Quelques heures de récréation, que ne gâcherait pas la présence intolérable de flics balourds et indiscrets.

Il jubilait surtout en imaginant la fureur d'Eve quand on lui signalerait qu'il s'était évaporé dans la nature.

Son visage émacié reflétait une expression suffisante, lorsqu'il quitta prestement le troisième étage d'un luxueux petit hôtel par l'issue de secours, descendit au rez-de-chaussée et se dirigea vers l'immeuble voisin pour emprunter le trottoir roulant qui le ramènerait dans Madison.

Penser qu'un tandem de poulets aux semelles de plomb réussirait à me suivre... Non mais, c'est hallucinant !

Il passa devant une épicerie, s'arrêta pour examiner l'étal de fruits frais. Les pêches lui déplurent. Celles qu'on cultivait dans les serres de Connors étaient infiniment plus belles. Il s'en ferait livrer dès son retour à la maison.

Ce soir, il servirait des pêches Melba.

Les raisins, toutefois, avaient assez bonne allure, et Connors tenait à soutenir le petit commerce. Une livre de blancs et de noirs, décida-t-il en picorant quelques grains.

Le marchand, bâti comme un tonneau monté sur deux courtes pattes, se précipita en glapissant. C'était un Asiatique dont la famille possédait cette épicerie depuis quatre générations.

Et depuis quelques années, Summerset et lui se chamaillaient une fois par semaine, pour leur plus grand plaisir.

— Mon vieux, vous mangez, vous payez !

— Cher monsieur, je ne suis pas votre vieux, et je n'achète pas sans goûter.

— Ces deux grappes, vous les prenez.

Le marchand tendit la main.

— Vingt dollars.

— Dix dollars la grappe ? rétorqua Summerset en fronçant son long nez. Je m'étonne que vous puissiez énoncer de pareilles énormités.

— Vous mangez mes raisins, vous payez. Vingt dollars.

Ravi, Summerset poussa un soupir de lassitude.

— J'accepterais éventuellement d'acheter une livre de ces fruits de piètre qualité, mais seulement pour décorer un coin de table. Les consommer est inenvisageable. Huit dollars.

— Ah ! Vous essayez de me voler, comme d'habitude. Douze dollars.

— Si je déboursais une somme aussi extravagante, il faudrait m'interner dans un asile psychiatrique, ou bien je me verrais dans l'obligation de vous poursuivre en justice pour escroquerie. Votre charmante épouse et vos enfants seraient contraints de vous rendre visite en prison. Je ne veux pas avoir ce poids sur la conscience. Dix dollars, pas un sou de plus.

— Dix dollars pour une livre de mes magnifiques raisins ? C'est un péché, un crime. Enfin… je m'incline, pour être débarrassé de vous. Votre triste figure gâte mes fruits.

Les raisins furent emballés, l'argent empoché, et les deux hommes se quittèrent enchantés.

Ses emplettes sous le bras, Summerset reprit sa promenade.

New York est une ville fabuleuse, peuplée de personnages merveilleux, songeait-il. Il avait sillonné le monde, mais cette cité bouillonnante de vie était de loin sa préférée.

Un maxibus s'arrêtait avec fracas le long du trottoir pour déverser une foule bigarrée et bruyante. Summerset recula pour ne pas être englouti dans cette marée humaine et pour ne pas négliger les pickpockets qui pullulaient dans les transports en commun.

Il se détournait quand il sentit un picotement au niveau de la nuque. Les flics ? Auraient-ils retrouvé sa trace ? Il pivota à demi pour scruter la rue derrière lui.

Il ne vit rien de particulier, hormis des New-Yorkais qui se hâtaient, quelques touristes qui faisaient du lèche-vitrine.

Pourtant, il éprouvait toujours cette sensation de picotement. Nonchalamment, il coinça son sac de raisins sous son autre bras, glissa une main dans sa poche et se faufila dans la cohue.

Du coin de l'œil, il distingua son ami l'épicier qui vantait sa marchandise aux passants.

Dans le ciel, un hélicoptère vrombissait sourdement.

Il se détendit, se dit que ces maudits policiers lui avaient mis les nerfs en pelote. Ce fut alors qu'il perçut un déplacement d'air.

D'instinct, il amorça un mouvement de rotation. Comme mue par une volonté propre, sa main sortit de sa poche, tout son corps s'arc-bouta. Une fraction de seconde, il fut face à face avec Sylvester Yost.

La seringue lui effleura les côtes, manqua son but, tandis qu'il continuait à pivoter. Il leva brusquement la main, l'arme paralysante qu'il tenait racla l'épaule de Yost.

Le bras tétanisé, Yost laissa tomber la seringue qui roula sur le trottoir pour finir écrasée sous les pieds des passagers du maxibus. Les deux hommes furent rudement projetés l'un contre l'autre, puis tout aussi brutalement séparés par la foule qui jouait des coudes pour grimper à bord du véhicule avant la fermeture des portières.

La vision de Summerset se brouillait. Il secoua la tête, se raidit pour ne pas perdre l'équilibre. Les jambes flageolantes, il tenta de se propulser en avant. Il lui semblait qu'un essaim de frelons bourdonnait à ses oreilles. Il se mouvait avec une lenteur étrange, comme s'il était englué dans une épaisse mélasse ; sa main, qui agrippait toujours le pistolet, loupa Yost et paralysa un innocent touriste de l'Utah, dont la femme terrifiée se mit à hurler pour alerter la police.

Titubant, Summerset ne put que regarder Yost qui, un bras pendant, s'enfuyait à toute allure et disparaissait au coin de la rue.

Résolu à le poursuivre, il réussit tant bien que mal à parcourir deux ou trois mètres, après quoi le brouillard l'enveloppa et il tomba à genoux. Quand il sentit qu'on le relevait, il se débattit mollement.

— Vous êtes malade ? s'inquiéta l'épicier en l'entraînant à l'écart et en lui remettant vivement son arme dans la poche. Il faut vous asseoir. Ou marcher. C'est ça, on va marcher tous les deux.

Malgré l'atroce bourdonnement qui l'assourdissait, Summerset reconnut cette voix familière.

— Oui, bredouilla-t-il tel un ivrogne. Merci.

Les minutes qui suivirent ne lui laissèrent aucun souvenir. Lorsqu'il recouvra sa lucidité, il était installé dans une petite pièce encombrée de caisses et de cageots, imprégnée d'une odeur écœurante de bananes trop mûres. L'épouse de l'épicier, une jolie femme aux joues pareilles à du satin doré, lui faisait boire de l'eau.

Il inspira à fond, s'efforça d'analyser son état physique et de déterminer quel genre de tranquillisant Yost lui avait injecté. Une faible dose, songea-t-il, mais suffisante pour provoquer des vertiges, la nausée et un engourdissement des membres.

— Je vous prie de m'excuser, déclara-t-il en luttant pour articuler correctement. Pourriez-vous, si cela ne vous dérange pas, me donner un stimulant ? Je crois que j'en ai besoin.

— Vous avez l'air vraiment malade, rétorqua-t-elle gentiment. Je vais appeler un médecin.

— Non, non, ce n'est pas nécessaire. Un stimulant me remettra sur pied.

L'épicier chuchota quelques mots en coréen à son épouse qui soupira et sortit.

— Elle vous apporte votre remontant, déclara-t-il en se penchant pour plonger son regard dans les yeux vitreux de Summerset. J'ai vu l'homme avec qui vous vous êtes bagarré. Vous l'avez touché, mais pas assez. Il a eu le dessus, à mon avis.

— Je ne partage pas votre opinion…

Summerset, en proie à un nouvel étourdissement, se plia en deux pour mettre la tête entre ses genoux.

— C'est surtout ce pauvre touriste que vous avez eu, insista l'épicier d'un ton narquois. Les policiers vont vous arrêter. Et vous avez écrasé mes beaux raisins.

— Ces raisins sont à moi. Je les ai payés.

Eve enfilait sa veste pour sortir quand Summerset pénétra dans son bureau.

— Qu'est-ce que vous venez faire ici ? grommela-t-elle.

— Croyez-moi, lieutenant, cette visite m'est aussi désagréable qu'à vous.

Il détailla le décor minable qui l'entourait, le fauteuil avachi, la fenêtre aux vitres sales, émit un reniflement méprisant.

Eve le contourna et referma violemment la porte.

— Vous avez semé mes flics ! accusa-t-elle.

— Je suis peut-être obligé de cohabiter avec un policier, mais je ne suis assurément pas tenu de me laisser suivre durant mes heures de liberté.

Il ricana ; il se sentait beaucoup mieux.

— Ils étaient idiots, on ne voyait qu'eux. Puisque vous vouliez m'humilier, vous auriez dû au moins engager des individus bien entraînés.

Elle ne riposta pas. Elle avait choisi deux des meilleurs limiers disponibles, et leur avait déjà infligé à tous deux des critiques incendiaires.

— Si vous êtes ici pour porter plainte, adressez-vous à l'accueil. Je suis occupée.

— Je suis venu, à contrecœur, faire une déposition. Vu les circonstances, je préfère avoir affaire à vous. Je ne voudrais pas perturber Connors.

Eve tressaillit.

— Le perturber ? Que s'est-il passé ?

Il lança un coup d'œil au fauteuil réservé aux visiteurs, soupira, et préféra rester debout pour tout lui expliquer.

Elle l'écouta en silence, les prunelles étrécies, tel un félin à l'affût. Puis, quand il eut achevé un récit qu'il jugeait admirablement concis et complet, elle entreprit de le bombarder de questions qui ne lui auraient jamais effleuré l'esprit.

Oui, il avait l'habitude de s'arrêter dans cette épicerie à cette heure-là, lorsqu'il prenait sa demi-journée de congé. Effectivement, il s'accordait toujours un moment pour observer les passagers du maxibus. Un spectacle haut en couleur.

Oui, il était droitier. Et Yost s'était approché par-derrière, sur la gauche.

Yost portait une perruque blond cendré, aux cheveux en brosse – une coupe de style militaire –, et un manteau gris perle. Un tissu léger, mais sans doute assez chaud. L'arme paralysante l'avait atteint à l'épaule droite, si bien qu'il avait lâché la seringue avant d'avoir pu injecter à Summerset la totalité de la dose de tranquillisant.

Un passant avait reçu la décharge paralysante en pleine poitrine, il s'était affalé sur le trottoir où il avait récolté quelques écorchures et hématomes. Mais il en était déjà quasiment remis.

— Quelqu'un sait-il que vous aviez une arme illégale sur vous ?

— L'épicier. J'ai dit au droïde qui patrouille dans le quartier que l'arme appartenait à Yost, lequel avait tenté de m'agresser et touché à ma place ce malheureux touriste de l'Utah. J'ai cependant donné ma carte à l'épouse de ce monsieur, afin de lui rembourser tous les frais médicaux. C'était la moindre des politesses.

— Vous auriez plutôt dû nous laisser, moi et mes hommes, faire notre boulot. Si vous ne vous étiez pas évaporé dans la nature, nous aurions pu le pincer.

— Si vous aviez eu la courtoisie de m'informer de cette filature, au lieu d'agir dans mon dos, j'aurais peut-être collaboré.

— Mon œil.

— Toujours est-il que j'ai réussi à me défendre sans trop de difficultés et à le mettre dans une situation extrêmement inconfortable. Cela ne m'a coûté qu'un léger malaise et dix dollars pour une livre de raisins – c'est d'ailleurs ce que je regrette le plus.

— Vous trouvez ça drôle ? Vous pensez que c'est une blague ?

Les mâchoires du majordome se crispèrent.

— Non, lieutenant, pas du tout. Si cela m'amusait, je

ne serais pas ici, dans un service de police. Pourtant je suis venu faire une déposition avec l'espoir que ces informations vous aideraient dans votre enquête.

— Vous pouvez m'aider dans mon enquête : posez quelque part le sac d'os qui vous sert de postérieur, en attendant qu'une voiture de patrouille vous ramène à la maison.

— Je ne monterai pas dans un véhicule de police.

— Oh, que si ! J'ai suffisamment de soucis, sans que vous vous baladiez dans cette ville avec une cible au milieu du dos. À partir de maintenant, vous suivrez mes directives à la lettre, sinon...

Elle s'interrompit brusquement. Connors poussait la porte et franchissait le seuil.

— Entre donc, inutile de frapper. Tu es ici chez toi, bougonna-t-elle.

— Eve...

Il lui effleura le bras, les yeux rivés sur Summerset.

— Ça va ?

— Oui, bien sûr, répondit Summerset, tenaillé par la culpabilité.

Il aurait dû se douter que Connors aurait vent de l'incident avant même que ce soit réglé.

— Je viens de faire ma déposition au lieutenant. Je comptais vous contacter dès mon retour à la résidence.

— Vraiment ? murmura Connors. L'un des médecins qui est intervenu sur les lieux vous a reconnu, alors que vous vous occupiez d'un homme blessé. Lui a eu le temps de me prévenir.

— Je suis navré. Je voulais vous avertir. Mais, ainsi que vous pouvez le constater, je n'ai rien.

— Vous pensez que je vais tolérer ça ?

Connors parlait d'une voix douce qu'Eve connaissait bien : il était au bord de l'explosion.

— Tolérer ? répéta Summerset sur le ton d'un père qui corrige le vocabulaire de son fils. Allons, l'incident est clos.

Eve tourna la tête vers Connors dont le regard étincelait.

— Parfait. J'ai pris des dispositions pour que vous partiez quinze jours. Je vous suggère le chalet en Suisse. Vous aimez cet endroit.

— Dans l'immédiat, je n'envisage pas de prendre des congés, cela ne m'arrange pas du tout. Mais je vous remercie de votre proposition.

— Faites vos valises. Votre avion sera prêt dans deux heures.

— Je ne m'en irai pas.

— J'exige que vous quittiez cette ville, immédiatement. Si le chalet ne vous convient pas, choisissez une autre destination. Mais partez.

— Il n'en est pas question.

— Vous êtes viré !

— Très bien. Je récupérerai mes affaires et louerai une chambre d'hôtel…

— Oh, bouclez-la, tous les deux ! intervint Eve en tirant sur ses cheveux comme si elle voulait les arracher. Connors, tu prononces enfin les mots que j'attends depuis plus d'un an, et je ne peux même pas faire la danse du scalp ! C'est bien ma veine…

Elle haussa les épaules.

— Tu espères qu'il va courir se planquer en Suisse et iodler à tue-tête pendant que tu te débats dans ce pétrin ?

— Tu devrais comprendre, toi mieux que quiconque, qu'il est indispensable de le mettre à l'abri du danger. Yost l'a loupé. Il en sera furieux, meurtri dans sa vanité. Il recommencera, et cette fois il ne ratera pas son coup.

— Voilà justement pourquoi Summerset sera escorté jusqu'à cette forteresse où nous vivons et y restera, sous bonne garde, jusqu'à nouvel ordre de ma part.

— Je n'accepterai pas de… commença le majordome.

— J'ai dit, bouclez-la ! tonna Eve en s'interposant entre les deux hommes hérissés de colère. Vous voulez qu'il soit malade d'angoisse à cause de vous ? Qu'il sombre dans le désespoir si vous commettez une erreur et qu'il vous arrive malheur ? Je vous conseille de ravaler votre orgueil, et vite !

Elle enfonça l'index dans la maigre poitrine de Summerset.

— Vous m'obéirez, sinon je vous fais inculper pour port d'arme prohibée. Et toi, enchaîna-t-elle en pivotant vers Connors, pour entrave à une enquête de police. Je vous enfermerai ensemble dans une cellule, et vous pourrez vous étriper jusqu'à ce que cette histoire soit terminée. Mais je refuse de rester là à vous écouter vous chamailler tels des gamins.

Connors lui agrippa le bras, comme s'il se cramponnait à elle pour recouvrer le contrôle de soi. Puis, sans un mot, il sortit.

— Eh bien, bravo... marmonna-t-elle.

— Lieutenant...

— Taisez-vous, s'il vous plaît, rétorqua-t-elle en se campant devant la fenêtre pour scruter le ciel. Vous êtes la seule chose de son passé à laquelle il soit viscéralement attaché.

L'émotion se peignit sur le visage de Summerset. Il se sentit soudain exténué, se tassa dans le fauteuil des visiteurs.

— Vous pouvez compter sur ma coopération, lieutenant. J'accepte qu'on me reconduise à la résidence. Voulez-vous que j'attende dans une autre pièce ?

— Non, ne bougez pas, je dois aller sur le terrain.

— Lieutenant... murmura-t-il alors qu'elle atteignait le seuil. Je ne peux pas le quitter, c'est au-dessus de mes forces. Il... il fait partie de moi.

— Je le sais, soupira-t-elle. On vous ramènera dans une voiture banalisée, ce sera moins désagréable. Mais la prochaine fois qu'il vous vire, vieux corbeau, je bois un magnum de champagne, conclut-elle pour détendre l'atmosphère.

19

Eve chargea deux agents en uniforme d'interroger les commerçants de Madison Avenue susceptibles d'avoir vu Yost s'enfuir. Elle ne se faisait guère d'illusions, cependant elle leur ordonna également de retrouver le conducteur du maxibus pour prendre sa déposition.

Puis elle appela Peabody, et toutes deux descendirent au parking.

— Il va se tenir tranquille ? s'étonna Peabody. Summerset ?

— Si j'en doutais, je l'enfermerais à double tour. Pour l'instant, je m'inquiète surtout pour...

Elle n'acheva pas sa phrase : la cause de son inquiétude se tenait à quelques mètres, près de la voiture vert pois cassé.

— Ce qu'il est sexy quand il est fâché, chuchota Peabody. Je peux regarder ?

— Vous restez dans les parages, mais vous tournez le dos, rétorqua Eve en s'avançant.

Elle entendit son assistance marmotter :

— Ça va barder.

— Du balai, mon vieux, dit Eve à Connors. Ou j'appelle la sécurité.

— Je veux qu'il quitte ce pays, rétorqua-t-il d'un ton sec.

— Même un homme comme toi ne peut pas toujours obtenir ce qu'il veut.

— Jamais je n'aurais imaginé que tu t'opposerais à ma décision.

— Ça ne m'enchante pas, figure-toi. Mais Summerset est désormais un témoin. Donc il reste à New York, sous la protection de la police. Point à la ligne.

— La protection de la police ! Tes flics n'ont même pas réussi à le filer sur trois cents mètres. Et tu crois que je vais leur faire confiance ?

— Faire confiance à mes flics ou à moi ?

— Apparemment, ça revient au même.

Cette réponse fut pour Eve comme un direct au foie. Elle prit une inspiration.

— Tu as raison. Je n'ai pas été à la hauteur, je suis désolée.

Une flamme violente s'alluma dans les yeux de Connors. Eve se raidit, rassemblant son courage pour en supporter la brûlure. Cependant il se détourna, posa les mains sur le toit de la voiture.

— Bon, murmura-t-il. Tu comptes continuer à encaisser les coups ? Tu ne trouves pas que je suis allé assez loin ?

— J'ai souvent été bien plus dure que toi, et tu n'as pas bronché. J'ai choisi les hommes qui ont filé Summerset, ils l'ont perdu de vue, donc je suis responsable.

— Foutaises.

— Non, je suis lieutenant et j'assume les erreurs de mes subalternes. Comme toi, qui te sens responsable de ce qui a failli lui arriver. Connors…

Elle ébaucha le geste de lui caresser l'épaule, se ravisa et fourra sa main dans sa poche.

— Ne lui demande pas de faire ce que tu refuserais. Ce qui s'est passé me déplaît souverainement, n'empêche que Summerset s'est bien débrouillé. Reconnaissons-le et remettons-nous au travail.

— Ils savaient combien il est important pour moi. Comment je réagirais s'il disparaissait. Et tout ça pour de l'argent. Seigneur… moi aussi, j'ai accompli ma part de sales besognes pour de l'argent.

Elle garda un instant le silence.

— C'est l'Irlandais qui parle ? Tu as décrété que tout ça se produit parce que tu as été un méchant garçon ?

Il pivota.

— C'est le catholique qui parle, dit-il avec un petit rire amer. Il se réveille parfois, pour compliquer un peu plus les choses. Non, Eve... je ne crois pas que cette affaire soit un châtiment pour mes péchés. En revanche je suis persuadé qu'elle s'enracine dans mon passé. C'est là qu'il faut creuser.

Et il creuserait, dût-il en souffrir.

— Qu'est-ce que tu me caches ?

— Quand j'aurai des certitudes, je te le dirai. Eve, pardonne-moi d'avoir été injuste avec toi.

— Oublie ça. J'ai eu l'immense plaisir de t'entendre virer Summerset. Tu pourrais peut-être recommencer dans une quinzaine de jours ? Pour de bon, cette fois.

Il esquissa un sourire, lui caressa les cheveux. À cet instant, les portes de l'ascenseur coulissèrent, livrant passage à Summerset flanqué de deux policiers en civil.

Eve vit Connors et son majordome échanger un long regard. Elle se sentit exclue : il y avait entre eux des secrets qu'elle ne pénétrerait jamais.

— Puisqu'il est encore à ton service, tu devrais aller lui parler, grommela-t-elle.

— Lieutenant ?

— Oui ?

— Donne-moi un baiser.

— Pourquoi ?

— Parce que j'en ai besoin.

Elle leva les yeux au ciel, pour la forme, puis l'embrassa sur les lèvres.

— Tu te contenteras de ça, il y a des caméras de surveillance partout. Et d'ailleurs j'ai du boulot, moi. Peabody, au trot !

Elle attendit cependant que Connors ait traversé le parking et rejoint Summerset qui prenait place dans une voiture banalisée.

— Ils sont comme père et fils, n'est-ce pas ? commenta Peabody en s'installant auprès d'Eve. Dites donc... du coup, vous êtes la belle-fille de Summerset.

Eve en pâlit d'horreur, pressa une main sur son estomac.

— Taisez-vous, vous me donnez la nausée.

Les Mince logeaient dans une suite que l'hôtel réservait aux hommes d'affaires. Elle était spacieuse, comportait un salon et une chambre séparés par une cloison en lambris sur laquelle s'enroulaient des plantes grimpantes et fleuries. Dans un coin du salon était aménagé un petit bureau fonctionnel équipé d'une luxueuse console électronique.

Celle-ci bourdonnait discrètement, lorsque Eve arriva. Mince était en plein travail.

— Lieutenant… j'avais oublié notre rendez-vous.

— Merci d'avoir accepté de me recevoir.

— Ça ne me dérange pas du tout, voyons.

Il jeta un regard circulaire, comme surpris de se trouver dans ce lieu.

— J'ai tendance à m'engloutir dans le travail. Ma pauvre Minnie désespère de me guérir. Il me semble me rappeler qu'elle est sortie faire des courses… à moins qu'elle soit au salon de beauté ? Vous désirez vous entretenir aussi avec elle ?

— Je lui parlerai ultérieurement.

— Il y a sans doute du café. Minnie a dû m'en préparer avant de partir. Vous en voulez ?

— Volontiers, répondit-elle en s'asseyant dans un fauteuil, tandis qu'il disposait maladroitement les tasses sur des soucoupes.

— Et vous, officier ?

— Merci, si cela ne vous ennuie pas, répliqua Peabody.

— Du tout, du tout… Quel merveilleux hôtel ! Le personnel est aux petits soins pour les clients. Quand Magda a décidé que la vente se déroulerait ici, je vous avoue que je n'en étais pas ravi. Mais je vous prie de croire que j'ai changé d'avis.

— C'est elle qui a choisi ?

— Mmm… Elle voulait que ça se passe à New York, où elle a décroché son premier rôle au théâtre. C'est le cinéma qui l'a rendue célèbre, cependant elle n'a jamais oublié que Broadway lui a mis le pied à l'étrier.

— Vous êtes ensemble depuis longtemps, Magda et vous ?

— Nous préférons ne plus compter les années.

— Vous avez en quelque sorte des liens familiaux.

— Oui, c'est tout à fait ça. Nous sommes restés côte à côte dans les bons et les mauvais moments. Les mariages, les enterrements, les naissances. Je suis le parrain de son fils. Magda est une femme extraordinaire. Je suis fier d'être son ami.

Eve attendit qu'il leur servît leur café, qu'il s'installât vis-à-vis d'elle.

— Les amis peuvent parfois se montrer trop protecteurs, dit-elle.

Il la dévisagea d'un air perplexe.

— Je ne vous suis pas très bien.

— Sait-elle dans quel gouffre financier est tombé Vincent Lane ?

— Lieutenant, je refuse d'évoquer la vie privée des gens que j'aime. Et en tant que conseiller de Magda, je ne discuterai pas de ses finances ni de celles de son fils avec la police.

— Même si cela pouvait lui épargner un immense chagrin ? Je ne suis pas une journaliste, monsieur Mince. Je n'ai pas pour habitude de colporter des ragots. Je me soucie uniquement de la sécurité de Magda et de ses biens.

— Je ne vois pas quel rapport il y aurait avec la situation financière de Vince.

— Vous l'avez déjà sorti de l'ornière. Et il a replongé. Maintenant sa mère, sur laquelle il compte pour manger, projette de se délester d'un milliard de dollars. Comment prend-il la chose ?

Mince cilla, détourna les yeux.

— Je ne saisis pas ce que…

— Je peux obtenir les mandats nécessaires, vous

soumettre à un interrogatoire en règle. Je n'y tiens pas pour plusieurs raisons. D'une part, mon mari a beaucoup d'admiration et d'affection pour votre amie. Je pense à lui et à Magda, je ne voudrais pas qu'un scandale compromette cette vente aux enchères.

— Vous ne croyez quand même pas que Vince chercherait à... Il n'oserait pas.

— Est-elle au courant des problèmes pécuniaires de son fils ?

Mince plissa le front d'un air anxieux.

— Non, cette fois je ne lui ai rien dit. Elle s'imagine qu'il a tourné la page. Elle est si heureuse qu'il se soit tellement intéressé à la Fondation, à la vente...

Il se tut un instant, horrifié. Puis il secoua frénétiquement la tête.

— Non, non... Il n'a plus les moyens d'empêcher que cet événement ait lieu. La machine est lancée, tout est en ordre. Les bénéfices reviendront à la Fondation. Il n'y peut plus rien, même si, au début, il n'était pas d'accord.

— Il a essayé de s'opposer à ce projet ?

Mince se leva et se mit à arpenter le salon, les mains nouées.

— Oh, oui ! Il a lutté d'arrache-pied. Il l'accusait de le dépouiller de son héritage, de son avenir... Ils ont eu une épouvantable querelle. Elle était à bout de patience, elle a dit qu'il était temps pour lui de travailler pour gagner sa vie, qu'elle ne volerait plus à sa rescousse pour rembourser les dettes qu'il accumulait. La Fondation aurait au moins un avantage : elle ne *pourrait* plus lui donner de l'argent. En tendant une main secourable à ceux qui étaient vraiment dans le besoin, elle lui rendrait service. Tous deux sortiraient de l'impasse où ils étaient.

— Pourquoi a-t-il ensuite changé d'attitude ?

— Je l'ignore. Ce jour-là, il est parti furieux. Elle a pleuré, ce qui ne lui arrive pas souvent. Pendant deux semaines, nous n'avons eu aucune nouvelle de lui, nous ne savions pas où il était. Et puis il est rentré au bercail, la tête basse, bourrelé de remords. Il a déclaré qu'elle avait raison, bien entendu, qu'il était navré, honteux, qu'il ferait le maximum pour qu'elle soit fière de lui.

—Il ne vous a pas convaincu, n'est-ce pas ?

—Non, soupira-t-il. Mais Magda l'a cru. Elle adore Vince, même s'il la désespère. Quand il a demandé à s'occuper de l'exposition et de la vente, elle était folle de joie. Et, pendant un certain temps, il paraissait sincère. Là-dessus, les factures ont recommencé à pleuvoir. J'avais fait en sorte qu'elles me soient transmises directement, pour épargner Magda. J'ai sermonné Vince, j'ai payé. Puis j'ai menacé de tout raconter à sa mère. Il a craqué, m'a supplié de garder le silence. Il m'a promis que ça ne se reproduirait plus.

—Quand cela s'est-il passé ?

—Juste avant notre arrivée sur la côte Est. Depuis il a eu un comportement irréprochable, mais... aujourd'hui, j'ai reçu un lot de nouvelles factures. Je ne sais plus à quel saint me vouer.

—Y a-t-il, parmi les notes que vous avez réglées depuis sa dispute avec sa mère, des frais de transport pour Delta ou Paris ?

Mince pinça les lèvres.

—Les deux. Il y a des amis. Ces jeunes gens ne m'emballent pas, pour être franc, bien qu'ils soient de bonne famille. Mais ils mènent une vie de bâton de chaise, ils sont trop insouciants. Quand Vince voit Dominic II Naples ou Michel Gerade, on peut être sûr qu'il se retrouve bientôt criblé de dettes.

—Monsieur Mince, m'autorisez-vous à examiner les factures que vous avez reçues ce matin ?

—Lieutenant, je ne les montrerais même pas à mon épouse. Vous me demandez de trahir la confiance qu'on en a moi.

—Non, je vous demande de m'aider à préserver cette confiance. Vince Lane pourrait-il faire du mal à sa mère pour de l'argent ?

— Physiquement ? Bien sûr que non ! C'est grotesque.

— On peut blesser quelqu'un autrement que physiquement, et c'est tout aussi douloureux.

L'angoisse se peignit sur le visage de Mince.

— Oui, en effet. Eh oui... il en serait capable. Il l'aime. À sa manière, il l'aime beaucoup. Mais il... attendez, je vous donne les renseignements que vous réclamez.

Il fallut à Eve moins de trente secondes pour trouver ce qu'elle cherchait.

— Groupe Naples. Un million de dollars.

— Épouvantable, commenta Mince, debout derrière elle. Vince n'a aucun besoin d'un système de communication aussi sophistiqué. Je ne comprends pas quelle idée lui est passée par la tête.

— Moi si, hélas, murmura-t-elle.

— Vous pensez qu'il tiendra parole, qu'il n'en parlera pas à Magda ni à son fils ? s'enquit Peabody, dans l'ascenseur qui les menait jusqu'à l'étage de Lane.

— Oui, du moins pour l'instant. Assez longtemps, en tout cas, pour que nous les coincions, lui et ses petits copains.

— Escroquer sa propre mère... C'est infâme.

— Tuer l'est bien plus encore.

Elles longèrent le couloir silencieux, appuyèrent sur la sonnette près de la porte vernissée à deux battants. Ce fut Lane lui-même qui ouvrit.

Il arborait une tenue décontractée, pantalon et sweater en fin lainage. Il était pieds nus, une luxueuse montre de sport au poignet. Il leur sourit de toutes ses dents blanches, parfaitement alignées.

— Eve, quel plaisir de vous revoir ! Mais peut-être devrais-je dire *lieutenant*, si vous êtes dans l'exercice de vos fonctions.

— À vous de décider, je suis là pour discuter de certains points concernant la vente.

Avec un petit rire, il s'effaça pour les laisser entrer.

— Je me réjouis que vous vous y intéressiez autant. Ça tranquillise ma mère. Je vous en prie, asseyez-vous. Liza, nous avons de la compagnie !

La suite de Lane était nettement plus chic que celle de Mince. Une partie du salon formait une rotonde qu'occupait une salle à manger. Un lustre brillait de mille feux au-dessus de la table, un piano d'un blanc neigeux trônait dans un angle. L'escalier en colimaçon, pareil à un ruban d'or, conduisait au niveau supérieur. Et Liza, magnifique dans une combinaison moulante immaculée, descendait les marches tel un cygne glissant sur l'eau.

Eve remarqua les diamants qui scintillaient à ses oreilles, son cou, ses poignets et ses chevilles. Manifestement, il ne s'agissait pas de pierres synthétiques. Combien ces babioles t'ont coûté, mon petit Vinnie ? songea-t-elle.

— Bonjour, minauda Liza en faisant bouffer sa chevelure.

— Pardon de vous déranger, dit aimablement Eve. Je souhaitais m'entretenir avec Vince à propos de la vente. La police new-yorkaise veut avoir la certitude que tout se déroulera sans difficulté.

— J'ai hâte que ce soit terminé, rétorqua Liza en étouffant un bâillement. On ne parle que de ça à longueur de journée.

— Ce doit être lassant pour vous.

— Effectivement. Eh bien, si vous avez à discuter, je crois que je vais aller faire un peu de shopping !

— Je suis navrée de vous perturber. Mais ça ne devrait pas nous prendre trop de temps.

Vince se leva, caressa les bras nus de sa compagne.

— Pourquoi ne pas nous retrouver dehors pour le déjeuner ? suggéra-t-il d'un ton apaisant. Disons 12 h 30 au Rendez-Vous ?

— Mmm… répliqua-t-elle avec une moue boudeuse. Tu sais que je m'ennuie sans toi. Ne sois pas en retard.

— Juré.

Elle prit son sac sur un guéridon près de la porte, envoya un baiser à Lane et sortit.

— Tout ça n'est pas très amusant pour elle, dit-il. Elle a été d'une patience d'ange.

— Un vrai petit soldat…

Eve se percha sur l'accoudoir d'un des trois sofas anciens, recouverts de soie.

— Vous vous occupez énormément de la vente et de la Fondation de votre mère. Ça vous absorbe sans doute beaucoup.

— Oui, mais ça en vaut la peine.

— Qu'elle jette un milliard de dollars par la fenêtre ne vous dérange pas ?

— C'est pour une bonne cause, répondit-il, jovial. Je suis extrêmement fier d'elle.

— Vraiment ? Vous êtes pourtant fauché comme les blés, vous empruntez à ses amis de quoi rembourser vos dettes.

Elle le vit tressaillir, enchaîna.

— Je vous trouve drôlement fair-play, Vince.

— Je ne saisis pas de quoi vous parlez, et permettez-moi de vous dire que vos propos ne sont pas du meilleur goût.

— Escroquer sa famille ainsi qu'une œuvre caritative, ne pas avoir le courage de travailler pour gagner sa vie… ce n'est pas non plus du meilleur goût. Mais surtout, recourir au meurtre est inqualifiable. Au fait, ce matin, votre tueur a loupé son coup. J'espère qu'il ne touchera pas le solde de sa rémunération pour cette clause du contrat.

— Je vous demande de sortir, rétorqua-t-il, pointant le doigt vers la porte dans un geste qui eût été impérial si son bras n'avait pas tremblé. Sortez ! Je me plaindrai à vos supérieurs, mon avocat se…

— Taisez-vous donc, pauvre minable. Peabody, vous enregistrez.

— Oui, lieutenant.

— Vincent Lane, attaqua Eve, vous avez le droit de garder le silence.

Le visage du jeune homme qui était devenu d'un blanc de craie vira au cramoisi.

— Vous m'arrêtez ? Vous croyez pouvoir m'arrêter ? Vous n'avez rien contre moi, pas la moindre preuve ! Savez-vous qui je suis ?

— Mais oui, je le sais. Vous êtes un déchet. Maintenant, restez tranquille pendant que je vous lis vos droits et vos obligations. Ensuite vous répondrez à mes questions. Et si vous refusez, je vous traînerai jusqu'au Central. Pour les médias, ce sera une aubaine. À l'heure du déjeuner, alors que votre amie vous attendra au restaurant, les journalistes clameront sur tous les toits que Vince Lane est en état d'arrestation, soupçonné de complicité de vol, de recel et – la cerise sur le gâteau – de complicité de meurtre.

— De meurtre ? Vous êtes folle, vous délirez ! Je n'ai jamais tué personne. J'appelle mon avocat.

— Faites donc, susurra Eve. Je me demande combien de temps il faudra à vos camarades Gerade et Naples pour apprendre que vous avez chargé un avocat de vous défendre. Et combien de temps attendront-ils avant de lâcher Yost contre vous pour assurer leurs arrières ? D'autant qu'ils ne seront peut-être même pas obligés de le payer.

Elle marqua une pause, contempla ses ongles. Lane, qui avait saisi son communicateur, ne bougeait plus, pétrifié.

— Oui, je pense qu'il fera ça gratuitement. Lui aussi doit se protéger. Vous savez ce qu'il inflige à ses victimes, Vinnie ?

Elle leva le nez, braqua sur lui un regard implacable.

— Il les roue de coups, ensuite il veille à ce que ses proies aient toute leur conscience pendant qu'il les viole. J'ai une vidéo que je vous montrerai, vous verrez ce qu'il pourrait vous faire subir. Il vous briserait le bras comme une brindille, il réduirait votre figure en bouillie. Même votre mère ne vous reconnaîtrait pas. Vous vous diriez que vous avez enduré le pire, mais non... reste le viol. Une douleur effroyable, inconcevable. Le cauchemar absolu, l'enfer qui vous engloutit tout entier. Impossible d'y échapper, de fuir. Et pour finir, il vous passe ce garrot autour du cou, il serre de plus en plus fort. Vous vous débattez, vous étouffez. Votre vessie lâche, vous mourez.

Elle se redressa.

— Dans le fond, cette triste fin serait parfaite pour vous. Allez-y, appelez votre avocat.

Vince fondit en larmes.

— Ce n'est pas ma faute. Il n'était pas prévu que...

— Les gens de votre acabit disent toujours ça. Asseyez-vous, ordonna-t-elle en désignant le sofa, et expliquez-moi pourquoi ce n'est pas votre faute.

— J'avais besoin d'argent...

Il s'essuya les yeux, but le verre d'eau que Peabody lui tendait.

— Ma mère a eu l'idée absurde de vendre la majeure partie de sa collection aux enchères. Pour cette maudite Fondation. Je suis son fils, se plaignit-il. Offrir une fortune à des étrangers alors que j'en ai besoin...

— Donc vous avez cherché un moyen de la garder dans la famille.

— Nous nous sommes disputés. Elle a décrété qu'elle me coupait les vivres. J'avais déjà entendu ce refrain, mais cette fois ce n'étaient pas des paroles en l'air. Ça m'a révolté. Une mère qui fait une chose pareille à son fils...

— Alors vous vous êtes précipité chez vos copains.

— Il fallait que j'évacue ma colère, que je me confie à Dom. Lui, il a un père qui ne donnerait pas tout son argent à des étrangers. Il ne s'est jamais demandé avec quoi il allait payer une fichue facture. On a bavardé en buvant quelques verres. Et j'ai dit quelque chose du genre... je devrais voler la collection de ma mère, la revendre. On verrait quel effet ça lui ferait. Et on a réfléchi à la façon d'organiser un coup pareil. Comme ça, juste pour parler. Puis il nous a semblé que, peut-être, ce n'était pas irréalisable. Plusieurs centaines de millions de dollars. Je n'aurais plus à m'inquiéter, je pourrais vivre comme je le désirais, sans dépendre de personne. Je crois que je me suis soûlé. J'ai perdu conscience et, quand j'ai émergé le lendemain matin, Dom avait discuté avec son père. L'affaire était lancée. On a embarqué Michel là-dedans. Ça paraissait encore irréel, vous comprenez. Une sorte de jeu. Mais le père de Dom affirmait qu'on pouvait réussir, il savait comment monter l'opération. Après amortissement des frais, nous aurions chacun un pourcentage des bénéfices. Ce serait une affaire juteuse, voilà tout. Il n'était pas question de meurtres.

— À quel moment Yost est-il intervenu dans l'*opération* ?

— Je l'ignore, je le jure devant Dieu. Tout était organisé. Je devais rentrer en Amérique, me réconcilier avec ma mère et lui proposer de l'aider pour être au courant des moindres détails et transmettre les informations. C'est là que j'ai découvert qu'elle s'était associée à Connors. Ça ne m'a pas plu… Connors n'est pas le premier venu. Mais Naples en a été ravi. Il a dit que ça pimentait la sauce. Il a embringué un autre partenaire, l'Allemand, et comme Dom et moi étions occupés ailleurs, ils ont retrouvé Michel à Paris.

Il s'humecta les lèvres, scrutant le visage d'Eve, en quête de compréhension, de pardon. Il ne rencontra que le regard glacé d'un flic.

— Je pense que… que c'est au cours de ces rencontres qu'ils ont décidé de faire appel à Yost. Je sais seulement que l'Allemand a repris ses billes. Naples l'a traité de… lopette. Il a déclaré qu'on se passerait de lui sans problème, que ça nous laisserait une plus grosse part du gâteau, et qu'il se chargerait personnellement du transport. Il a engagé deux autres types. Toutes ces dépenses commençaient à me rendre nerveux. Je m'en suis plaint, mais la discussion a tourné au vinaigre. Dom m'a expliqué qu'il valait mieux pour moi le laisser traiter en direct avec son père. Il me communiquerait les instructions. Je n'avais plus qu'à leur donner tous les renseignements nécessaires – les plans du système de sécurité, le timing – et dorloter ma mère. Ils m'ont dit qu'ils avaient trouvé le moyen de distraire Connors pour qu'il ne soit pas sur mon dos.

Il s'essuya la bouche d'un revers de main.

— Vous voyez, n'est-ce pas, que j'étais trop impliqué dans cette histoire pour faire marche arrière. Ce n'est pas ma faute, je vous assure. D'ailleurs, maintenant, je coopère. Ça change tout, non ?

— Mais oui. Et je vous conseille vivement de continuer, Vince.

— D'accord... Il y a quelques semaines, Dom m'a contacté. Je devais dénicher un million de dollars pour rémunérer un conseiller. Ma participation aux frais. Ça atterrirait dans les caisses du Groupe Naples, et ils trafiqueraient la comptabilité pour faire apparaître que j'avais acheté un nouveau système de communication hypersophistiqué. Je me suis affolé. Un million ! Je n'ai pas une somme pareille. Et je ne m'attendais pas à de telles dépenses. Alors j'ai posé la question : quel genre de conseiller exige plusieurs millions pour donner son avis ?

Il s'interrompit, enfouit sa tête dans ses mains.

— Et j'ai eu la réponse... Dom m'a parlé de Yost, du contrat, des meurtres. Il a dit qu'on ne pouvait plus revenir en arrière. On était dedans jusqu'au cou, je n'avais qu'une solution : me débrouiller, emprunter ou voler ma part des honoraires parce que, dès qu'il aurait exécuté le contrat, Yost réclamerait son argent. Je ne savais pas quoi faire. C'est ma mère qui est responsable, elle m'a dépouillé de ce qui m'appartenait. Ce n'est pas ma faute.

— Oui, bien sûr, votre mère est coupable. Vous avez envie de vivre, Vince ? Vous ne voulez pas que Yost s'en prenne à vous, je suppose ? Racontez-moi tout, de A à Z, en n'omettant rien. Donnez-moi des noms.

Il releva lentement la tête.

— Je ne suis pas au courant de tout. Ils m'ont mis à l'écart, je l'ai bien compris. Ils se servent de moi. Je ne suis qu'un pion, c'est à eux de payer.

— Oh ! ne vous inquiétez pas ! Ils paieront, j'y veillerai.

Tandis qu'Eve extorquait à Lane une déclaration plus concise et précise, Connors rentrait à la maison. Il vérifia le tableau de sécurité, s'aperçut que Mick était en train de nager dans la piscine.

Il le rejoignit en empruntant le chemin le plus long pour s'accorder un peu de temps.

L'aile de la résidence qui abritait la piscine embaumait l'eau fraîche et les fleurs exotiques. Le murmure harmonieux d'une fontaine, qui imprégnait ordinairement ce lieu paisible, était étouffé par des chants irlandais aux accents rebelles.

Connors s'approcha, choisit une des moelleuses serviettes bleues de la pile posée sur le bord du bassin.

Mick repoussa les mèches mouillées qui lui tombaient sur les yeux.

— Tu viens ?

— Non, c'est toi qui sors.

— OK.

Ruisselant, Mick s'exécuta et saisit la serviette que Connors lui tendait pour s'essuyer la figure.

— Merci... Bon Dieu, ce que c'est agréable. On s'habituerait facilement à ces plaisirs-là. Je ne m'attendais pas à ce qu'un personnage aussi important que toi rentre chez lui au milieu de la journée, ajouta-t-il en enfilant l'un des peignoirs réservés aux invités.

— J'ai eu un contretemps, ce matin. Tu sais, Mick, vu tout ce que nous avons vécu, les bons et les mauvais moments, tout ce que nous avons fait ensemble ou séparément... tu étais le dernier que j'aurais cru capable de trahir un ami.

— Qu'est-ce que ça signifie ? articula Mick.

— L'amitié aurait-elle pour toi moins de valeur aujourd'hui qu'à l'époque de notre jeunesse ?

— Crache ce que tu as sur le cœur, Connors, rétorqua Mick, apparemment dérouté. Je suis largué.

— Tu veux que je sois plus clair ?

— Ben, oui.

— Parfait...

Le bras de Connors se détendit comme un ressort, son poing percuta brutalement le visage de Mick. Immobile, il regarda son ami d'enfance vaciller et tomber dans la piscine.

Alourdi par le peignoir gorgé d'eau, la bouche en sang, Mick refit surface et se hissa péniblement sur le bord du bassin.

Une lueur meurtrière flamba dans ses yeux, qui s'effaça aussitôt pour céder la place à une petite étincelle narquoise. Il se frotta la mâchoire, retira le peignoir.

— Dis donc, tu n'as pas perdu ta force de frappe. Comment tu as compris ? Non, attends... Je préférerais être habillé et avoir un verre de whisky dans la main quand tu m'expliqueras ça.

— Je n'y vois pas d'inconvénient, répondit froidement Connors. Au fait, Summerset va bien.

— Pourquoi n'irait-il pas bien ? rétorqua nonchalamment Mick.

20

Connors attendit, posté devant la fenêtre, que Mick achève de se rhabiller. Les mains dans les poches, il contemplait les arbres et le haut mur de pierre qui entourait le parc.

Il avait planté ces arbres, la pelouse qui ondulait tel un tapis de velours vert, les fleurs, pour se bâtir un domaine. Son domaine. Un havre de beauté et de paix dans un monde rongé par la misère et la douleur. Ce lieu lui avait permis de se convaincre que les taudis de Dublin étaient loin, très loin, qu'il s'en était évadé.

Et fort de cette certitude, il avait invité dans son royaume un vestige de ce passé qui n'avait jamais réellement cessé de le hanter. Il avait ouvert sa porte à un ami d'enfance qui avait trahi l'homme qu'il était à présent.

— C'était seulement pour l'argent, Mick? Seulement pour ça?

— Tu peux parler sur ce ton méprisant, Ton Altesse. C'est facile pour toi, tu nages dans le luxe. Oui, bien sûr, c'était pour le fric. Ma part s'élèvera à vingt-cinq millions, tu te rends compte? Et c'était aussi pour le plaisir. Tu as vraiment oublié à quel point c'est excitant?

— Et toi, Mick, même si chez les voyous le code de l'honneur n'est pas toujours gravé dans le marbre, tu as oublié que trahir un ami ne se fait pas?

— Bon sang, Connors, ce n'est pas ton argent que je cherche à rafler, soupira Mick.

Il boutonna sa chemise, saisit le carafon de whisky, remplit deux verres. Connors ne bronchant pas, il poussa un nouveau soupir et avala une lampée d'alcool.

— D'accord, j'admets que j'ai peut-être dépassé les bornes. Je suis un peu jaloux de la fortune que tu as réussi à amasser depuis qu'on s'est séparés.

Connors pivota brusquement, songeant à la fin atroce d'innocentes victimes.

— Tu as dépassé les bornes ? C'est ainsi que tu vois les choses ?

— Écoute... rétorqua Mick, agacé et gêné à la fois. On m'a contacté pour me proposer ce boulot. Le fils de l'actrice avait lancé le truc et, au moment où on m'en a parlé, l'affaire était sur pied. Franchement, je ne pensais pas que ça t'embêterait autant. Ces derniers jours, je me suis rendu compte que, sur ce point, je m'étais sérieusement trompé. Mais j'étais trop impliqué dans cette histoire pour reculer. Maintenant, bien sûr...

Mick haussa les épaules, pour signifier qu'il renonçait à ces millions, que ça n'avait guère d'importance.

— Comment diable tu as découvert le pot aux roses ? Comment tu as compris que j'étais dans le coup ?

— J'ai fait certains recoupements, Mick. Le fils de Magda et celui de Naples, ensuite Hinrick et Gerade. J'ai trouvé bizarre que tu ne mentionnes pas Naples comme un suspect potentiel lorsque Eve t'a interrogé sur la mort des Hague en Cornouailles.

— Quand j'ai vu la situation où j'étais, je te garantis que j'ai eu un choc. Hinrick s'est retiré de l'affaire avant même que j'y sois mêlé. Naples en a été offusqué... Donc, tu es au courant pour le jeune Lane. Quelle pitié qu'une femme aussi magnifique ait mis au monde une petite ordure pareille... Il se roule les pouces, il a tout ce qu'il désire, et il se lamente pour en avoir plus. Toi et moi, au moins, on s'est débrouillés tout seuls.

Mick jeta un regard autour de lui. Il avait énormément apprécié son séjour dans ce palais, mais il allait devoir boucler ses valises sans tarder.

— Alors, qu'est-ce qu'on fait ? Tu n'as pas l'intention de me livrer à ta charmante femme, hein ? Après tout, dans l'immédiat, je n'ai rien à me reprocher.

— Je veux Naples.

— Connors… tu me mets la corde au cou.

— Et je veux Yost.

— Ça alors ! Qu'est-ce que j'ai à voir avec un individu comme Sylvester Yost ?

— Tu es l'homme de main de Naples, et lui aussi. Il a assassiné deux de mes employés pour vous faciliter les choses.

— Tu dérailles. Yost n'est pas dans le coup. Il a peut-être liquidé Britt et Joe sur les ordres de Naples. Mais il n'a aucun rapport avec mon affaire. Je ne l'ai jamais rencontré, Dieu merci. Je ne fricoterais pas avec ce type. Ce n'est pas mon style, tu le sais.

— Ça ne l'était pas, mais il y a longtemps que nous ne suivons plus le même chemin, Mick. Naples cherche à me manipuler, il s'est servi de deux personnes qui travaillaient pour moi comme s'il s'agissait de vulgaires pions dans une partie d'échecs. Aujourd'hui, Yost s'en est pris à Summerset.

Mick faillit lâcher son verre.

— Summerset ? Tu prétends que Naples a commandé à Yost d'agresser Summerset ? Non, tu dois te tromper. À quoi ça…

Il n'acheva pas sa phrase, écarquilla les yeux. Soudain livide, il se cramponna au dossier d'un fauteuil, s'assit et avala d'un trait le reste de son whisky.

— Ô, Seigneur… Tu es en sûr ? Tu en es absolument certain ?

— Oui.

Connors alla chercher le carafon, remplit le verre de Mick.

— Il a tué deux de mes employés, je te le répète, dont l'un était un ami. Et pourquoi ? Pour distraire la police – en l'occurrence Eve –, détourner l'attention de la vente aux enchères.

— Non, non… Ça, c'est mon rôle, la raison de ma présence ici. Être proche de toi, m'installer dans cette maison, me tuyauter sur les éventuelles modifications apportées au système de sécurité. Et faire du charme à ton flic, pour ainsi dire. En plus, je pouvais garder l'œil sur le fils de Magda s'il se prenait les pieds dans le tapis. Liza le tient en laisse, mais...

— Ah ! Je me posais des questions sur cette Liza... Eh bien, Mick, vous avez réussi à nous distraire, mon flic et moi ! Et s'ils avaient eu Summerset aujourd'hui, je n'aurais sans doute plus du tout pensé à la vente.

— Je n'étais pas au courant.

Mick redressa les épaules, planta son regard dans celui de Connors.

— Je te le jure sur ma tête. C'était une grosse affaire, très excitante, qui me donnait enfin la possibilité de te faire la nique. J'en ai toujours eu envie. Tu n'étais pas comme nous, tu le sais bien. Tu as quelque chose de plus. Je t'aurais volé, Connors, et ça m'aurait réjoui. J'en aurais bien ri, je m'en serais vanté pendant le reste de ma vie. Mais ça, non... jamais je ne me serais rendu complice d'un meurtre.

— Pour moi, c'était en effet un élément qui ne trouvait pas sa place dans le puzzle.

— Naples a donc éliminé Britt et Joe ? Tu n'as aucun doute là-dessus ?

— Aucun.

— Et maintenant, Summerset. Je vois...

Mick prit une profonde inspiration.

— Il y a deux types à l'intérieur du gruyère, un dans ton équipe spéciale de sécurité, l'autre dans l'hôtel. Honroe et Billick. L'opération est prévue pour demain. À 2 heures du matin. À ce moment, un maxibus entrera en collision avec une voiture à gauche du Palace. Le bus fera un tête-à-queue et fracassera la vitrine de la bijouterie. Ils ont engagé un sacré chauffeur. Tu te souviens de Kilcher ?

— Oui.

— Eh bien, il s'agit de son fils qui est même meilleur que le père ! Il y aura un petit incendie, du remue-ménage. Les flics, les vigiles et les pompiers seront là, dehors, à éteindre les flammes et éloigner les pillards. Pendant ce temps, une camionnette de livraison pénétrera dans l'hôtel par la voie normale. On sera six, avec des tranquillisants. On endormira quelques membres de ton personnel, le maximum. Je me chargerai du système de sécurité. Il sera bloqué pendant douze petites minutes. J'ai bossé six mois comme un malade et je n'ai pas pu faire mieux. Ton installation est une vraie merveille, crois-moi. Je n'aurais abouti à rien sans nos complices du Palace.

— Je t'avoue que, dans l'immédiat, ce compliment ne me réconforte guère.

— Ouais, je comprends. N'empêche que j'étais probablement le seul au monde à pouvoir fissurer ce rempart en béton. Mais bref… Chaque type a des objets précis à emporter. Chacun doit avoir fini son boulot et quitté la salle d'exposition en dix minutes. Donc ils n'ont que deux minutes pour rejoindre la sortie.

Mick reposa son verre, se leva.

— Je vais chercher mon matériel pour te montrer comment ça fonctionnera.

Il s'interrompit, reprit d'une voix sourde :

— J'aurais dû réfléchir avant de m'acoquiner avec un individu comme Naples. Je n'ai pas d'excuse, et je te donne ma parole : je ferai tout mon possible pour réparer ma faute. Est-ce que tu me livreras aux flics ?

Connors le dévisagea, lut de la détresse dans son regard.

— Non.

Eve, écumante de rage, entra en coup de vent dans la demeure, fonça vers l'escalier tandis que Summerset apparaissait dans le hall, aussi silencieux qu'un fantôme, à son habitude.

— Où sont-ils ? articula-t-elle.

— Connors est dans son bureau privé. Lieutenant…

— Plus tard.

Elle grimpa les marches quatre à quatre, longea le couloir. Une main sur son arme, elle composa le code qui ouvrait l'antre de son mari.

Appuyé à la console, il étudiait les données et les

diagrammes affichés sur l'écran mural. Toutes ses machines – illégales naturellement – vrombissaient en sourdine.

— Où est Connelly ?

Il ne tourna pas la tête.

— Il n'est pas là.

— Il faut que je le trouve, tout de suite. Ce salaud est dans le coup.

— Oui, je sais.

Sa voix était si douce qu'Eve n'assimila pas immédiatement la signification de ses paroles.

— Tu le sais ? répéta-t-elle. Depuis combien de temps ?

Elle s'approcha, s'interposa entre l'écran et lui.

— À quoi tu joues ?

— Je ne joue pas.

En effet, elle s'en rendait compte à présent. Il s'exprimait peut-être calmement, mais son regard n'avait rien de serein.

— À quel moment as-tu commencé à le soupçonner ?

— Quand nous avons compris que la collection de Magda était la véritable cible. Je t'ai dit que les truands capables de réaliser un coup de cette envergure étaient peu nombreux. Il en fait partie.

— Mais tu n'as pas jugé utile de me le préciser.

— J'ai gardé le silence parce que je voulais en être sûr et certain. Maintenant je le suis.

— Et pour quelle raison ?

— Je lui ai posé la question, il a répondu. J'ai là ses plans et ses notes. Ils auraient pu réussir, ajouta-t-il d'un ton où perçait une note d'admiration. Si tout s'était déroulé sans imprévu, ils auraient pu réussir.

— Alors tu l'as interrogé. Parfait, génial. Où est-il ?

— Je n'en ai pas la moindre idée. Je l'ai laissé partir.

— Tu...

Cette fois, elle faillit vraiment s'étouffer. De colère, de stupeur et d'indignation ; en outre, elle se sentait trahie.

— Tu l'as laissé partir ! C'est un élément clé de mon enquête, un sale voleur qui s'apprêtait à te poignarder dans le dos, et tu lui as permis de filer !

— Oui. J'ai là tout ce qu'il sait. Ça ne t'aidera pas beaucoup en ce qui concerne ton tueur. Mick ignorait qu'ils avaient engagé Yost.

— Ben, tiens… Tu n'avais pas le droit d'entraver une procédure policière. Et tu n'avais pas le droit de le relâcher dans la nature !

— Eve…

— Bon sang, Connors ! Deux personnes ont été assassinées. Summerset aurait pu mourir aussi. Je viens de passer deux heures avec Vincent Lane à lui faire cracher le morceau et l'effrayer suffisamment pour qu'il ne vende pas la mèche aux autres. Il m'a fallu négocier avec le procureur, afin que ce petit crétin bénéficie de la protection accordée aux témoins. On a prétexté une urgence médicale – une allergie. Il est enfermé dans une somptueuse chambre d'hôpital, assommé par les drogues. Comme ça, il ne risque pas de parler à qui que ce soit.

— C'est très habile de ta part. Il n'aurait vraisemblablement pas eu le cran de tenir sa langue. D'ailleurs, Liza étant dans le coup, il vaut mieux le séparer d'elle et éviter les confidences sur l'oreiller.

Elle crispa les poings, se força à inspirer et expirer, avant de casser quelque chose.

— Oui, je suis très habile, grommela-t-elle. Et toi, pendant ce temps, tu ouvres la porte à Mick. Il se précipitera chez Naples, ils annuleront l'opération. Ta réputation sera préservée, mais moi je perdrai une piste qui aurait pu me mener jusqu'à Yost.

— Il ne préviendra pas Naples.

— Des nèfles ! Il…

— Il ne le fera pas, coupa Connors. Si j'avais l'ombre d'un doute là-dessus, ou si je pensais qu'il a un rapport quelconque avec Yost, je te garantis qu'il me l'aurait payé le prix fort. Il m'était impossible de te le livrer, Eve. Je ne te demande pas de comprendre.

— Tu es vraiment trop aimable… Espérons que toi, la prochaine fois qu'on trouvera une victime étranglée avec un garrot d'argent, tu comprendras que ta fichue loyauté a coûté une vie humaine.

Il ne répliqua pas, se borna à fixer sur elle un regard bleu et brûlant, où elle lut une peine immense.

Bravo, se dit-elle, honteuse. Tu voulais faire mal, tu as réussi.

— J'ai là toutes les informations nécessaires, déclara-t-il en se retournant vers la console. Je t'en fais une copie. Mon service de sécurité sera en mesure de gérer la situation, mais je présume que tu souhaiteras être sur les lieux avec ton équipe. Tu auras Naples et les autres dans trente-six heures.

Et si quelqu'un mourait avant ça ? songea-t-il. Si j'avais mis en péril la vie d'un ami pour sauver un ami ?

— Au cas où tu aurais des questions…

Il se tut brusquement.

— Je suis ce que je suis. Malgré la distance que j'ai prise vis-à-vis de moi-même, je ne peux pas me métamorphoser. Ordinateur, copie les données.

Elle attendit que la machine eût achevé sa tâche, puis saisit la disquette que Connors lui tendait.

— J'espère de tout mon cœur que ton copain méritait ça, murmura-t-elle, puis elle sortit.

Elle contacta d'abord ses collaborateurs, leur ordonna de la rejoindre chez elle. Après quoi, elle se dirigea vers la chambre de Mick. Peut-être y découvrirait-elle un indice qui lui permettrait de deviner où il était allé.

Elle malmenait le secrétaire, quand Summerset entra. Il se figea, horrifié.

— Lieutenant ! C'est un Chippendale, une antiquité de grande valeur qu'il faut traiter avec respect.

— Il y a beaucoup de choses qu'il faudrait respecter et qu'on ne respecte pas, bougonna Eve.

Elle jeta par terre le tiroir vide, s'en prit ensuite au lit dont elle arracha la courtepointe et les draps.

— Arrêtez ! s'écria Summerset en s'emparant de l'édredon. C'est de la dentelle irlandaise très ancienne cousue sur de la soie.

— Écoutez, j'ai une envie folle d'écrabouiller tout ce qui bouge, et votre figure serait un punching-ball du tonnerre.

Elle tirait sur le duvet, lui aussi, tels deux chiens se disputant un os. Brutalement, elle lâcha prise, ricana de plaisir lorsque le majordome tituba et manqua tomber à la renverse.

— Quand est-il parti ? Connelly… Qu'est-ce qu'il a emporté ? Il était en voiture ?

Summerset émit un reniflement.

— Vous savez ce qu'il a fait, ce qu'il mijotait. Connors a dû vous mettre au courant.

Vous, pas moi, songea-t-elle amèrement.

— Vous voulez qu'il s'en sorte aussi facilement ?

— Ce n'est pas moi qui décide.

— Foutaises. Ils vous ont collé Yost aux basques.

— Mick n'aurait pas pris part à cette sale histoire.

Elle assena un violent coup de pied au lit ; Summerset se précipita pour vérifier qu'elle ne l'avait pas abîmé. Puis il pivota pour dévisager Eve.

— Quel choix avait-il ? Vous le comprenez donc si mal ?

— Et moi, il me comprend ?

Summerset étendit l'édredon sur le lit, en lissa les plis du plat de la main. Il avait une dette envers elle, à cause de l'incident de la matinée.

— Vous avez le sentiment qu'en soutenant son ami, il vous a trahie.

— On ne vole pas un ami.

Le majordome esquissa un sourire.

— Mick n'aurait pas considéré les choses sous cet angle. Et, dans le fond, Connors non plus. Contrairement à vous. Vous êtes furieuse, à juste titre. Mais votre colère s'éteindra. Connors souffre, et la plaie s'envenimera. C'est ce que vous souhaitez pour lui ?

Sur ces mots, Summerset quitta la pièce.

Exténuée, frustrée, elle s'assit sur le lit. Le chat se faufila par l'entrebâillement de la porte, sauta près d'Eve, tourniqua un instant avant de se pelotonner voluptueusement sur la soie et la dentelle. Il planta ses yeux étranges dans ceux de sa maîtresse.

— Toi, ne me regarde pas comme ça. Tu as dormi avec cet Irlandais de malheur, tu n'es qu'un faux jeton.

Elle renonça à mettre en place tout un dispositif policier pour épingler Michael Connelly. Elle espérait simplement qu'il n'alerterait pas Naples et, par ricochet, Yost.

Car elle était convaincue que Yost ne lâcherait pas prise. Il avait un contrat pour Summerset, et il n'était pas du genre à laisser un travail inachevé. Elle avait donc encore un peu de temps devant elle.

Et si elle avait de la chance – beaucoup de chance – elle pourrait utiliser Yost pour faire tomber Naples. À ses yeux, sa tâche ne serait pas terminée tant qu'elle ne les aurait pas coincés tous les deux.

— On part du principe que leur cible, c'est l'hôtel, déclara-t-elle à son équipe. Même si Connelly a décampé, Naples peut toujours mettre son projet à exécution. Il a les plans et il a déjà dépensé un argent fou pour cette opération. Il voudra amortir son investissement.

— Si Connelly le prévient, intervint Feeney, ils décideront peut-être de continuer, mais en modifiant leur stratégie. Ils pourraient agir plus tôt, par exemple, ou alors attendre.

— Je suis d'accord. Nous allons mettre en place une contre-offensive en tenant compte de toutes les éventualités possibles.

— Connors et son équipe de sécurité nous sont indispensables, commenta McNab.

— J'en ai conscience. Feeney, tu veux bien aller discuter de ça avec lui ? suggéra Eve, désignant d'un geste la pièce attenante.

Il se leva, frappa à la porte et entra dans le bureau de Connors.

— Vous, vous épluchez les données concernant Connelly, ordonna Eve.

Elle se réfugia dans la kitchenette pour préparer du café ; elle avait besoin d'un petit moment de solitude.

Peabody coula un regard vers McNab, détourna la tête, l'épia de nouveau du coin de l'œil. Son silence la rendait malade. Elle n'avait rien fait pour mériter ça ! C'était lui qui avait couru dans les bras d'une rousse incendiaire. Le monstre !

— Ton rendez-vous galant s'est bien passé ? chuchota-t-elle.

— Ouais, c'était génial.

— Tant mieux.

— Ça ne te donne pas envie de sortir avec moi ?

— Je ne fréquente pas des types qui sautent sur la première bimbo venue.

— Et moi je ne sors pas avec des filles qui sautent sur des prostitués, riposta-t-il.

— Au moins, un prostitué sait se montrer attentionné à l'égard d'une femme.

— Évidemment, si tu le paies bien…

Il croisa les jambes, étudia le bout de ses bottes aérodynamiques flambant neuves.

— Quel est le problème, Peabody ? L'agenda de Charles est surchargé ? Tu as l'air frustrée.

— Va te faire foutre !

— Je suis à ta disposition. Gratuitement…

Elle bondit sur ses pieds, il l'imita.

— Je ne te laisserai pas poser de nouveau la main sur moi, même si tu m'offrais une fortune ! dit Peabody d'une voix sifflante.

— Et je m'en félicite. Je n'ai pas de temps à perdre avec une provinciale bourrée de principes idiots !

— Stop ! commanda sèchement Eve.

Visiblement, son assistante était au bord des larmes, McNab bouleversé. Ces deux-là finiraient par lui flanquer un ulcère à l'estomac.

— Occupez-vous de vos petites histoires pendant vos moments de loisir, bon sang ! Vous réglerez votre différend comme vous l'entendrez, peu m'importe. Mais quand vous êtes de service, vous vous concentrez sur le boulot. Suis-je bien claire ?

— Oui, lieutenant, marmonnèrent-ils.

Elle hocha la tête.

— Peabody, prenez des nouvelles de Lane à l'hôpital, et vérifiez que Liza est toujours sous surveillance. McNab, faites-moi une analyse complète des données fournies par Connelly. Il me faut tous les scénarios envisageables, à partir du plan initial, dans deux heures.

— Mais Connors…

— Je ne vous ai pas donné un ordre, inspecteur ?

— Si, lieutenant.

— Alors, exécution.

Elle se dirigea vers le bureau de Connors, poussa la porte. Son mari et Feeney étaient derrière la console.

— Feeney, j'ai mis McNab sur une analyse. Tu veux bien contrôler qu'il ne se disperse pas ?

— Entendu.

Elle attendit qu'il fût sorti.

— Je suis fatiguée, bougonna-t-elle. J'ai la migraine et je suis fâchée contre toi.

— C'est tout ?

— Non. Je n'ai pas le temps ni l'énergie de me chamailler avec toi, comme Peabody et McNab viennent de le faire. Tu as eu tort de laisser Connelly déguerpir. Mais ça, c'est mon point de vue… sans doute une déformation professionnelle. J'admets que toi, tu n'avais pas d'autre solution. Nous divergeons là-dessus, cependant nous avons besoin l'un de l'autre pour boucler cette enquête. Ensuite, il nous faudra faire face à cette réalité : tu es d'un côté de la barrière, et moi de l'autre. D'ici là, on n'en parle plus.

Elle pivota pour sortir, s'aperçut que la porte était verrouillée.

— Ouvre-moi cette porte. Ce n'est pas le moment de m'embêter.

— J'aurais préféré que tu hurles et que tu casses tout. Mais ce n'est pas la colère qui t'anime. S'il te plaît, accorde-moi quelques instants de ton précieux temps.

— Je ne vois pas l'utilité de...

— Je t'ai blessée. Tu considères que j'ai pris le parti de Mick contre toi. Ce n'est pas le cas.

— Tu te trompes, rétorqua-t-elle en se retournant pour le regarder. Il t'a fait du mal, et tu ne m'as pas permis de te défendre. Tu l'as éloigné de moi, tu m'as privée du moyen de réparer les dégâts.

— Tu l'aurais jeté en prison. Eve chérie, ça n'aurait rien réparé pour moi. Tu n'ignores pas ce que j'ai été, d'où je viens. Mais tu ne sais pas tout.

Lui-même n'était pas certain de savoir vraiment, de comprendre totalement. Néanmoins, il pouvait essayer de partager ça avec elle.

— Ton passé hante tes cauchemars, reprit-il. Le mien vit en moi. Il est gravé dans ma chair. Combien d'années se sont écoulées avant que je retourne en Irlande ? J'ai perdu le compte. Et il a encore coulé beaucoup d'eau sous les ponts avant que je remette les pieds dans une rue de Dublin. Je suis retourné dans le quartier où je suis né uniquement parce que j'avais une amie à enterrer et, surtout, que tu m'accompagnais.

Il baissa les yeux sur ses mains.

— Je me suis servi de ces mains-là, de mon cerveau, de tout ce que j'ai pu trouver pour m'en sortir. J'ai volé, escroqué. Et j'ai abandonné ceux qui avaient traversé cette période avec moi, comme j'ai abandonné le salaud mort qui avait fait de mon existence un enfer. Il m'a brisé, Eve, il m'aurait modelé à son image.

— Non, protesta-t-elle en s'avançant vers lui.

— Oh, si ! Il l'aurait pu. Sans les amis que j'avais, qui me permettaient de m'évader, il aurait réussi. J'ai été capable de suivre mon propre chemin grâce à eux, les piliers qui me soutenaient dans les pires moments. Quand je t'ai emmenée à Dublin l'an dernier pour veiller et enterrer Jenny, j'ai réalisé que je n'avais jamais remboursé ma dette. Eve, il m'était impossible de te livrer Mick et de continuer à vivre avec ce fardeau sur la conscience.

Elle soupira, prononça un horrible juron.

— Je le sais. Je ne le fais même pas rechercher.

— Je l'espérais, et lui aussi. Il m'a chargé de te transmettre ses excuses pour les ennuis qu'il t'a causés. Il aurait souhaité te dire au revoir de vive voix.

— Je rêve...

— Il a laissé quelque chose pour toi.

Connors sortit de sa poche un petit flacon qu'il lui tendit.

— Qu'est-ce que c'est ? De la poussière ?

— De la terre, à ce qu'il prétend. Elle proviendrait du lieu où l'on ensevelissait les rois d'Irlande. Connaissant Mick, elle vient plus probablement de notre parc. Il a tenu à t'offrir ce porte-bonheur parce que, m'a-t-il dit, tu es le flic le plus magnifique qu'il ait jamais eu le plaisir de rencontrer.

— Quel toupet ! répliqua-t-elle en fourrant le flacon dans son jean.

— Moi, je suis d'accord avec lui.

— Eh bien, le flic magnifique espère avoir le plaisir de le revoir très prochainement ! En attendant, nous avons besoin de notre expert consultant civil pour analyser tous ces éléments. Il faut se concentrer sur Yost, tes compudroïdes s'occupent de la partie technique du boulot.

— À vos ordres, lieutenant, répliqua-t-il en lui prenant la main. Encore une chose qui, à mon avis, te plaira...

— Pas de sexe, s'il te plaît, je n'ai pas le temps.

— On a toujours du temps pour le sexe, mais je ne pensais pas à ça. Yost, alias Roles, possède un terrain et une demeure en front de mer dans le secteur Tropiques d'Olympus.

— Le salaud...

— Si tu ne l'attrapes pas ici, tu l'auras là-bas. Il a engagé l'un de nos décorateurs pour aménager sa propriété, ils ont rendez-vous dans quatre jours. Il passera les trois jours précédents dans une suite du principal hôtel casino. J'ai une compagnie de navettes privées, on n'a enregistré qu'une seule réservation entre New

York et Olympus. J'ai transféré toutes ces informations sur ton ordinateur.

— Je m'y mets.

Ils se divisèrent en deux équipes : McNab et Connors, dans le bureau de ce dernier, travaillaient sur le système de sécurité. Eve garda Peabody auprès d'elle afin d'élaborer la meilleure stratégie pour approcher Yost. Feeney servait d'agent de liaison entre les deux groupes.

— Manifestement, Yost ne quittera la planète qu'après le cambriolage. Feeney, demande à Connors si Yost aurait une part du butin, en plus de ses honoraires pour les meurtres, puisque tout ça est lié.

Si Feeney jugea étrange qu'elle consulte son mari sur une question d'éthique criminelle, il ne fit aucun commentaire. Il passa dans la pièce voisine, revint presque aussitôt.

— Connors dit que Yost aurait droit à un pourcentage des bénéfices. Mais on ne le lui verserait pas avant que la marchandise soit évacuée et fourguée à un receleur.

— Bon, alors pourquoi traîne-t-il dans les parages ? Il veut sans doute être certain que tout se déroule parfaitement et qu'on ne lui confie pas une autre mission. Et il a toujours Summerset sur son ardoise. Il va rester collé devant son écran pour avoir des nouvelles du cambriolage. Il faut que je mette Nadine dans le coup.

Ils continuèrent à travailler sans répit, jusqu'à ce que l'équipe menace de se mutiner si on ne les nourrissait pas. Eve grignota la moitié d'un sandwich, vissée devant son ordinateur, lisant et relisant toutes les données dont elle disposait.

— Lieutenant, tu as les yeux injectés de sang. Ordinateur, copie les fichiers, commanda Connors, qui fit pivoter le fauteuil d'Eve avant qu'elle eût annulé son ordre. Il est plus de 8 heures. Tu es exténuée, tes neurones vont griller. Renvoie tes collaborateurs chez eux et repose-toi.

— Ils n'ont qu'à s'en aller. J'ai encore quelques petits trucs à revoir. Nadine est là ?

— Non, elle est vraisemblablement à l'antenne, en train de raconter l'histoire que tu as concoctée avec elle. Tu as tout vérifié une bonne dizaine de fois.

— Mmm… Où sont les autres ?

— McNab est dans la cuisine, il essaie d'extorquer à Summerset un deuxième dessert avant de partir pour l'hôtel. J'ai conseillé à Peabody de piquer une tête dans la piscine, ça lui détendra les nerfs. Et Feeney, qui est aussi cabochard que toi, travaille dans mon bureau. Il n'y a plus rien que tu puisses faire ce soir.

— Parce que j'ai dû laisser passer quelque chose. Il me faut plusieurs hommes sur Olympus, au cas où il nous filerait sous le nez. L'agent Stowe décidera comment elle veut procéder, dès que je l'aurai mise au courant.

— Demain, autrement dit, car je présume que tu ne tiens pas à l'informer trop tôt. Feeney ! appela-t-il, tout en massant les épaules endolories de sa femme. Rentrez chez vous.

— Dans un petit moment. Dallas, on devrait alerter le contrôle de la circulation spatiale, au cas où Yost ferait un détour en rejoignant Olympus.

— On prend le risque qu'il y ait une fuite. Tu as des contacts sûrs chez eux ?

Feeney apparut sur le seuil.

— J'avais un…

Il s'interrompit en voyant Connors masser Eve.

— Euh… eh bien, je crois que je vais rentrer ! Je raccompagnerai Peabody.

— Elle est dans la piscine, rétorqua Connors, appuyant doucement sur les épaules d'Eve pour l'empêcher de se lever.

Un sourire réjoui fendit la figure de Feeney.

— Ah, oui ? Ça ne vous ennuie pas que je fasse aussi quelques brasses ?

— Pas du tout. Toi, tu vas manger, notifia Connors à Eve.

— J'ai déjà mangé.

— Une moitié de sandwich, ce n'est pas suffisant.

Soudain, ils entendirent une voix guillerette dans le couloir. Connors tourna la tête.

— Nous avons de la compagnie. Avale un potage pendant que Mavis te change les idées.

— Je n'ai pas le temps de...

Elle n'acheva pas sa phrase, soupira. Mavis pénétrait déjà dans la pièce, juchée sur des chaussures à plateforme qui s'illuminaient à chacun de ses pas.

— Salut Dallas, salut Connors ! Je viens de croiser Feeney, il m'a dit que vous étiez disponibles.

— Pas encore, j'ai des trucs à faire. Pourquoi tu ne t'amuses pas avec Connors pendant que je termine ?

Soudain, Eve grimaça. Une autre femme entrait, altière, le crâne hérissé de bouclettes pareilles à des serpentins d'un rouge ardent.

— Trina, balbutia Eve, paniquée.

— Elle a obtenu tous les renseignements que tu demandais, claironna Mavis. N'est-ce pas, Trina ?

— En effet.

— C'est... c'est formidable, bredouilla Eve.

Ça va aller, se rassura-t-elle. Je ne risque rien.

— Oh, du vin ! s'exclama Mavis en posant son adorable postérieur – couvert d'une minijupe de la taille d'un timbre-poste – sur le bureau d'Eve.

Connors s'empressa de lui en servir un verre.

— Vous êtes génial...

— Bon, attaqua Trina. J'ai établi la liste des produits de beauté qu'il utilise. D'abord, un fond de teint qu'on peut acheter dans n'importe quelle parfumerie de luxe. Ensuite, la poudre Deloren qu'on trouve surtout dans les salons.

— Combien de points de vente à New York ?

— Oh ! environ une trentaine ! Il ne se met pas n'importe quoi sur la peau, il est exigeant. L'ombre à paupières...

— Trina, c'est passionnant, mais pouvez-vous m'indiquer les produits qui ont une diffusion plus restreinte ? Par exemple ceux qui se vendent uniquement chez des grossistes ?

— J'y viens, répliqua Trina, plissant ses lèvres tartinées d'un fard noir que n'aurait pas dédaigné un vampire. Nous avons là un personnage qui aime tester et ne regarde pas à la dépense. Une attitude rare, qui mérite d'être saluée. D'après ce que j'ai vu sur la vidéo, il mélange subtilement les basiques et quelques fantaisies. J'en déduis donc...

Elle laissa un instant sa phrase en suspens, savourant ses mots comme s'il s'agissait de bonbons.

— J'en déduis qu'il a une prédilection pour les marques Jouvence et Natural Bliss, dont les produits sont hypoallergéniques, dépourvus de la moindre substance chimique et d'un prix exorbitant. Il faut être titulaire d'un diplôme d'esthétique pour se les procurer, et ils ne sont utilisés que pour les soins en salon. On ne les vend pas. Par conséquent, comme ce monsieur en a dans ses tiroirs, soit il est diplômé, soit il a parmi ses relations un membre de la profession qui lui en fournit. Personnellement, quand j'ai un client qui a les moyens, je me sers chez Carnegie, 2e Avenue.

Trina but délicatement une gorgée de vin.

— J'ai pris la peine d'appeler l'amie que j'ai là-bas pour l'interroger, adroitement, sur la clientèle qui lui achète la gamme Natural Bliss. Elle m'a répondu : c'est drôle que tu me demandes ça, je viens justement de recevoir la commande d'un de mes habitués. Un grand type chauve qui passe une ou deux fois par an, qui emporte tout un stock et paie en liquide. Il prétend avoir un salon dans le sud du New Jersey.

Eve se redressa lentement.

— Il est venu chercher ses achats ?

— Non. Il le fera demain, avant midi. Il souhaite que tout soit prêt avant son arrivée, il est soi-disant très pressé. Et il a commandé deux fois plus de produits qu'à l'accoutumée.

— Connors, redonne du vin à ces dames.

— On s'est bien débrouillées ? s'enquit Mavis, ravie.

— Fabuleusement bien. Trina, il me faut le nom de votre copine. J'ai besoin de sa coopération.

— Je n'y vois pas d'inconvénient. Mais j'ai une question à vous poser : pourquoi me témoignez-vous un tel mépris ?

— Du mépris ? J'allais vous embrasser...

— Vous gâchez mon œuvre. Regardez-vous, accusa Trina, pointant un doigt à l'ongle couleur saphir, long de trois centimètres. On croirait que vous êtes passée sous un maxibus. Vous avez le teint terne, les traits tirés, les yeux cernés.

— J'ai beaucoup travaillé.

— Et alors ? Vous ne pouvez pas prendre cinq minutes, deux fois par jour, par respect pour moi ? Quand avez-vous utilisé pour la dernière fois le gommage que je vous ai donné, ou la lotion, ou le gel Coup d'Éclat ?

— Euh...

— Je présume que vous n'avez pas non plus eu le temps de vous masser avec cette crème pour les seins que je vous ai prescrite ?

Trina se tourna vers Connors.

— Pourquoi n'en mettez-vous pas une noisette dans le creux de vos paumes avant l'amour ?

— J'essaie, répondit-il, ce qui fit grogner Eve. Ce n'est pas une femme de tout repos.

— Montrez-moi vos pieds, ordonna Trina en contournant le bureau.

Et Eve Dallas, qui avait souvent affronté la mort et lui avait ri au nez, battit précipitamment en retraite.

— Non ! Mes pieds sont parfaits.

— Vous ne vous êtes pas servie du kit de pédicure, n'est-ce pas ?

Les yeux de Trina, entre les cils dorés qui frangeaient des paupières pareilles à des arcs-en-ciel, s'arrondirent.

— Avez-vous coupé vos cheveux ?

— Non, marmotta Eve, réfugiée derrière son fauteuil comme derrière un rempart.

— Ne me mentez pas, ma chère. Vous y avez donné un coup de ciseaux, n'est-ce pas ?

— Non, pas du tout. Enfin... juste un petit coup. Ça me chatouillait le front, je n'y voyais plus. Oh, et puis zut ! Ce sont mes cheveux, j'en fais ce que je veux.

— Vos cheveux ne vous appartiennent plus depuis que j'en ai la responsabilité. Je n'aurais pas l'idée de me promener avec un insigne épinglé sur la poitrine et de me faire passer pour un policier. Certainement pas ! Vous, en revanche, vous n'avez pas cette décence. Je ne supporterai pas plus longtemps, m'entendez-vous, que vous méprisiez ainsi mon art, que vous piétiniez mes efforts.

Trina s'interrompit pour reprendre son souffle.

— Maintenant, je vais descendre chercher ma mallette, et ensuite je tenterai de réparer les dégâts que vous avez commis.

— C'est très gentil de votre part, mais je n'ai pas le temps de...

Eve tressaillit ; Trima, les poings sur les hanches, la fusillait du regard.

— Bon, bon, d'accord. Je... je suis enchantée. Merci.

Lorsque Trina fut sortie, Eve s'approcha de Mavis et lui prit des mains son verre de vin. Elle le vida d'un trait, considéra tour à tour son amie et son mari.

— Le premier de vous deux qui ricane, je lui fais manger ce verre.

21

À 6 heures du matin, elle était sous la douche. Elle comptait rameuter ses troupes à 8 heures, faire son rapport à Whitney, puis contacter Karen Stowe.

À midi, Yost entendrait la clé tourner dans la serrure de sa cellule.

— Tu as l'air assez contente de toi, lieutenant, dit Connors en la rejoignant dans la cabine.

— Je le serai dans quelques heures.

— Pourquoi ne pas se réjouir avant ? rétorqua-t-il en refermant ses paumes sur les seins d'Eve.

— Tu t'es mis cette saleté de crème sur les mains ?

— Trina m'a affirmé que l'eau chaude en augmente l'efficacité. Or Dieu sait que cette douche est brûlante.

— Cette température me convient, ne t'avise pas d'y toucher.

Elle poussa un soupir.

— Je dois admettre que je préfère de loin tes massages à ceux de Trina.

— Heureusement...

Il la fit pivoter, se pencha pour baiser ses mamelons.

— Ils ont un goût d'abricot.

Elle renversa la tête en arrière.

— Continue... tu as une technique incomparable.

Elle sentait le sang bourdonner à ses tempes, son esprit – pourtant acéré à son réveil – s'embrumait. Une épaisse vapeur d'eau les enveloppait.

Connors l'embrassa fiévreusement. Il voulait être en elle, l'envahir tout entière, et dut lutter pour juguler le besoin d'assouvir sur-le-champ le violent désir qui l'avait tiré du sommeil à l'aube. Elle se frottait contre lui, gourmande et passionnée.

Il aurait pu se nourrir uniquement de son parfum et de sa chaleur, de ses gémissements de plaisir quand il la caressait, qu'il la faisait jouir avec ses doigts, comme à présent.

Elle tremblait de tout son corps. Il était capable de lui donner ça, jour après jour. Et de savourer le bonheur dont elle le comblait.

Il lui avait dit que leurs passés respectifs les avaient brisés. Mais ils se soignaient mutuellement, patiemment.

Quand ils faisaient l'amour, le passé n'existait plus.

— Maintenant... balbutia-t-elle.

Il la pénétra presque brutalement, parce que ce matin ils avaient besoin de ça. Elle cria de nouveau, noua ses jambes autour des hanches de Connors.

Elle le contempla, vit qu'il la contemplait aussi. Elle but l'eau qui ruisselait sur sa bouche, et il but à ses lèvres.

Un plaisir indicible, infini, inonda son ventre, puis son cœur, son âme, et se refléta tel un soleil radieux dans ses prunelles mordorées.

Alors, l'étreignant de toutes ses forces de femme heureuse, elle l'emmena vers cette lumière inouïe.

— Eve...

Ce fut tout ce qu'il put dire et penser.

Elle lui caressa le dos, espéra que ce moment l'aiderait à recouvrer sa sérénité. Il enfouit son visage au creux de son épaule.

— Tu sens merveilleusement bon.

— Ce n'est pas étonnant, vu le traitement que m'a infligé Trina hier soir. Et tu ne m'as pas défendue, accusa-t-elle. Où étais-tu quand elle a menacé de me coller un tatouage sur la tempe ?

— J'avais d'autres occupations. Si tu lui consacrais une heure par mois, elle serait moins féroce.

Il hésita, décida qu'il valait mieux être franc plutôt que de la laisser découvrir la vérité.

— Eve chérie, à propos du tatouage...

— Quoi ?

Elle le dévisagea d'un air tellement horrifié qu'il réprima un gloussement.

— Elle n'a quand même pas fait ça ? Je la tuerai.

Elle courut vers le miroir et, connaissant les manies de Trina, se retourna pour examiner ses fesses.

— Nom d'une pipe ! Elle m'a eue. C'est quoi, ce machin ? Un poney ? Elle m'a peint un poney sur le derrière ?

— Si tu regardes mieux, je crois que tu verras un petit âne. Un mâle, si je ne m'abuse.

— Oh, très drôle ! Vraiment génial.

— Il me semble qu'elle a voulu marquer un point.

— Et je suppose qu'elle n'a pas laissé de quoi effacer cette abomination. Si tu le racontes à quelqu'un...

— Je serai muet comme une tombe. Mais je le trouve mignon, cet âne qui rue.

— Tais-toi, Connors. Plus un mot ou je te coupe la langue.

Sur quoi, elle s'enferma dans la cabine de séchage, non sans avoir ostensiblement claqué la porte.

À 9 heures, Eve avait une équipe d'intervention placée à divers points stratégiques de la 2e Avenue. Ils devaient se borner à observer et faire leur rapport, sauf contrordre. L'amie de Trina, une femme intelligente, était responsable du rayon le plus important du magasin de vente en gros. Peabody, en vêtements civils, remplaçait l'employée affectée à un autre comptoir, et McNab faisait semblant d'être un client.

Dans sa combinaison puce et ses bottes tilleul, McNab n'avait absolument rien d'un flic. Même l'individu le plus soupçonneux ne l'aurait jamais pris pour un inspecteur.

Eve s'était installée dans l'arrière-boutique en compagnie de Stowe, et suivait sur un écran de contrôle ce qui se passait dans le magasin.

— Je vous remercie d'avoir respecté votre promesse, déclara Stowe.

— Attendons que ce soit fini, rétorqua Eve avec un coup d'œil à l'imposant pistolet qui luisait sur la hanche de son interlocutrice. Il me le faut vivant.

— Oui.

Stowe sortit l'arme de son holster et montra à Eve qu'il était réglé sur médium.

— J'ai hésité, j'ai beaucoup réfléchi. J'imaginais ce que ce serait de l'abattre comme un chien. Mais ça ne ramènerait pas Winnie, ajouta-t-elle en rengainant le pistolet. On le laissera vivre.

Dans le magasin, Peabody, vaincue, s'approcha de McNab au bout du comptoir.

— Je voudrais m'excuser d'avoir provoqué cette dispute hier. Mes paroles étaient déplacées, le moment mal choisi.

— Mouais…

Il avait ruminé ça toute la nuit, pensé à elle sans relâche. Et aujourd'hui, elle était particulièrement ravissante dans cette robe, avec ses lèvres roses. Cherchait-elle à l'anéantir pour de bon ?

— Bof, oublions ça.

— Si on l'oublie, on recommencera. Tu es l'adjoint de Feeney, et moi l'assistante de Dallas. Ça signifie qu'on travaillera très souvent ensemble. On a peut-être commis une erreur en dépassant le cadre strictement professionnel, mais il ne faut pas que ça perturbe notre boulot.

— Alors tu considères que, nous deux, c'était une erreur ?

Le ton de McNab lui donna une envie folle de lui clouer le bec, cependant elle se domina.

— Non, pas vraiment. Je ne le crois pas, mais si les choses continuent de cette façon, ça deviendra une erreur.

Or elle souhaitait arranger la situation, infiniment plus qu'elle ne l'aurait imaginé. Comment aurait-elle pu se douter que ce crétin maigrichon lui manquerait à ce point ?

— J'aimerais qu'on essaie de surmonter ça, de retrouver l'état d'esprit qui était le nôtre et qui nous permettait de nous comporter comme des flics.

Lui aussi aurait aimé revenir en arrière, dans ce cagibi où leurs problèmes avaient commencé. Il se conduirait différemment.

— D'accord, ça me va.

— Tant mieux, je suis contente.

Mais elle n'était pas satisfaite, loin de là.

— Écoute, on pourrait peut-être...

Elle s'interrompit brusquement ; un client entrait. Aussitôt, McNab endossa son rôle et se lança dans le laïus qu'il avait répété à propos d'un nouveau sérum reconstituant pour les cheveux.

Eve consulta sa montre. 11 h 38. Tout le monde s'en sortait parfaitement. Peabody et McNab avaient, semblait-il, conclu une trêve, ce qui simplifiait les choses.

Elle espérait que les choses allaient aussi bien pour Feeney et Connors à l'hôtel. Elle saisissait son communicateur, pour prendre des nouvelles, quand il sonna.

— Dallas.

— Lieutenant, le sujet approche, il est à pied. Il traverse la 24e Rue, en direction du sud de la 2e Avenue. Il est seul, il porte une veste havane, un pantalon marron foncé.

— C'est lui, vous en êtes sûrs ?

— Affirmatif. Nous l'avons dans notre ligne de mire, il est près de la Vingt-troisième. Vous devriez l'avoir en vue dans trente secondes.

— Ne bougez pas, à moins que je vous en donne l'ordre. Peabody, McNab, vous êtes prêts ?

— Affirmatif.

— À toutes les équipes, gardez les communicateurs branchés. À vous de jouer, Stowe. On coince ce salaud. Je passe par l'arrière pour le récupérer dans la 2e Avenue. Attendez qu'il soit dans le magasin. On interviendra en renfort.

— J'ai une dette envers vous, je ne sais comment vous exprimer ma reconnaissance, rétorqua Stowe, une main sur la poignée de la porte, un œil sur l'écran du moniteur.

Eve rejoignit au pas de course l'angle de la rue ; quand elle fut à une cinquantaine de mètres derrière Yost, elle calqua son pas sur le sien.

Lorsqu'il atteignit l'entrée du magasin, elle glissa une main sous sa veste.

À cet instant, Jacoby traversa la rue à toute allure, l'arme au poing.

— FBI ! On ne bouge plus !

Elle n'eut même pas le réflexe de pester. Elle fonça. Un mètre la séparait encore de Yost quand celui-ci pivota d'un bond et se rua sur Jacoby.

On aurait cru un obus tombant sur une mouche.

— Police ! hurla Eve aux passants. Couchez-vous !

Elle vit Jacoby s'écrouler, entendit des vociférations dans son communicateur. Elle s'élança à la poursuite de Yost qui bousculait les badauds, zigzaguait dans la rue, se faufilait dans la circulation.

— Ne tirez pas ! Ne tirez pas ! cria-t-elle aux membres de l'équipe. On ne prend pas le risque de toucher un civil !

Pour un homme de cette corpulence, Yost était extraordinairement véloce. Il vira à gauche, renversant un glissa-gril comme s'il s'agissait d'une vulgaire quille. Divers aliments peu ragoûtants se répandirent sur le trottoir, au grand dam du marchand.

Eve se servit de l'engin comme d'un tremplin pour bondir en avant, ce qui la rapprocha nettement de son gibier.

— On traverse la Troisième ! Il me faut des renforts motorisés ! À l'angle de la 3e et de la 22e Avenue !

Pour se libérer les mains, elle rempocha son communicateur et plongea.

Elle agrippa Yost à la taille. Il lui sembla percuter un bloc d'acier, elle eut l'impression que tous ses os s'entrechoquaient. Elle réussit cependant à l'ébranler suffisamment pour qu'il mette un genou à terre. Avant qu'il puisse la repousser et s'enfuir de nouveau, elle enfonça le canon de son pistolet dans son cou.

Là où battait son pouls.

— Tu veux mourir ? Crever dans la rue comme un zonard ?

Alors que Yost levait les mains en signe de capitulation, Eve entendit un bruit de cavalcade derrière elle. McNab, haletant et suant à grosses gouttes, se mit en position de tir, son arme pointée vers la tête de Yost.

— Je le surveille, lieutenant.

— À plat ventre, l'Anguille.

— Il doit y avoir une confusion. Je m'appelle Giovanni...

— Couché, grogna-t-elle en le poussant rudement avec son pistolet. Sinon, mon doigt va presser la détente tout seul.

Il s'allongea par terre, grimaça quand elle lui tordit les bras pour le menotter.

Ce n'était pas possible, se répétait-il. Ça ne pouvait pas finir de cette manière, comme s'il était un petit délinquant quelconque.

— Je veux un avocat.

— Oui, c'est ça. Pour l'instant, tes droits et tes obligations sont ma principale préoccupation, figure-toi.

Elle lui fouilla les poches, en sortit une seringue vide. Et un mince garrot en fil d'argent.

— Tiens donc, regarde ce que je viens de trouver.

— Je veux un avocat ! dit-il d'une voix aiguë. J'exige d'être traité avec respect.

— Ah, oui ?

Elle se redressa, planta le talon de sa botte sur sa nuque massive.

— N'oublie pas de signaler aux gardiens et à tes futurs copains du pénitencier d'Omega que tu exiges du respect. Ils n'ont pas beaucoup d'occasions de rigoler, là-haut. McNab, appelez le panier à salade pour emmener ce monsieur. Je tiens à ce qu'il ne passe pas inaperçu.

— Bien, lieutenant. Vous avez le nez en sang.

— J'ai exécuté un tacle quelque peu périlleux.

Elle s'essuya d'un revers de main, considéra avec dégoût ses doigts rougis et poisseux.

— Et Jacoby ? s'enquit-elle.

— Je ne sais pas. Je n'ai pas eu le temps de lui demander s'il n'avait rien de cassé. Je crois que Stowe est restée près de lui.

— Le mérite de cette arrestation lui revient, McNab.

— Oh, Dallas… soupira-t-il.

— C'est comme ça. Pour changer de sujet, inspecteur, vous ne me semblez pas en excellente forme physique. Un sprint de quelques centaines de mètres, et vous soufflez comme un phoque. Vous devriez faire de la gymnastique.

À cet instant, plusieurs voitures de patrouille, noir et blanc, arrivèrent dans un hurlement de freins. Eve esquissa un sourire mauvais.

— Voilà ton carrosse, l'Anguille.

Il releva la tête, la dévisagea, vit les badauds qui s'attroupaient sur le trottoir d'en face.

— J'aurais dû vous tuer la première.

— Effectivement, ç'aurait été plus sage. Mettez cet individu au frais pour l'agent Karen Stowe. Il est à elle. Moi, je me borne à lui lire ses droits.

Elle s'accroupit, attendit que Yost la regarde dans les yeux.

— Winifred Cates était une amie de l'agent Stowe. Pour honorer sa mémoire, j'ai le plaisir de vous signifier que vous êtes en état d'arrestation pour coups et blessures, viol et meurtre des personnes dont les noms vous seront indiqués au moment de votre incarcération. J'ajouterai à cette liste de chefs d'accusation : entrave à l'action de la justice, agression à l'encontre d'un officier fédéral, désordre sur la voie publique et délit de fuite. Cela uniquement sur le territoire de cet État. Pour le reste, Interpol et le bureau interplanétaire d'investigation s'en chargeront. Vous avez le droit de garder le silence, espèce de salopard.

Eve regagna à pied la 2e Avenue en frictionnant son épaule gauche. Elle se l'était cognée contre les reins de Yost et ça faisait aussi mal qu'une rage de dents. Sans parler de son nez qui, lui semblait-il, avait doublé de volume.

— Lieutenant ! s'écria Peabody qui courait à sa rencontre. Oh… fit-elle en voyant la figure d'Eve.

— Je suis à ce point affreuse ?

Eve tâta son nez d'un doigt hésitant, grimaça.

— Juste un peu tuméfiée… la rassura Peabody. S'il y avait une fracture, ce serait pire. Mais ça a dû beaucoup saigner.

— Je comprends pourquoi les petits enfants poussaient des cris terrifiés sur mon passage. Où est Stowe ?

— Dans le magasin. On a su que vous aviez arrêté Yost. Lieutenant, je serais venue vous prêter main-forte, mais McNab m'a ordonné de ne pas bouger, et l'agent Jacoby était sur le carreau.

— Vous avez bien fait, et McNab aussi. Comment va Jacoby ?

— Je l'ignore. Stowe est en contact avec les médecins. Yost lui a planté une seringue en plein cœur. Il est tombé comme une masse. Quand on l'a rejoint, Stowe et moi, le pouls ne battait plus. On lui a administré une dose d'adrénaline, et les secours médicaux sont arrivés tout de suite. Ils ont réussi à relancer le rythme cardiaque, mais Jacoby était toujours inconscient quand on l'a emmené.

— Il ne mérite pas de mourir, malgré son ambition dévorante et son incommensurable bêtise. Restez là, Peabody, veillez à ce qu'il n'y ait pas d'attroupement. Pas de déclaration aux médias pour l'instant.

Eve pénétra en coup de vent dans le magasin. L'amie de Trina, assise par terre, buvait près d'un demi-litre de vin dans un grand verre à eau. Elle adressa à Eve un sourire tremblant et continua à ingurgiter consciencieusement son remontant.

— Ça va ? Vous n'avez pas besoin de soins ? s'enquit Eve.

— Voilà mon médicament. Quand j'aurai avalé ma dose, je rentrerai à la maison et je dormirai douze heures.

— On vous reconduira chez vous. Ne racontez à personne ce qui s'est passé ici avant d'y être autorisée. C'est très important.

— Oui, vous me l'avez déjà dit.

Elle scruta le visage d'Eve.

— J'ai des produits très efficaces pour les hématomes et les gonflements. Vous voulez des échantillons ?

— On verra. Où est l'agent Stowe ?

— Là-bas, dans le fond.

— Restez là, lui dit Eve avant de gagner l'arrière-boutique.

Stowe faisait les cent pas au milieu des cartons.

— Tenez-moi informée de son état. Vous pouvez me joindre en permanence sur mon communicateur, au numéro que je vous ai donné. Merci.

— Jacoby ? s'enquit Eve.

— Il est dans le coma. Il faudra peut-être pratiquer une greffe cardiaque. J'aurais dû être avec lui, c'est mon équipier. À ce propos, je voulais vous dire une chose : je n'ai pas renseigné Jacoby. Il a dû flairer ce qui se tramait et me filer. Je n'ai pas trahi le pacte que nous avions conclu, vous et moi.

— Si j'avais un doute, je n'aurais pas fait mettre Yost au frais en attendant que vous puissiez l'interroger.

Stowe tressaillit.

— Vous l'avez traqué, vous avez organisé l'opération, et vous l'avez arrêté. Il est à vous, Dallas.

— Et notre pacte ? J'ai pour habitude de tenir mes promesses. Il est au Central, sous haute surveillance. Je vous le répète, on vous attend là-bas.

Stowe acquiesça.

— Si un jour le FBI peut vous rendre un service, vous n'aurez qu'à demander.

— Je m'en souviendrai. Arrangez-vous pour que son avocat ou qui que ce soit de l'extérieur n'entre pas en contact avec lui avant… mettons 2 heures du matin. Prenez tout votre temps pour rejoindre le Central, remplir les paperasses et les transmettre à vos supérieurs.

— Si je ne parviens pas à faire traîner les choses, il vaut mieux que je ne sois plus fonctionnaire. Ne vous inquiétez pas, personne ne sera informé de vos projets par son intermédiaire. Quand vous voudrez l'interroger sur les deux homicides qui vous concernent directement, je veillerai à ce que vous ayez le champ libre. C'est lui qui vous a amochée ?

— Je lui ai sauté dessus et j'ai eu l'impression de percuter un mur.

— Vous devriez mettre de la glace sur votre nez.

— J'en rêve, figurez-vous.

Stowe lui tendit la main.

— Lieutenant, j'ai été enchantée de vous connaître et de travailler avec vous.

— Je vous retourne le compliment, agent Stowe.

Elle ordonna à Peabody de repérer la supérette la plus proche et d'acheter de la glace. Enfreignant les directives de son chef, Peabody courut à la pharmacie d'où elle rapporta un patch anti-inflammatoire et des antalgiques.

— Où est ma glace ?

— Ça, c'est beaucoup plus efficace.

— Officier Peabody…

— Lieutenant, si vous mettez ce patch, vous n'aurez pas l'air d'un boxeur à qui on a écrabouillé la figure quand vous arriverez à l'hôtel. Par conséquent, Connors ne vous emmènera pas à l'hôpital et n'essaiera même pas de vous soigner lui-même. L'une et l'autre de ces éventualités vous déplaisant souverainement, je vous suggère de m'écouter.

— Excellent argument, Peabody. Je vous déteste, mais je reconnais que votre raisonnement tient la route.

Eve ouvrit la boîte, lut le mode d'emploi du patch, pesta.

— Comment ça marche, ce truc ?

— Soyez sage, je vous le mets.

Prestement, Peabody appliqua le patch sur le nez douloureux d'Eve. Le soulagement fut immédiat, mais Eve eut la malencontreuse idée de se regarder dans le miroir de courtoisie.

— J'ai l'air d'une abrutie.

— Oui, effectivement, approuva Peabody, considérant la large bande blanche qui barrait le visage d'Eve. Mais sans le patch, vous n'avez pas l'air tellement plus maligne. Avec tout le respect que je vous dois, lieutenant. Vous avez vos lunettes de soleil ?

— Non, je ne sais jamais où je les ai fourrées.

— Prenez donc les miennes, rétorqua généreusement Peabody. Ah, oui ! C'est mieux, ajouta-t-elle quand Eve eut chaussé les lunettes noires. Un peu mieux. Maintenant, vous avalez votre antalgique.

— Je ne veux pas de ces saletés.

— Ça décuplera l'effet du patch.

Sûre que c'était un mensonge éhonté, Eve goba néanmoins la petite pilule bleue, déglutit, grogna de nouveau.

— Bon, ça y est. Vous pensez qu'on peut se remettre au boulot, infirmière Peabody ?

— Oui, lieutenant. Je crois que ça finira de vous calmer.

Eve s'arrêta à l'hôpital, d'abord pour voir où en était Lane. Il dormait toujours, assommé par les sédatifs qu'on lui administrait. Le prétexte qu'on avait imaginé – une allergie massive – semblait n'avoir éveillé aucun soupçon et justifiait en tout cas qu'il soit en quarantaine et qu'on interdise toute visite.

Eve fut informée que Magda était venue deux fois pour regarder son fils à travers la vitre de la chambre. Liza Trent était passée en coup de vent.

Quant à ses autres amis ou associés, s'ils étaient venus, ils n'avaient pas inscrit leur nom dans le registre de la réception. Eve emporta à tout hasard les films enregistrés par les caméras de surveillance de l'étage.

— Michel Gerade, dit-elle, tandis qu'elle visionnait la vidéo dans son bureau.

Elle pointa le doigt vers l'homme immobile, la mine soucieuse, devant la vitre de la chambre.

— C'est gentil de rendre visite à son copain malade.

— Il paraît plus embêté qu'inquiet.

— Oui, et il n'a même pas eu l'idée d'acheter un petit cadeau. Bon, ça confirme la présence de Gerade à New York. S'il participe à la tentative de cambriolage, on peut établir un lien solide entre lui et Yost. Complicité de meurtre… là, il ne sera pas couvert par l'immunité diplomatique.

— On n'aperçoit aucun des sbires de Naples sur cette vidéo ?

— Non… À mon avis, Gerade sert de garçon de courses. Il a vérifié que Lane était hospitalisé comme l'avaient annoncé les médias. Regardez-le… il interroge l'infirmière pour lui soutirer des infos. Il lui fait du charme. Et elle lui dit ce qu'il veut savoir : allergie sévère nécessitant un repos complet et un isolement de quarante-huit heures, le temps de pratiquer les analyses nécessaires.

Sur l'écran, on voyait Gerade pivoter pour se diriger vers l'ascenseur.

— C'est bien ennuyeux, n'est-ce pas, mais ils ne vont pas annuler un plan qu'ils ont élaboré pendant des mois et des mois, uniquement parce qu'un membre du groupe est dans les vapes. Dans le fond, ils n'ont plus vraiment besoin de lui. Pour eux, il a accompli sa part du boulot.

Eve éjecta la cassette du lecteur.

— Maintenant, à nous de faire le nôtre, déclara-t-elle d'un ton menaçant.

22

Il était 17 heures quand Eve entra au Palace par le hall central. Elle voulait faire le tour des lieux, utiliser sa mémoire visuelle et auditive, son instinct, pour enregistrer la topographie de l'hôtel, ses pulsations, avant de rejoindre son QG à l'étage.

Le hall, sur deux niveaux, évoquait une mer de marbre et de mosaïques, aux couleurs et aux motifs somptueux, qu'Eve avait eu l'occasion d'admirer lors d'un de ses voyages en Italie avec Connors.

Des fleurs exotiques s'épanouissaient dans des urnes de la taille d'un homme. Les membres du personnel arboraient des tenues rouges ou bleues, selon leur fonction.

Les clients étaient tous élégamment vêtus.

Eve remarqua notamment une femme très grande, drapée, du cou aux genoux, dans un savant assemblage d'écharpes de soie, et qui tenait en laisse trois minuscules chiens blancs.

— Augusta.

— Pardon ?

— Augusta, lui répéta Peabody à l'oreille. Le mannequin vedette de l'année. Bonté divine, je tuerais père et mère pour avoir ses jambes. Et là-bas, regardez… c'est le chanteur de Crash. Et, ô… mon Dieu… Mont Tyler qui sort de l'ascenseur. Il a été élu l'homme le plus sexy de la décennie. Dallas, c'est drôlement chouette de travailler avec vous.

— Vous avez fini de frétiller comme ça, Peabody ?

— Si on avait le temps, je continuerais volontiers.

Les yeux écarquillés, les joues roses d'excitation, la jeune femme suivit Eve qui scrutait elle aussi, pour d'autres raisons, le décor, évaluait la distance jusqu'aux sorties. Elle repéra deux policiers qui avaient endossé la tenue des grooms, les caméras de surveillance. Elle cherchait d'éventuelles failles.

Elle monta à pied l'escalier menant à la salle de bal, au troisième niveau, inspecta chaque étage.

Les vigiles, humains et droïdes, montaient la garde aux entrées, déambulaient parmi les visiteurs qui se pressaient devant les trésors de Magda Lane, les robes chatoyantes, les joyaux, les photographies et les hologrammes, les costumes d'époque. Les exclamations émerveillées fusaient.

Les objets étaient présentés dans des vitrines pareilles à des écrins de velours cramoisi. Pour le plaisir des yeux. Les capteurs destinés à déclencher le système d'alarme, eux, étaient invisibles.

Le catalogue de l'exposition était à la disposition des amateurs qui avaient mille deux cents dollars à dépenser. Un extrait de ce catalogue pouvait être consulté gratuitement par les clients de l'hôtel, dans leur chambre.

— Des chaussures, marmonna Eve en s'arrêtant devant des escarpins argentés. Quand on veut des souliers d'occasion, on va dans une boutique de troc.

— Mais ici, lieutenant, on achète de la magie.

— On achète des chaussures qui ont été portées par quelqu'un d'autre, s'obstina Eve.

À cet instant, Magda et sa cour émergèrent d'un ascenseur. L'actrice avait les traits tirés, sa magnifique chevelure était coiffée en un chignon roulé sur sa nuque.

— Eve, je suis si contente de vous rencontrer. Mon fils est… balbutia-t-elle.

— Comment va-t-il ?

— On m'affirme qu'il se remettra, qu'il s'agit d'une banale réaction allergique. Mais on le garde en quarantaine, il est assommé par les sédatifs. Je ne peux même pas lui dire que je suis là, auprès de lui.

— Allons, il le sait, déclara Mince en lui tapotant affectueusement le bras. Magda se rend malade, elle aussi, ajouta-t-il en lançant à Eve un coup d'œil signifiant : il faut que ça cesse.

— Ne vous tourmentez pas, les médecins prennent soin de votre fils, dit Eve d'un ton rassurant.

— Je l'espère. Il paraît que vous étiez avec lui quand cette allergie s'est déclarée.

— En effet. J'étais passée le voir pour discuter de certains détails concernant la sécurité.

— Lorsque je vous ai quittés, tous les deux, il était en pleine forme, intervint Liza qui dardait sur Eve un regard perçant.

— Il ne vous avait donc pas signalé qu'il se sentait un peu nauséeux, étourdi ?

Prends ça dans les dents, ma chérie.

— Non, il allait très bien.

— Il n'a sans doute pas voulu vous inquiéter. Il m'a avoué qu'il n'était pas au mieux. Soudain, il est devenu livide, il avait le visage en sueur et il s'est mis à trembler de tous ses membres. Nous l'avons aidé à s'allonger, et mon assistante lui a suggéré de consulter un médecin.

— Il était blanc comme un linge, confirma Peabody.

— Il répétait que ce n'était rien, quand brusquement il a eu un malaise. Il a perdu connaissance et nous avons remarqué des plaques rouges dans l'encolure de son sweater. Nous avons aussitôt alerté les secours médicaux qui ont diagnostiqué une allergie.

— Dieu merci, vous étiez là. Je préfère ne pas songer à ce qui se serait passé s'il avait été seul, incapable d'appeler à l'aide.

— Vous auriez dû me prévenir, dit Liza. Je l'ai attendu des heures au restaurant. J'étais folle d'angoisse.

— Désolée, nous vous avions oubliée. À ce moment-là, nous pensions d'abord à lui, à sa santé.

— Naturellement. L'essentiel, c'était de le soigner le plus vite possible, déclara Magda qui semblait quelque peu rassérénée. Il sera désespéré de manquer la vente, lui qui a tellement travaillé pour tout mettre au point.

— Oui, rétorqua Eve. Ça tombe mal.

— Dallas, vous avez été fabuleuse, décréta Peabody, réjouie, lorsqu'elles furent dans l'ascenseur privé qui les menait au QG. Vous avez l'envergure d'une grande comédienne.

— Merci... N'empêche que demain, quand Magda apprendra la vérité à propos de son fils, le coup sera difficile à encaisser. Je suis navrée pour elle.

Elles sortirent de l'ascenseur pour pénétrer directement dans la somptueuse suite réservée au propriétaire de l'hôtel – l'idée que Connors se faisait d'un QG.

— Oh, Dallas... murmura Peabody, éblouie.

— Ne roucoulez pas, Peabody, c'est énervant. Et essayez de vous souvenir que nous sommes là pour travailler.

Le salon était une splendide harmonie de couleurs chaudes, de riches étoffes, de tapis moelleux et de boiseries. Une sculpture en cuivre poli occupait toute la hauteur d'un mur; elle représentait une femme qui versait un filet d'eau d'un bleu profond dans une vasque où flottaient des pétales de roses.

Du plafond en dôme ruisselait un lustre formé de centaines de délicates boules en verre, du même bleu que l'eau. Le piano à queue et le marbre de la cheminée étaient également bleus.

Un escalier en colimaçon, en cuivre, conduisait au niveau supérieur. Des rosiers grimpants, dans des urnes, agrémentaient le palier.

Le décor était d'un tel raffinement que l'intrusion des policiers et de tout leur matériel ne gâtait même pas la beauté ambiante.

Eve en fut gênée.

Soudain, elle entendit des éclats de rire. D'un pas de grenadier, elle se dirigea vers la salle à manger et s'immobilisa sur le seuil, éberluée par le spectacle qui s'offrait à elle.

Manifestement, le banquet durait depuis un bon moment, à en juger par les plats et les saladiers déjà vidés de leur contenu. Des fumets de viande rôtie, d'épices et de sauce au chocolat imprégnaient encore l'atmosphère.

Étaient présents sur la scène du crime : McNab, deux policiers en uniforme – dont le jeune et prometteur Trueheart, qu'Eve aurait cru plus raisonnable –, Feeney, Brigham, le responsable de la sécurité de l'hôtel... et le coupable en personne, autrement dit Connors.

— Qu'est-ce que ça signifie ? aboya-t-elle.

McNab se hâta d'avaler ce qu'il avait dans la bouche, s'étrangla et vira au rouge coquelicot, tandis que Feeney lui tapait charitablement dans le dos. Les deux policiers en uniforme se figèrent. Brigham se plongea dans la contemplation du plafond, et Connors sourit tendrement à sa moitié.

— Hello, lieutenant. Je te sers quelque chose ?

— Vous et vous, articula-t-elle, désignant les deux policiers, à vos postes ! McNab, vous me faites honte. Essuyez la moutarde que vous avez sur le menton.

— C'est de la crème, lieutenant.

— Toi, dit-elle à Connors. Tu viens avec moi.

— Je suis toujours avec toi.

Il la suivit tranquillement. Ils traversèrent un élégant bureau où un autre flic dégustait un cocktail de crevettes tout en surveillant néanmoins l'écran d'un moniteur. Eve le foudroya du regard, mais n'émit aucun commentaire. Elle attendit d'être dans la grande chambre de la suite.

Là, elle explosa.

— On n'organise pas une réception mondaine, nom d'une pipe !

— Absolument.

— Quelle idée t'a pris de gaver mes hommes comme des oies ?

— La plupart des gens ont besoin de manger, de temps à autre.

— Des sandwichs, une pizza... d'accord. Mais ils

sont tellement repus qu'ils vont être avachis et vaseux.

— Lieutenant, nous avons une longue veille qui nous attend. Si on ne s'accorde pas des pauses pour alléger le stress, l'ennui, nous serons tous avachis et vaseux.

Il lui saisit doucement le menton, examina son visage.

— Pas mal, conclut-il. Mais il te faudra une nouvelle dose d'anti-inflammatoire et d'antalgique.

— McNab, cracha-t-elle d'une voix sifflante qui fit rire Connors. Ce petit mouchard...

— Tu l'as beaucoup impressionné en renversant cette montagne de muscles. Mais fallait-il vraiment que tu abîmes ton joli minois que j'aime tant ?

— Apparemment, on t'a tout raconté en détail.

— Excellente déduction. Quand comptes-tu t'occuper personnellement de Yost ?

— Demain. Il paiera, Connors. Vu les chefs d'accusation retenus contre lui au niveau local et fédéral, sur une période de vingt ans, il écopera de la peine maximale. Et il le sait pertinemment.

Connors hocha la tête.

— Je me réjouis à la pensée que désormais, pour un homme comme lui, habitué au luxe, la vie sera bien pire que la mort.

Elle soupira.

— Il faudra peut-être se satisfaire de ça. Arrêter Yost était ma priorité, mais ça risque de compromettre le reste. Je doute qu'il soit directement impliqué dans ce projet de cambriolage. C'est un assassin, pas un voleur, il ne se mouillerait pas dans ce genre de projet, il aurait trop peur de se salir les mains. Seulement voilà... en quelques jours, on a évacué Lane, Yost et Connelly. Naples n'est pas idiot. Malgré le temps et l'argent qu'il a investis dans cette affaire, il peut tout annuler.

— Mick ne lui dira rien.

Elle préférait ne pas remettre ce sujet épineux sur le tapis.

— Qu'il parle ou non, il n'est plus dans le coup. Donc, je résume : l'homme clé de Naples concernant la sécurité est en fuite, sa taupe est à l'hôpital, et son tueur à gages en cellule. L'aventure devient périlleuse. On convaincra peut-être Yost de dénoncer Naples. Mais on n'a pas grand-chose à lui proposer en échange. Il est possible que nous soyons tous les deux forcés de nous contenter d'avoir évité un nouveau crime et fait en sorte que la vente se déroule comme prévu.

— Tu t'en contenteras ?

— Non. Je veux ce salaud. Donner Yost à Stowe a été… bref, passons. Mais Naples et les autres… ils sont à moi. Malheureusement, je sais que mon métier n'est pas toujours satisfaisant. On verra bien.

À minuit, elle frisait l'overdose de caféine et avait inspecté sur les écrans de contrôle le moindre centimètre carré de tous les espaces accessibles au public. Avec Feeney et Brigham, elle avait étudié pour la énième fois l'ensemble du système de sécurité.

Lorsque le commandant arriva, elle se leva pour le saluer et lui faire son rapport.

— Un instant, lieutenant.

D'un geste, il l'invita à le suivre. Ils traversèrent le salon, s'immobilisèrent près de la fontaine en cuivre. Whitney semblait las.

— Yost s'est suicidé, murmura-t-il.

— Quoi ?

— Il a été transféré au siège du FBI voici deux heures. L'agent qui devait l'incarcérer avait un verre sur son bureau. Yost a réussi à s'en emparer, à le briser, et malgré ses menottes, à se trancher la gorge avec un éclat de verre.

— Alors il n'aura pas le châtiment qu'il méritait, marmonna-t-elle. Et j'ai perdu le maillon de la chaîne qui me menait à Naples.

— Je suis désolé, lieutenant.

— Oui… Merci de m'avoir prévenue.

— L'état de l'agent Jacoby s'améliore. Ses médecins estiment que son cœur réagit correctement au traitement.

— Tant mieux. Au moins, il n'est pas dans nos pattes pour tout bousiller. En admettant qu'il reste quelque chose à bousiller.

— Je souhaiterais participer à votre veillée d'armes. Mais vous continuez à assurer le commandement.

Whitney embrassa la pièce du regard.

— Il me semble que je ne vous encombrerai pas, cette suite est plutôt spacieuse.

— Allez donc jeter un œil au buffet, ironisa-t-elle. Il y a peut-être encore un croûton de pain pour vous.

Elle prit place devant la rangée de moniteurs installés dans le salon. De là, elle pouvait surveiller l'intérieur et l'extérieur de l'hôtel. Le personnel de nuit vaquait à ses occupations, apportait des plateaux-repas dans certaines chambres. Des clients rentraient se coucher, d'autres sortaient.

À l'instar de New York, le Palace ne dormait jamais vraiment.

Elle repéra une prostituée en minirobe de satin rouge qui traversait le hall du rez-de-chaussée. Visiblement satisfaite, elle tapotait son petit sac doré, sans doute bourré de billets. Soudain, Eve tressaillit. Liza entrait, croisait la prostituée.

Nonchalante – trop nonchalante –, Liza s'immobilisait et jetait un regard circulaire.

— Feeney, je parierais que notre amie a une caméra sur elle. Pour faire profiter ses copains du paysage.

— Agrandissement, section dix-huit à trente-six.

Feeney émit divers grognements, tandis que la machine exécutait son ordre. Eve eut bientôt une vue plongeante dans le décolleté de Liza.

— Superbe.

— Feeney !

Il cilla, rougit jusqu'à la racine des cheveux.

— Je ne parle pas d'elle, se défendit-il. Je parle du collier qu'elle tripote. Le pendentif est un microcaméscope. Un appareil extrêmement sophistiqué.

— Tu peux brouiller l'image et le son ?

— Oh, oui ! Avec le matériel que Connors m'a procuré, j'arriverais à brouiller une transmission depuis la Lune, jubila-t-il.

— Pas maintenant. Laissons-la faire. Ils seront rassurés, ils verront que tout est en ordre. Bon sang, Feeney, ils n'ont pas annulé leur opération.

Elle consulta sa montre.

— On a quarante-cinq minutes. Continue à la surveiller, dit-elle avant d'aller rameuter ses troupes.

Une demi-heure après, Eve se rendait au poste de commandement, un étage en dessous de la salle de bal. Liza avait filmé pour ses complices toutes les portes de sécurité et l'emplacement des signaux d'alarme. À présent elle était dans sa chambre, et Feeney attendait le feu vert pour intervenir. Deux policiers munis d'un passe s'introduiraient ensuite chez Liza pour l'embarquer au Central.

Eve regrettait de manquer ça.

Elle s'assura que la communication était établie entre elle et les autres chefs de groupe. Elle vérifia son arme, fit rouler son épaule et se félicita de n'éprouver qu'une légère douleur.

Puis elle fronça les sourcils en voyant Connors apparaître.

— Les civils ne sont pas admis ici. Tu remontes.

— Cet hôtel m'appartient, je peux donc aller et venir à ma guise. En outre, ton commandant m'a donné sa bénédiction.

Elle savait qu'il était tout à fait apte à participer à l'action, quoique dans ce sweater et pantalon noirs, il eût plutôt l'allure d'un cambrioleur que d'un défenseur de la loi.

— Tu es armé ?

Il considéra pensivement l'enregistreur qu'elle avait fixé au revers de sa veste, signifiant ainsi qu'il était parfaitement conscient que ses paroles pouvaient être écoutées.

— Les experts consultants civils ne sont pas autorisés à porter une arme.

Autrement dit, il en avait une. Cependant, comme elle ne tenait pas à ce qu'il prenne des risques inutiles, elle ne protesta pas.

— Il faudra faire vite, déclara-t-elle aux hommes et aux femmes réunis dans la salle. Vous avez vos équipes. Assurez mutuellement vos arrières. Ces gens résisteront, parce qu'ils n'auront pas d'échappatoire. Ils seront vraisemblablement munis de pistolets paralysants, ou de gaz tranquillisants, mais il n'est pas impossible qu'ils soient prêts à tuer. Maîtrisez-les et désarmez-les. N'oubliez pas que nous brouillons leurs transmissions et que donc, dans les diverses zones où ils se trouveront, les nôtres seront également brouillées. Je le répète : il faudra agir vite. Lenick, procurez une tenue de protection et un enregistreur à ce civil.

Cinq minutes avant le top de départ, Eve était devant les écrans de contrôle. Elle détourna brièvement les yeux quand Connors se campa à son côté.

— Où est ta tenue de protection ? demanda-t-elle.

— Et la tienne ?

— Je ne suis pas obligée de la mettre.

— Parce qu'elle ralentit les mouvements. Ne perdons pas de temps à nous chamailler. Regarde Honroe qui prend position à l'entrée réservée aux livraisons. Celui-là, il saura bientôt combien je désapprouve le travail de nuit.

— Il tombera avec les autres, mais je veillerai à ce que tu aies une petite minute pour le virer avec perte et fracas.

— J'apprécie cette attention.

— Et voilà le maxibus, pile à l'heure. Que tout le monde se tienne prêt, dit-elle dans son micro.

Elle observa le maxibus qui faisait une embardée, enfonçait l'avant de la voiture arrivant en sens inverse, basculait sur le côté et, dans un éclaboussement d'étincelles, fonçait droit sur l'immeuble voisin.

Il y eut une impressionnante explosion de verre brisé, un panache de fumée noire. Les véhicules stoppèrent, les gens se précipitèrent, le signal d'alarme de la joaillerie retentit.

Sur l'écran d'un autre moniteur, Eve vit le camion de livraison pénétrer tranquillement dans l'hôtel, et Honroe émerger de l'ombre.

Comme Connors, les six individus qui sautèrent du camion étaient tout de noir vêtus, coiffés de cagoules et gantés.

— Mick est avec eux, murmura Connors. Pour nous aider.

Ça reste à prouver, songea Eve.

— Ils sont armés.

— Comment tu…

— Mick me prévient, c'est un vieux code qu'on avait. Des lasers, du style des vôtres. Un lance-grenades, un détecteur de chaleur.

Quand Mick fut dans les lieux, Connors regarda son ami s'attaquer au premier panneau de sécurité, tout en écoutant d'une oreille Eve répercuter au fur et à mesure les informations qu'il lui donnait.

— Attention, les complices qu'ils ont dans l'hôtel sont aussi armés. Lasers. Une femme, spécialiste du combat rapproché. Elle a un poignard dans sa botte droite.

Connors jeta un coup d'œil à Eve.

— Tu lui revaudras ça.

Ce n'était pas une question, il ne doutait pas de son sens de la justice.

— On les arrête, après je verrai ce que je peux faire.

— Voilà, il a franchi le deuxième niveau. Il est plus doué qu'autrefois.

Elle observa Mick qui levait le pouce, puis grimpait avec les autres l'escalier de service. Ils se déplaçaient à toute vitesse, sans bruit et sans la moindre hésitation. À l'évidence, ils s'étaient entraînés à fond.

Mais Eve et ses flics, eux aussi, avaient répété inlassablement les diverses phases de l'opération. Elle regarda Mick s'arrêter devant la porte coupe-feu de l'étage où était située la salle de bal. Il la déverrouilla en un tour de main, la franchit le premier.

—On y va, commanda Eve. Feeney, prépare-toi à brouiller les transmissions.

—Bien reçu. Dis donc, tu as remarqué celui qui a l'air nerveux, qui transpire? C'est Gerade, figure-toi.

—Magnifique.

Eve gagna l'étage de la salle de bal, agita une main. À l'autre bout du couloir, le chef de son équipe de renfort l'imita. D'un même élan, ils s'élancèrent.

—Police! On ne bouge plus! vociféra-t-elle en tirant un coup de semonce qui frôla les bottes de la femme, au moment où elle se penchait.

Un projectile lui siffla aux oreilles. Elle pivota, avisa une silhouette en noir qui tombait à la renverse, assommée par l'arme paralysante d'un des policiers.

Quelqu'un s'écroula sur une vitrine, les autres tentaient de fuir, tels des rats affolés. Dans le tohu-bohu général, Eve vit Mick qui adressait un sourire radieux à Connors.

Soudain, la femme en noir lui lança un énorme vase et se jeta sur elle. Une fraction de seconde, Eve faillit céder à la tentation de se battre avec elle, mais la raison l'emporta... Elle pressa la détente de son arme et son adversaire s'effondra, inconsciente.

—Dommage, commenta Connors. J'aurais bien aimé te regarder lui administrer une raclée.

Il se tourna vers Mick, remit dans sa poche l'arme qu'il n'était pas censé porter.

Par la suite, Connors repenserait très souvent à ce moment. À Mick qui levait les mains en signe de reddition, à ses yeux pétillants de malice.

Ses yeux où, soudain, il avait lu de la peur.

Il se retourna d'un bond, sortant déjà son laser. Vif comme l'éclair. Bon Dieu, il avait toujours eu des réflexes fulgurants.

Mais pas cette fois.

Gerade tenait son poignard à hauteur de sa taille. Son regard flamboyait, terrifié, halluciné. Connors entendit Eve crier, tirer.

Trop tard, là aussi.

Alors Mick se jeta devant lui. La lame du poignard plongea dans son ventre.

— Merde, bredouilla-t-il en s'effondrant.

— Non !

Connors s'agenouilla, pressant une main sur la blessure. Un flot de sang sombre et visqueux jaillit entre ses doigts.

— Ce petit con, articula péniblement Mick, luttant contre l'atroce douleur qui le submergeait. J'aurais pas cru qu'il aurait le cran de faire ça. Je savais même pas qu'il avait un poignard sur lui. Il m'a eu ?

— Tu t'en remettras, Mick.

— Avant, tu mentais mieux que ça.

— Il me faut une ambulance, une équipe de chirurgiens ! hurla Eve tout en se précipitant. J'ai un homme blessé. Poignardé au ventre. Dépêchez-vous !

Puis, sans réfléchir, elle retira sa chemise et la tendit à Connors pour qu'il puisse comprimer la plaie.

— Ça, c'est drôlement gentil, murmura Mick dont le visage virait du blanc crayeux au gris. Je suis pardonné, Eve ?

— Ne vous agitez pas, répondit-elle en lui prenant le pouls. Les secours arrivent.

— Je lui devais ça, vous comprenez, dit Mick en tournant son regard vers Connors. Je le lui devais, même si je m'attendais pas à payer aussi cher. Bon Dieu, il faut souffrir autant pour mourir ?

Il agrippa la main de Connors.

— Ne me lâche pas, hein ?

— Tu t'en sortiras, rétorqua Connors en serrant de toutes ses forces la main de son ami.

Un filet de sang coulait de la bouche de Mick.

— Tu sais bien que je suis foutu. Tu as capté mes signaux, hein ?

— Oui.

— Comme au bon vieux temps. Tu te rappelles…

Il gémit, reprit son souffle.

— … quand on a cambriolé la maison du maire de Londres… On a vidé son salon, pendant qu'il était à l'étage avec sa maîtresse. Sa bonne femme était partie chez sa sœur à Bath.

Connors ne parvenait pas à arrêter l'hémorragie. Il flairait l'odeur de la mort qui approchait, qui rampait vers Mick.

— Je me souviens que tu es monté et que tu as filmé ses ébats avec sa propre caméra. Et ensuite, on lui a revendu le film et on a fourgué la caméra à un receleur.

— Oui… c'était le bon temps. L'époque la plus heureuse de ma vie. Seigneur, finalement ma mère avait raison. Je crève avec un poignard dans le ventre. Mais au moins, je crève dans un hôtel de luxe, pas dans un bouge.

— Reste tranquille, Mick, les secours arrivent.

— Oh, qu'ils aillent au diable…

Il poussa un profond soupir et, un instant, ses yeux furent aussi limpides que du cristal.

— Tu allumeras un cierge pour moi à St. Patrick ?

Connors refusait cette idée, tout son être se révoltait. Pourtant il acquiesça.

— Oui…

— Je te remercie. Tu as toujours été un véritable ami pour moi. Je suis content que tu aies trouvé celle que tu cherchais. Surtout, garde-la près de toi.

La tête de Mick tomba sur le côté. Il était mort.

— Ô mon Dieu…

Le cœur déchiré, Connors se balança d'avant en arrière, comme ballotté par une terrible tempête. Sa main ensanglantée serrait toujours celle de Mick. Il leva vers Eve un regard désespéré.

Elle fit signe aux médecins qui accouraient de rester à distance. Puis elle s'agenouilla au côté de son mari, l'entoura de ses bras, le berça.

Connors se recroquevilla contre sa femme et fondit en larmes.

Il était seul avec ses pensées lorsque l'aube pointa. Immobile devant la fenêtre de sa chambre, il contempla la fragile lumière de ce jour tout neuf et, pas à pas, s'arracha aux ténèbres.

Il aurait voulu éprouver de la colère, de la rage, il l'avait cherchée au tréfonds de lui. Il ne l'avait pas trouvée.

Il ne se retourna pas quand Eve entra, cependant le fait de la savoir de retour à la maison allégea sa peine.

— Tu as eu une très longue journée, lieutenant.

— Toi aussi.

Elle avait été obligée de le laisser seul pendant des heures, et en avait été malade d'inquiétude. Elle hésita… Non, elle ne pouvait pas lui dire les mots banals qu'on prononçait dans de pareilles circonstances. Je suis navrée pour toi, tu dois avoir beaucoup de chagrin…

Non, pas à Connors.

— Michel Gerade est inculpé de meurtre. Cette fois, l'immunité diplomatique ne le sauvera pas.

Comme il se taisait, elle fourragea dans ses cheveux, tripota la chemise que lui avait prêtée une collègue.

— Je le briserai, enchaîna-t-elle. Il dénoncera Naples et sa bande. Il dénoncerait son enfant si ça pouvait lui être utile.

— Naples s'est enfui, on ne le coincera jamais.

Il pivota.

— Tu crois que je n'ai pas déjà fait les recherches nécessaires ? Il nous a échappé. Lui et son ordure de fils. Ils sont hors d'atteinte, comme Yost qui rôtit en enfer.

— Je suis désolée.

— Pourquoi ?

Il s'approcha et, dans la lueur rosée de l'aube, prit le visage d'Eve entre ses mains, baisa son front et ses joues.

— Pourquoi es-tu désolée ? Tu as fait tout ce qui était humainement possible, et même davantage. Tu as donné ta chemise à mon ami, qui n'était pas de ton monde. Tu as été là pour moi quand j'avais besoin de toi.

— Tu te trompes, quiconque te sauve la vie est mon ami. Mick nous a aidés à préparer notre intervention. Et quand nous aurons Naples et son ordure de fils, car nous les aurons, ce sera en partie grâce à lui. Tu avais raison à son sujet. C'était un type bien, incapable de faire du mal à une mouche. Et, à la fin, il a montré un courage exemplaire.

— Il aurait dit que ce n'était pas grand-chose. Je veux le ramener en Irlande, l'enterrer auprès de nos amis.

— Je t'accompagnerai. La police de New York lui a décerné une citation posthume pour conduite héroïque.

Connors la considéra fixement, recula d'un pas. Puis, à la stupéfaction d'Eve, il éclata d'un rire tonitruant.

— Seigneur, s'il n'était pas déjà mort, ça le tuerait pour de bon ! Une citation décernée par ces salauds de flics en guise d'épitaphe !

— Je te rappelle que je suis un salaud de flic.

— Ne te vexe pas, surtout ne te vexe pas, mon magnifique petit lieutenant.

Il la souleva dans ses bras, la fit tournoyer.

— Où qu'il soit désormais, Mick va adorer ça !

Elle aurait pu rétorquer que ce n'était pas une blague, mais un immense honneur, la plus haute distinction qu'elle avait le pouvoir d'attribuer. Cependant elle était tellement soulagée de voir s'éclairer les yeux de Connors qu'elle ne s'offusqua pas.

— Ouais, j'espère bien. Lâche-moi, je voudrais dormir un peu. La journée de demain ne sera pas non plus de tout repos avec cette vente aux enchères.

— On dormira plus tard. On est encore jeunes, murmura-t-il en la couchant sur le lit.

Ils salueraient ce nouveau jour, songea-t-il, en oubliant la mort pour célébrer la vie et l'amour…

7393

Composition Chesteroc Ltd
Achevé d'imprimer en France (La Flèche)
par Brodard et Taupin
le 25 novembre 2004. 27033
Dépôt légal novembre 2004. ISBN 2-290-33611-4

Éditions J'ai lu
84, rue de Grenelle, 75007 Paris
Diffusion France et étranger : Flammarion